GARGANTUA

POCKET CLASSIQUES

collection dirigée par Claude AZIZA

FRANÇOIS RABELAIS

GARGANTUA

Traduction en français moderne,
préface et commentaires de
Marie-Madeleine FRAGONARD

ISBN : 2-266-08281-7

SOMMAIRE

* Pour approfondir votre lecture, *Au fil du texte* vous propose une sélection commentée :
- de morceaux « classiques » devenus incontournables, signalés par ●➔ (droit au but).
- d'extraits représentatifs de l'œuvre, signalés par ○➔ (en flânant).

PRÉFACE

Faites un test : quand on demande à des étudiants les idées qui pour eux s'associent au nom de Rabelais et à l'adjectif *rabelaisien*, on obtient ce qui assure un stéréotype bien ancré dans l'imaginaire collectif et la présence de Rabelais dans quelques publicités pour le vin et la nourriture : *vin, ivrogne, manger, moine paillard, obscène*... À la question suivante : « Avez-vous lu Rabelais, et où, et quoi ? », même automatisme : trois pages, l'éducation, la bataille de Frère Jean, Thélème, au collège. Rien, on peut en être sûr, rien qui puisse être obscène ni porter au désordre dans cette pratique scolaire plutôt soporifique. Mais rien n'y fait. Heureusement pour Rabelais, l'enseignement n'a pas une telle efficacité qu'on puisse confondre ses œuvres avec un pesant pensum bien pensant. Par malheur, en revanche, l'imaginaire collectif se satisfait de peu savoir et fait mémoire, entre réprobation et pourlèchements anticipés, de ce qui effarouchait les censures du XIXe siècle. Double tradition, double réputation, qui repose sur des visions partielles, et ne résiste pas à la vraie lecture, continue, savoureuse, de l'intégralité de textes difficiles, certes, et d'une langue étrange, unique, délirante et créatrice.

Mais la joie de lire ne s'obtient pas sans peine. Il faut accepter d'oublier le prêt-à-penser et beaucoup réapprendre. Se mettre la tête à l'envers.

Écrire un « roman » en 1534

L'œuvre d'un auteur évolue, même pour lui. En écrivant le *Pantagruel* de 1532, Rabelais ne sait pas qu'il écrira *Gargantua* en 1534. Il ne sait pas non plus en 1534 qu'une bonne partie des idées qu'il y expose, toutes neuves, sont d'ores et déjà condamnées par le temps, et qu'en 1542 il lui faudra adoucir certaines expressions (remplacer Théologiens et Sorbonne par Sophistes, correction qui est plus révélatrice encore...). Il ne sait pas encore que ces deux romans seront suivis de trois autres tomes, qui ne racontent plus en somme qu'une seule et même histoire : la quête d'une réponse (Panurge doit-il se marier et sera-t-il cocu ?) à travers de bien étranges interprètes.

À s'arrêter à 1534 donc, Rabelais est un étrange érudit de cinquante ans qui, au sortir de vingt ans de vie monastique, a repris des études de grec et de médecine, mène une vie laïque entre Hôtel-Dieu et éditeurs lyonnais, se met au service d'un personnage officiel, le cardinal du Bellay. Carrière étonnante et atypique, qui laisse présager une formation multiple, et qui est aussi un choix que n'expliquent ni les pesanteurs familiales ni les dominantes sociologiques. Il a déjà une expérience d'écriture, le *Pantagruel* : il est en 1534 le réécriveur de soi-même, en ce que le *Gargantua* ressemble au *Pantagruel* premier-né. Dans ces deux textes, il continue à la fois tradition populaire et formes modernes de l'univers lettré.

Le *Pantagruel* de 1532 est un bricolage multiple, sur la création duquel nous ne savons rien, sinon qu'il naît chez un éditeur, Claude Nourry, qui le sort pour les grandes foires de Lyon. Il hérite en premier lieu des *Grandes et inestimables chroniques du géant Gargantua,* qui ont fait le succès des foires de l'année précédente (voir notre dossier) : Rabelais leur donne une suite en inventant un fils au héros, Pantagruel. En 1534, pour François Juste, Rabelais revient sur les *Chroniques,* pour en métamorphoser le héros principal qui, de géant naïf au service du roi Artus, va devenir un héros civilisateur et parcourir des aventures intellectuelles dont son prototype des livrets populaires n'aurait pas même l'idée, lui qui n'avait guère d'autre ruse que de mettre ses ennemis dans sa musette ou sa braguette...

Les deux romans forment un tout linguistiquement et formellement ; les trois suivants ont des caractéristiques très différentes, manifestement inspirés, quatorze à vingt ans après, d'autres préoccupations.

Les structures globales des deux premiers romans sont semblables, toutes deux reprenant le schéma médiéval de l'initiation du chevalier : naissance, révélation des capacités, éducation, exploits qualifiants, triomphe attesté[1]. Il n'y manque, pour un schéma courtois, que la Dame inspiratrice. Conformément à l'usage des réécritures médiévales, le « continuateur » écrit les aventures du lignage, ici la vie du père du héros premier décrit, sorte de remontée dans le temps des aventures. Dans les deux cas on peut s'étonner de l'absence de péripéties proprement romanesques : mis à part la déclaration de guerre et l'exploit, l'action est peu mouvementée. L'intérêt primordial se reporte donc sur la construction de passages parallèles, opposant soit les actes du héros et de l'anti-héros (exploits de Pantagruel et Panurge, exploits de Frère Jean et Gargantua), soit des modes positifs et négatifs (mauvaise et bonne éducation). Au récit proprement dit se substituent des expansions de thèmes, promouvant la naissance, la beuverie, le savoir, les débats, les énigmes et interrogations discursives. Ce pourquoi progressivement le « roman » rabelaisien tend à s'écarter de l'écriture romanesque pour être le soutien d'une réflexion sur le monde. D'autant qu'à ce schéma linéaire chronologique (et simple) tend à s'en ajouter un second : la symétrie autour d'un centre. Échos et transformations mettent en valeur au centre du roman l'action toute humaine de certains inventeurs géniaux : Panurge ou Frère Jean.

1. Voir Jean Céard, « L'histoire écoutée aux portes de la légende », in *Études seiziémistes,* Droz, 1980 et « Rabelais, lecteur et juge des romans de chevalerie », in *Études rabelaisiennes,* XXI, 1988.

Des caractéristiques étranges se renouvellent aussi dans les deux récits : le traitement du temps, par exemple. Les deux récits s'ancrent dans une sorte de non-temps immémorial, représenté par le mythe, décrit en généalogie fabuleuse remontant à l'avant-déluge, et, comme pour les rois, créant autour du héros un mythe de la lignée, agrandi ici au récit cosmologique (les géants, nos créateurs ou nos ancêtres...). Mais le temps contemporain interfère avec la légende : des allusions claires à l'actualité de 1530, quelques dates habiles (le premier précepteur de Gargantua meurt en 1420, pour les 57 ans de son élève...) quoique truquées (Pantagruel est né pour les 480 ans de son père : trouvez sa date de naissance, et conciliez cela avec les 35 ans de Panurge qui s'en revient de chez les Turcs où il fut fait prisonnier à Mytilène en 1502) rapprochent la légende des temps historiques et même du temps vécu du lecteur. Longues et courtes durées, vie du géant (800 ans ?) et vie humaine vraisemblable ont le même rythme quotidien.

De même la représentation de l'espace mêle le sort du cosmos, l'utopie (royaumes des Dipsodes, des Parpaillots) avec la fabrication de lieux-dits bien français (baptême de la Beauce), et un minuscule espace local du Chinonais où se déroulent les guerres de Picrochole, avant bien sûr de partir en croisade vers l'Orient fabuleux. Pantagruel, né sous la sécheresse causée par le désastre de Phaéton, parcourt en naviguant l'itinéraire des Portugais autour de l'Afrique, puis au *Quart Livre* s'en ira d'île en île ou de constellations en constellations. Le corps du géant, qui sert au lecteur de point de fascination, est toute élastique : il lui faut une grande jument, et sa langue peut couvrir toute une armée ; mais il voyage en bateau et pénètre dans des lieux étroitement humains, boutiques de Parisiens, bibliothèques ou châteaux.

Nos deux textes sont usuellement baptisés « romans », faute de mieux pour désigner un usage extraordinaire de la narration. Il résulte d'un dosage de genres, principe d'écriture mixte, commodément monstrueux. Il ne faut pas oublier que le XVIe siècle se soucie peu des normes des genres et, à cette date, n'utilise pas du tout la *Poétique* d'Aristote. Aucun des genres utilisés en prose n'a de codage explicite, et chaque nom recouvre bien des matières disparates. Roman ou chronique, d'ailleurs ? Le roman joue avec la fiction : il est courant que les romans de chevalerie se disent historiques et fondés sur les bons vieux chroniqueurs, témoins du réel ; roman arthurien comme épopées ou romans antiques flirtent avec l'historicité, la réalité de leur héros central. La bizarrerie consiste donc à réinsérer de la fiction dans ce cadre qui affirme son caractère historique : un témoin raconte la vie d'un géant, dont la taille, la temporalité et même l'espace vital sont des plus aléatoires, antico-contemporains.

Le roman croit venir de l'ancienne épopée, mais ne fait que lui emprunter certains motifs : invocations à la Muse, généalogies, combats des chefs, armes enchantées et démesure des forces, aide des dieux, signes merveilleux. Gargantua, héros positif, ne laissera pas de héros secondaire éclipser sa gloire et les valeurs de la chevalerie : Frère Jean n'est pas Panurge.

À l'intérieur du schéma de roman, des fragments sont inclus : poèmes (*Les Franfreluches antidotées,* poèmes scatologiques de Gargantua, inscriptions à la porte de Thélème, énigme finale) et listes (jeux d'enfant), conversations en désordre (propos des bien-ivres) ou discours en bonne forme (harangues) [1].

À chaque genre son style. Mais Rabelais surenchérit en spécificités stylistiques. Sa préférée est l'emphase, qui est un moyen de renouvellement « économique » en ce qu'il ne modifie en rien l'invention. Tout est bon pour amplifier et créer un style « copieux » : énumé-

1. Mireille Huchon, « Rabelais et les "genres d'escrire" » « in *Rabelais's Incomparable Book,* Lexington, 1986. Michel Jeanneret suggère de rapprocher cette esthétique du mixte des Propos de table, voir *Des Mets et des mots, Banquets et propos de table à la Renaissance,* Corti, 1987.

rations, comparaisons et exemples, hyperboles et intensifs, épithètes grandiloquentes. Plus le style du XVIe siècle tend au sérieux, plus il amplifie : Rabelais use ludiquement de la grandiloquence parodique, en en accentuant les traits (compter méticuleusement ce qui ne se compte pas, ou avec des chiffres disproportionnés, lister jusqu'à épuisement les jeux d'enfant) et en développant les jeux sonores. Il est servi sur ce point par l'attitude accueillante qu'il prend envers toutes les formes de langage. Tout lui est bon et savoureux.

Même si le sommet est atteint dans *Pantagruel* avec le délire de Panurge en vingt langues, *Gargantua* reste aussi un jeu plurilinguistique [1]. Le latin et les divers français savants et dialectaux composent une joyeuse invention, qui ne doit pas déconcerter outre mesure le lecteur : n'oublions pas qu'il faut nécessairement un lecteur lettré ; sa langue de rédaction « normale » est donc le latin. De surcroît le lecteur non savant a l'occasion de parler (?) ou du moins d'entendre du latin international dans les villes universitaires, ou du latin d'Église aux offices religieux. Le minimum de compréhension du lecteur est donc assuré. Mais sans doute même aussi sa compréhension de ce qu'est la juste norme du latin, et, partant, des écarts burlesques à quoi s'exposent les mauvais latiniseurs, comme les mauvais francisants. C'est là où Rabelais, fin linguiste sinon grammairien, l'attend : à la dénonciation comme scandaleuses de toutes ces cacophonies barbares et dégénérées, de ce latin de cuisine qui dénonce la paresse et l'ignardise du milieu qui l'emploie couramment. La morale et la linguistique progresseront ensemble, vers un humain plus raisonnable formé aux *humaniores litterae*.

Le plurilinguisme permet aussi de jouer avec le sens ;

1. Guy Demerson, « Le plurilinguisme de Rabelais », *Renaissance Humanisme, Réforme*, n° 14, 1982 et « Les calembours chez Rabelais », *Bérénice*, n° 1, 1981.

c'est plus plaisant avec autant de morale, et le calembour est roi, créateur d'équivalences (protonotaire → crotenotaire), comme est reine la création verbale sérielle (Sorbonne, Sorbonicole, Sorbonagre ; *omnis clocha clochabilis clochabiliter clochando*). À vrai dire, tout n'est pas neuf, *Rhume / rime* (ch. XIII), *divin / du vin* (ch. XXVII), *Beau-ce* (ch. XVI), ont tous des sources attestées chez les Rhétoriqueurs ; on en riait déjà depuis longtemps, on en rit encore.

La spécificité du Gargantua *de 1534 : se situer dans l'actualité*

Pourtant *Pantagruel* et *Gargantua* diffèrent : le second ouvrage est plus systématiquement construit en symétrie et, quoique non exempt d'équivoques ou d'obscurités, répartit clairement les valeurs et les blâmes. Il comporte de nombreux passages qui lui ont valu sa survie comme texte « sérieux » : réflexion sur la formation, la guerre, la civilisation, fondation de l'utopie aristocratique de Thélème. La comparaison de leurs deux préfaces fait apparaître leur différence d'intention. La préface de *Pantagruel* décrit un auteur chroniqueur, qui veut offrir une médecine du rire, sur le ton univoque d'un bonimenteur de foire ; modeste subordonné, son nom n'apparaît qu'au chapitre XXIII, lorsqu'il ressort de l'exploration de la gorge de son maître : « D'où viens-tu, Alcofrybas ? » La seconde préface s'adresse déjà à des disciples, rappelle les autres ouvrages d'Alcofrybas, nommé dès la page de titre, commentateur et participant de l'action ; il multiplie les intertextes et références savantes et, proposant une lecture seconde, se confronte à deux modèles prestigieux : Socrate, le modèle du penseur, Homère le modèle du texte fondateur. Virage d'attitude qui, conjoignant le sérieux à la farce, fait du *Gargantua* l'ouvrage cependant le moins problématique. *Pantagruel* jongle, équivoque, embrouille au gré du sophiste Panurge. En 1534, Rabelais, temporairement, s'achète une conduite morale conforme au modernisme et à la politique culturelle de la monarchie.

Il exhibe en effet des marques d'appartenance, retenons-nous pour l'instant de parler de convictions. Il affiche d'emblée son appartenance au mouvement humaniste de restitution des langues et philosophies de l'Antiquité. Certes, reprenant souvent une tradition orale folklorique antérieure aux *Chroniques,* Rabelais ancre son texte dans un lot de convictions et de représentations réellement populaires et archaïques. Mais son texte est tout, sauf naïf et archaïque. Que ce soit ou non pour s'en moquer, le narrateur est un lettré de culture savante, et même hyper-savante ; moquerie ou non, il suppose chez son lecteur le même savoir, sans quoi nombre d'allusions lui resteraient obscures (n'est-ce-pas, lecteur sans formation classique ?) et, partant, non comiques. Faisons la liste des auteurs évoqués : les grands noms des études classiques, et bien plus les grecs que les latins, signe d'un ultramodernisme (Aristote, Platon, Plutarque, Homère, Hésiode, Cicéron, Horace, Virgile, Ovide) ; les grands noms de la mystique antique païenne (Horapollo, Orphée, Proclus, Porphyre, les « pythagoriques », Macrobe) et tous les noms des savants en sciences de la nature (Dioscoride, Hippocrate, Théophraste, Elien, Oppien, Galien, Varron, Pline) qui sont explicitement les lectures recommandées à Gargantua. En face, et pour s'en moquer sans réserve dans le seul chapitre XIV, toute la liste de l'apprentissage du Moyen Âge tardif : bric-à-brac où entrent force juristes et grammairiens, de quoi devenir en soixante ans « reveux et rassotté ». La nouvelle norme humaniste triomphe dans l'abondance de ses maîtres à penser. Ce qui n'exclut pas les sources occultées, en particulier l'influence dominante d'Érasme, recopié, sans que son nom apparaisse : n'est-il pas reconnaissable immédiatement, « best-seller » tout comme *La Nef des fous* de Brant ? Sources italienne (le *Songe de Polyphile* de Colonna) ou anglaise (l'*Utopie* de Thomas More) sont toutes des manifestes des recherches renaissantes. Elles enterrent le temps passé, mal compris mais surtout répudié comme obscurantiste.

Il affiche ensuite des convictions religieuses érasmiennes, anticlérical comme le sont alors tous les réformateurs hostiles aux moines parasites, prélats simoniaques ou mondains, papes fauteurs de guerres. Cet immense mouvement — tout à fait orthodoxe dans ses dogmes —, largement commencé au XVe siècle, vient d'engendrer ses dissidents : le mouvement luthérien, plus pressé, plus radical dans ses critiques touchant le culte, puis dans la remise en cause de certains dogmes. Une réaction d'orthodoxie inévitable est à l'œuvre, dont les poursuites, les enquêtes, et les condamnations effectives accroissent d'autant le fossé entre réformateurs (membres de l'Église, mais critiques) et réformés (qui se sont séparés de l'Église). La politique tient son rôle dans ce jeu religieux : le duc de Saxe soutient Luther, l'empereur Charles Quint doit combattre ses propres vassaux ; les paysans soulevés en Rhénanie le sont au nom de la pureté religieuse, Luther les désavoue, mais la Réforme passe pour danger social ; François Ier est sympathisant, Charles Quint champion de l'orthodoxie ; Luther est très hostile aux Turcs, François Ier allié à Soliman... La vie n'est pas simple, surtout quand on a vraiment la foi !

Rabelais affiche enfin sa participation au soutien de la monarchie française, qui en a bien besoin malgré toute sa gloire. Stratégiquement en effet, François Ier est perdant, bien qu'il ait le royaume le plus riche d'Europe ; mais il est encerclé par les territoires dépendant de Charles Quint, qui est simultanément empereur d'Allemagne, roi d'Espagne, suzerain des Pays-Bas et de la Bourgogne, roi de Naples, couronné roi d'Italie depuis 1530. Les guerres menées en Italie depuis 1480 par Charles VIII, puis Louis XII, n'ont pas donné tous les bons résultats escomptés, et la captivité de François Ier fait prisonnier sur le champ de bataille de Pavie en 1525, a manifesté son infériorité militaire et politique. « Tout est perdu fors l'honneur » : le milieu humaniste travaille à sa façon à l'honneur du roi, à la réflexion politique sur les meilleures façons de gouverner, les *Éducations du Prince.*

Le *Gargantua* multiplie donc les allusions aux problèmes qui agitent l'Europe et mettent en cause nettement les modes du savoir et les modes du pouvoir. Modes du savoir, c'est le conflit qui oppose l'humanisme, qui en est en France à sa deuxième génération, aux Facultés de théologie qui discernent dans l'apprentissage des langues anciennes et de la philosophie païenne la source de questionnements religieux et parfois de remarques simplement gênantes sur l'histoire de la chrétienté et de ses textes. La création par François Ier des lecteurs royaux en langues anciennes puis mathématiques et langues orientales est une manifestation de l'opposition entre deux modes culturels. La Faculté de théologie en fait par ailleurs bien d'autres, puisqu'elle est chargée de la censure des livres, et qu'elle a en 1533 l'idée stupide de causer des ennuis à la propre sœur du roi Marguerite de Navarre, en censurant la seconde édition du *Miroir de l'âme pécheresse.* Elle fait encore bien pis, mais c'est là strictement son métier, en dénonçant le danger luthérien et en poussant à la répression, alors que le roi (et surtout Marguerite), s'il n'aime pas les réformateurs allemands, est sensible au mouvement d'idées de réformation qui fait l'unanimité des chrétiens derrière le nom d'Érasme. Or il est difficile parfois de reconnaître l'un de l'autre en ces débuts où peut-être rien ne serait irréparable, où le roi peut encore sauver des proches (faire libérer les prédicateurs de Marguerite de Navarre, libérer Marot), mais pas toujours (supplice de Berquin en 1529). Dire du mal de la Sorbonne comme sotte, dévote, bigote et illettrée n'est un acte osé que très relativement : le roi n'en pense pas moins.

Modes du pouvoir : c'est l'opposition nettement contrastée entre Picrochole et Gargantua. Dire du mal des rois agressifs, oublieux des traités de paix, délirants dans la conquête, obsédés d'eux-mêmes, rêvant de la conquête de Tunis et ravageant surtout les pauvres gens ; souligner que le bon roi ne retient pas rançon de ses prisonniers, qu'il honore les vaincus honnêtes : tout le monde déchiffre ces propos comme visant Charles Quint qui, après avoir diversement maltraité notre bon roi vaincu, laissé piller Rome en 1527, humilié notre Saint Père le pape, mijote en ces années 1534-1535 son expédition vers Tunis. Seuls des esprits modernes peuvent penser que notre bon roi ne se comportait tout de même guère autrement, avait ses moments de rêve de croisades, et n'était pas toujours fidèle à ses traités d'alliance ; seuls des esprits modernes peuvent souligner que la vengeance de Gargantua est plus ravageuse encore en force et en morts que les offenses des pillards.

Dans les engagements de Rabelais, on peut apprécier le rôle du milieu restreint des humanistes, homogène dans ses espoirs de rénovation du savoir et des pratiques religieuses, séparé par les événements ultérieurs, mais qui en 1534 offre encore un front presque uni. On peut surtout apprécier le rôle de ses protecteurs, qui eux aussi espèrent encore l'impossible progrès. Marguerite de Navarre, sœur du roi François, protège Rabelais comme elle a protégé les prêcheurs évangéliques, ou Marot, Bonaventure Des Périers et Calvin. Par situation géographique, Rabelais est de la clientèle de la famille du Bellay, dont le « chef » est le cardinal Jean, qui tient pratiquement les fonctions de ministre des Affaires étrangères. Guillaume de Langey, son frère, a un rôle militaire et politique plus discret : il est chargé des contacts avec les Réformés. Rabelais suit l'un, puis l'autre. Après Jean du Bellay, il s'attachera au cardinal Odet de Châtillon, comme Ronsard. Peu importe pour Rabelais, mais Châtillon deviendra ensuite protestant. Dans ces groupes d'élite, il respire une pensée novatrice, peu cloisonnée encore, plus éprise de recherches que de dogmatisme.

En 1534, l'alliance objective entre les mouvements

religieux réformateurs, l'humanisme et la monarchie, est patente, quoique condamnée. Car les premières marques du danger sont là. L'espoir de réforme sans rupture est en train d'échouer. L'Europe est en plein conflit militaire encore pour longtemps. L'érudition actuelle soulève bien utilement de pointilleuses questions de dates pour la publication de *Gargantua*, et les réponses en modifient l'interprétation. Notre première édition connue porte la date de 1534. Sachant qu'à l'époque on plaçait le début de l'année à Pâques, la date de 1534 va de Pâques 1534 (N.N.) à Pâques 1535 (N.N.). Or en octobre 1534 survient « l'affaire des Placards », moment où la propagande luthérienne en France commet l'erreur d'être trop directe : le roi trouve jusque sur sa table des « placards », feuillets imprimés, qui attaquent brutalement la messe. Il en est scandalisé, fait procession expiatoire, et pendant un temps les enquêtes religieuses sont vives, puis plus généralement la suspicion plane sur toutes idées ressemblant de près ou de loin à celles des Réformés. L'Énigme finale du *Gargantua*, qui fait allusion à la persécution, est-elle liée à cette phase répressive ? Le fait de soutenir des idées novatrices devient-il dangereux et courageux ? Cela dit, en 1534 la persécution n'en est pas encore une et n'est pas le premier souci ni du roi ni du pape : les ambitions de Charles Quint sont plus dangereuses encore, et François Ier a besoin des princes réformés allemands... D'autre part, la typographie montre que l'ouvrage était sous presse en février 1535 (N.N.), lorsque Rabelais surveille une série d'éditions chez Juste avant de partir à Rome avec le cardinal du Bellay [1]. Mais à partir de là, l'écart ira croissant entre ceux qui préfèrent la religion catholique, même imparfaite, aux

1. Mireille Huchon, *Rabelais grammairien*, Droz, 1981, p. 111 ; M. Screech, « The first edition of *Pantagruel* », *Études rabelaisiennes*, XV, 1980, et « Some further reflexions on the dating of *Gargantua* and on the possible meanings of some of the episodes », *Études rabelaisiennes*, XIII, 1976.

risques d'hérésie introduits par une réforme de fond, et ceux qui choisissent la pureté de la foi, quitte à rompre avec Rome. Les « intellectuels » devront choisir : ainsi Budé, qui crie dans son *De transitu* la nécessité de ne pas rompre la chrétienté. Les Réformés qui sautent alors le pas de la rupture (Calvin est de ceux-là) ne leur pardonneront pas leur choix, taxant Budé d'hypocrisie, et Rabelais de libertinage.

Rabelais n'est donc pas (pas encore ?) un rebelle à tout. Il a sans doute un statut étrange, mais ne soyons pas plus catholiques que le pape ni plus royalistes que le roi, qui tous deux trouvent la chose très normale [1]. Et on pourrait dire qu'il paye cette normalisation en particulier vis-à-vis de François Ier, dont il se fait l'admirateur et l'auxiliaire.

C'est d'ailleurs un lieu commun rapidement éclos que le bon géant soit le roi lui-même.

Gargantua, héros national, figure du Roi-Sauveur

Méfions-nous des histoires de géants. Depuis l'Antiquité, leur force est porteuse de mythes et leur monstruosité corporelle terrifie. Mais tout est affaire d'histoire et, pour le XVIe siècle, les géants sont des êtres historiques ; les géants sont nos ancêtres, force archaïque latente dans un monde qui a bien décadé depuis. Et ceci très sérieusement, pas dans les contes de bonne femme : les savants aident et prouvent. La Bible, hé oui, qui parle de l'union des anges et des femmes qui engendrent les géants, qui parle de nos patriarches multicentenaires. L'archéologie, qui découvre parmi les fossiles des os immenses, et confirme l'existence de races gigantesques. La mythologie, qui célèbre la force d'Hercule et lui attribue les exploits fondateurs de la civilisation occidentale. L'historiographie, qui voit dans la mythologie non la vie des dieux mais des événements

1. Richard Cooper, *Rabelais et l'Italie*, Droz, 1990.

lointains de notre race, et attribue à Hercule la paternité effective des races royales, dont la plus belle règne en France, représentée par un roi dont la taille (1,93 m) domine sans peine une humanité dont la moyenne varie autour de 1,60 m.

Rabelais est ainsi porté par tout un courant de légendes, qui ont trouvé un appui dans les textes apocryphes d'un savant italien, Annius de Viterbe, qui a fabriqué (aux frais du roi d'Espagne qui les utilise de même), des textes « antiques » qu'il attribue à l'historien Bérose, qui racontent la chose par le menu. La transmission s'est faite par l'intermédiaire de Jean Lemaire de Belges, dont les *Singularitez de Gaule* et *Illustrations de Troie* (1510) sont un réservoir de légendes sur les origines de nos monarchies occidentales. On n'en suspecte pas alors la fausseté, car la pensée et l'imaginaire de l'époque sont spontanément amalgamants, plus sensibles aux ressemblances qu'aux analyses de différences, et plus heureux de rencontrer de si belles coïncidences que de se méfier de tout. Ajoutons que les princes, premiers flattés, utilisent ces mythes comme éléments de leur propagande politique et de leur gloire personnelle [1].

L'amalgame ne s'arrête du reste pas là : par d'autres aspects Gargantua tient... du divin, la légende chrétienne et Christ compris, dans une équivoque savante où le christianisme « repeint » l'Antiquité païenne des Celtes. Gargantua naît le jour de la Saint-Blaise, le 3 février, et première date possible du début des fêtes de carnaval, jour du mardi-gras et de consommation (excessive) de gras avant carême. Blaise « hérite » du dieu celte des vents, Belenos [2], et de ses liens avec le souffle vital et la gorge, bien visiblement béante dans

1. Richard Berrong, *Le Premier Chapitre de Gargantua et Lemaire de Belges*, Bibliothèque d'Humanisme et Renaissance, XVII, 1893. Colette Beaune, *Naissance de la nation française*, Gallimard, 1987.

2. Claude Gaignebet, *À plus haut sens, l'ésotérisme charnel et spirituel de Rabelais*, Maisonneuve et Larose, 1986.

son nom folklorique. Voilà pour les transpositions du paganisme en christianisme. Mais il y a des coïncidences plus ou moins discrètes. Gargantua vit une vie décalée de 40 jours par rapport à la vie du Christ, l'espace d'un cycle liturgique, toutes dates concordantes. Sa conception « par l'oreille », qui fait s'esclaffer les lecteurs, n'est ni plus ni moins que la traduction physiologique du processus que de doctes dévots attribuent — spirituellement s'entend — au Saint-Esprit fécondant Marie. Dieu frère, Dieu rival, Dieu parodique ? Les temps modernes sont plus sensibles à la parodie ; il ne faut cependant pas exclure le sérieux du propos, car par ailleurs, roi et Christ ont partie liée : les guerres picrocholines sont déclenchées par une histoire de fouaces et de raisin, soit pendant la période des vendanges de septembre ; n'oublions pas que la bataille de Marignan, premier beau succès du règne de François Ier, s'est déroulée le jour de la fête de la Sainte-Croix (Frère Jean avec nous...), le 13 septembre, pour l'anniversaire du roi avec des fleurs de lys, sous la protection de saint Michel [1]. La multiplication des signes et symboles royaux dans les habillements de Gargantua, la fondation de Thélème enfin, ce lieu d'une aristocratie physique, sociale, intellectuelle et religieuse, font du géant le représentant d'une monarchie salvatrice. Qui ne rougit pas de modestie, car elle est alors l'objet de compliments aussi grands mais encore plus directement superlatifs.

Car il reste une hésitation au lecteur, face au mode d'expression choisi par Rabelais. Spirituel et mystique, soit. Mais par quelle surprenante voie !

Éloge du rire

Le statut du texte comique prête à débat. On dispose depuis les Grecs et les Latins de force belles paroles

1. Anne-Marie Lecoq, *François Ier imaginaire*, Macula, 1989.

pour expliquer qu'il faut éduquer par l'agrément, et même qu'un orateur peut persuader par le comique, qui est un effet stratégique. Les textes comiques défendent leur apparente futilité par deux excuses que reprend Rabelais : plaider le caractère léger, on s'amuse, ce n'est pas autre chose ; ou plaider le caractère subtil, le haut sens se cache sous forme énigmatique et distrayante. Rabelais en bon médecin ajoute un troisième motif : rire est bon pour la rate, et pour l'humeur en général, ce qui aide à l'entendement. Relisez la préface...

Mais dans tous les cas, l'objectif reste sérieux : le comique est une sorte de transgression à la bonne marche des choses, une concession à la faiblesse des auditeurs, ou un moyen de les frapper dans leurs points faibles. Plus habile ou plus efficace, le comique doit toujours excuser son impureté, et peut-être faire pardonner son efficacité supérieure à celle de la dialectique. Comédies, fables, farces, et autres formes de bons mots valent pour les faibles d'esprit, c'est bien connu. Avec indulgence ou commisération. Les recueils de bons mots et autres facéties multilingues n'en fleurissent pas moins avec une énergie renouvelée au début du XVIe siècle.

La théorie s'intéresse surtout aux effets du rire. Rire de quelque chose, c'est constater la dégradation ou provoquer la dégradation de l'objet du rire. C'est pourquoi il est moral de rire des vices et des vicieux : le rire satirique est le châtiment du mal, il faut que le ridicule tue. La satire, comme forme mineure, est pardonnée et débouche sur une tradition littéraire tolérée. Elle fait l'objet d'une production de textes continus depuis Horace, et elle est l'arme de tous les débats d'idées et de société, voire de religion. Encore cette pratique se heurte-t-elle à une réticence : peut-on rire de tout ? Rire des bévues des religieux dépravés ne risque-t-il pas de faire rire de la religion ? Avec bien des précautions initiales, la satire pourtant est l'arme des combats intellectuels et religieux de la Renaissance : satire contre les papes guerriers (*Julius exclusus* d'Érasme, ou comment Jules II est refusé au paradis, *Chasse au cerf des cerfs* de Gringore, et mieux, *Jeu du prince des sots* du même Gringore, où le Prince des Sots, Louis XII, affronte Mère Sotte, la Grande Folie de l'Église du même Jules II). Le rire vient de trouver enfin sa consécration dans l'*Éloge de la folie* d'Érasme, où la folie, maîtresse du monde, clame son triomphe et les innombrables exploits de folie de ses suppôts, tous états confondus.

Le rire sert, le rire est même l'arme d'attaque préférée des humanistes contre ce qu'ils considèrent comme un sérieux pesant. À vrai dire, ils exagèrent et truquent le débat : le rire médiéval existe, la scolastique n'est pas triste, et les prêcheurs ne disent pas que des balivernes. À vrai dire aussi ils sont des héritiers : en particulier l'ordre des Franciscains, soucieux (commisération !) de se bien faire comprendre des couches populaires de ses auditeurs, cultive la tradition des récits joyeux.

Mais qui s'aviserait de faire du rire autre chose qu'un instrument ?

Or il est certain que le type de registre auquel emprunte Rabelais n'est pas de tradition lettrée majoritaire à son époque, où Pétrone est encore inconnu et Aristophane non traduit. Il puise à d'autres sources, traditionnelles, mais « normalement » limitées dans leur exercice au temps rituel du carnaval, textes à peine textes, périssables. La période des fêtes du carnaval est un temps où tout va à l'envers. Héritage des Saturnales romaines, elles renversent pour un temps l'ordre social (les derniers sont les premiers), la dignité (un âne en chasuble préside aux messes de l'âne), les convenances (on s'asperge de peinture, de lie de vin, d'excréments) et la décence linguistique sous le couvert du masque. C'est le temps de régler ses comptes par la parodie, de défouler dans la beuverie et la joie les contraintes ordinaires. L'organisation des fêtes est aussi ritualisée que celle des fêtes décentes : la confrérie de la Basoche (clercs, juristes et ecclésiastiques) à Paris, celle des Conards de Rouen ou des Sots de Dijon jouissent d'une réputation inégalée en la matière. Ces spécialistes de l'écriture, ces régulateurs du monde sérieux, sont un temps les producteurs (savants) d'un mode de réjouissance « populaire » qui est réconciliateur. Les premières demandes de censure ne sont pas loin, mais la participation des rois, des municipalités, des ecclésiastiques est encore un fait. Ce sont les troubles religieux qui vont amener une régulation des fêtes, ou du moins une suspicion sur leur contenu, où le blasphématoire côtoie l'obscénité en tout respect du dogme et de la vertu du monde à l'endroit [1]. Attention, nul érotisme ! nul sens de la gastronomie ! nulle esthétique du déguisement, du masque et paraître ! toutes choses dont rêveront les civilisés, refoulés et honnêtes gens des temps ultérieurs. Des forces plus primitives, un sens du sacré plus vital que dévot, une énergie libérée.

Le seul fait de transposer des textes du style carnavalesque, généralement courts, dans un écrit long, et de les mêler à d'autres plus lettrés et plus militants, est une double perturbation. La cacophonie doit être perceptible à un lecteur du XVIe siècle, que ne choque aucun des thèmes et registres, mais que leur mélange surprend par inadéquation textuelle. En forçant les extrêmes à cohabiter, Rabelais invente un paradoxe d'écriture où réconcilier, mais au prix d'une équivoque constante, les tendances des univers intellectuels qu'il a traversés. À vrai dire cela va bien avec l'*Éloge de la folie* [2] : là où la folie règne en maîtresse dans ce qui est devenu le monde ordinaire — celui qu'on dit à l'endroit —, le plus sûr moyen d'être en bon sens est encore de suivre la folie folle du monde à l'envers, qui a toutes chances d'être plus sain.

1. Mikhaïl Bakhtine, *L'Œuvre de François Rabelais et la culture populaire du Moyen Âge et de la Renaissance*, trad. française, Gallimard, 1970. Claude Gaignebet, *Le Carnaval*, Payot, 1974. Jacques Heers, *Fêtes de fous et Carnaval*, Fayard, 1983.

2. Marcel de Grève, « Le discours rabelaisien, ou la raison en folie », in *Folie et déraison à la Renaissance*, Bruxelles, Éditions de l'université, 1976.

Mais pour le lecteur moderne, dont le sens du carnaval n'est plus identique, quel problème et quelle incertitude !

Polysémie / polyphonie

L'interprétation de Rabelais est chose évolutive. Il a été très lu, mais considéré comme un comique, ou honni pour son irrespect par les intégristes des XVIe et XVIIe siècles. Et peu aimé par les générations suivantes, trop débordant, trop difficile. Il est ressuscité pour sa liberté de parole, mais aussi de façon suspecte pour sa puissance, son populisme et son « obscénité » par le XIXe siècle. Réhabilité de l'accusation de vulgarité comique au nom du sérieux, comme militant de la libre pensée rationaliste par A. Lefranc, réhabilité de la libre pensée au nom du sérieux de l'évangélisme par L. Febvre, réhabilité du sérieux de l'évangélisme au nom de la libre parodie carnavalesque et populaire par M. Bakhtine, et juste après au nom de la libre poétique par M. Beaujour et J. Paris, réhabilité de l'insignifiance verbale et de la laïcité par C. Gaignebet au nom du folklore et de l'ésotérisme qui y survit... Oserait-on dire que le texte de Rabelais a un sens ? Le plus commode est encore de lui en trouver plusieurs.

L'essentiel des débats théoriques à l'heure actuelle tourne autour de deux concepts rivaux : polysémie et polyphonie.

La « polysémie » d'un signe est sa capacité à avoir plusieurs sens selon les contextes et les modes d'interprétation. Ainsi peut-on dire que le même mot « vin » désigne un breuvage agréable, mais se trouve associé aux répulsions devant l'ivresse (« il pue le vin ») ou au sang du Christ (communion, pressoir mystique) autant qu'au dieu Bacchus, initiateur des mystères et des orgies : la vérité dans la Dive Bouteille, est-ce le vin de Chinon ou les paroles de la Pythie ?

Pour le Moyen Âge comme pour la Renaissance, un signe est naturellement polysémique : le déchiffrage des différents sens est même quasiment passé en institution en ce qui concerne les textes sacrés et les grands textes : c'est à cette théorie que Rabelais lui-même se réfère dans sa préface pour inciter au déchiffrement de son œuvre. Ainsi peut-on dire qu'une représentation par exemple de Moïse traversant la mer Rouge désigne un épisode historique, au sens « historial » ou « littéral » (Moïse traversant la mer Rouge, où les armées poursuivantes de Pharaon sont englouties), mais aussi un épisode de la vie du Christ (au sens « tropologique » : la mort et la résurrection du Christ), une leçon de sagesse (traverser l'épreuve grâce à la foi, au sens « allégorique »), une vision des grandes lois de l'univers (au sens « anagogique » : les croyants seront sauvés après l'épreuve de ce monde).

Dans cette conception, le travail du lecteur consiste à tenir compte de tous les éléments du texte pour les transposer dans des univers d'interprétation différents, et bien tous ses éléments, si possible. Or, de même que les lecteurs de la Bible ont eu beaucoup de mal pour se demander quel pouvait être le sens spirituel de l'inceste de Loth et de divers détails choquants, le lecteur de Rabelais souffre à chercher le sens spirituel de l'invention des torche-culs. Lorsqu'il constate que la jument de Gargantua peut noyer ses ennemis au gué de Vède dans un flot d'urine, et que les pèlerins survivants célèbrent le fait en utilisant les psaumes, il sait qu'il est en face d'une parodie de l'épisode biblique de la traversée de la mer Rouge, mais de quoi se moque-t-on ? Inversement, quelle dérision pourrait loger dans des passages comme l'éducation ou la harangue aux vaincus ? Encore chaque épisode peut-il faiblir contre l'ingéniosité du lecteur érudit, toujours expert : l'invention des torche-culs et son oison rappelant à l'un la « Léda au Cygne » de Michel-Ange dont les gravures courent la France de 1530, ou à tel autre que l'oison est un des animaux par lesquels Rabelais désigne souvent la Sorbonne, de l'opinion de laquelle on ne saurait faire autre usage que de se torcher. L'épisode cède

toujours à la fin, et à chaque fois avec d'intéressants corrélats, comme on le voit par l'exemple choisi [1]. Mais le livre entier ?

La « polyphonie » est par contre un concept critique récent, né des analyses de M. Bakhtine : il consiste à reconnaître dans un texte les diverses voix qui, comme dans un concert, concourent par leurs moyens différents à faire une œuvre unique : ces « voix » étant, dans un texte, divers fragments de discours empruntés à des discours antérieurs, sources ou ressemblances (intertextes), ressortissant à des discours d'un usage social et esthétique différent (collages, différences de niveaux de langue, de types de discours sociaux, insertion de genres divers). En Rabelais se télescopent des genres différents et des finalités différentes : cela ne constitue pas moins une œuvre dotée d'un sens qui n'est pas plus aléatoire que le son d'une symphonie. Les épisodes comme les tons retrouvent donc chacun la liberté de leur physionomie particulière, qui ne contraint plus les autres : le torche-cul peut être un épisode carnavalesque dans lequel sont enchâssées deux parodies de belle poétique de rhétoriqueur, sans que le discours aux vaincus cesse d'être un concentré de rhétorique cicéronienne en accord avec la théorie moderne du prince idéal et le service du roi François Ier.

Mais le lecteur, qui a déjà bien du mal, ignare qu'il est, à repérer la nature de chaque indice, reste néanmoins sommé de l'impossible : percevoir le sens de l'ensemble. Or le résultat de son enquête ne constitue un sens qu'à travers ses propres œillères et ses partis pris. Prenons par exemple le curieux collage initial, qui fait voisiner l'allusion à la vérole (la syphilis, ce fléau moderne du sexe) et *Le Banquet* de Platon, où comme chacun sait, les participants définissent chacun l'Amour, en beuverie certes, mais combien philosophique..., et

1. Voir les confrontations d'interprétations dans *Études rabelaisiennes*, XXI, 1988.

où Alcibiade fait l'éloge de Socrate, ce séducteur chaste, et buveur non saoulé. Déjà le collage est significatif d'une souveraine liberté de l'écrivain qui ne s'assujettit pas aux normes du « bon goût » et cherche le choc. Vous avez le choix du choc. Soit Platon le père des philosophes, le presque dieu des lettrés, se trouve « contaminé » par le voisinage : parodie et irrespect, dérision du sublime renvoyé à la chair primordiale. Soit la vérole devient un indice à interpréter, comme l'est, dans le discours de Platon, la laideur de Socrate : si vous pensez que ce mal d'amour se soigne au mercure, et que Mercure est Hermès, l'initiateur de la Sagesse... Entre le discours du carnaval et celui du sérieux doctoral, qui valorise l'autre ? Si vous croyez au monde doctoral, vous êtes alors en face d'une parodie de ce sérieux et de l'œuvre d'un (dangereux ?) provocateur ; si vous croyez à la liberté de l'expression populaire ou, autre version, à la non-censure des pulsions profondes, l'œuvre libère du masque et des contraintes artificielles, du faux savoir officiel qui se fait passer pour la seule sagesse. Vous pouvez même penser que le meilleur progrès est dialectique, et qu'il faut des deux pour avancer sans duperie...

D'autant que Rabelais, qui a tout prévu, est d'une prudence toute... scolastique dans sa préface [1]. Appelant à bien regarder, puis à ronger l'os, puis à en déguster le contenu, il appelle tout bonnement selon la bonne lecture religieuse à une lecture progressive, littérale, puis « spirituelle », selon les dents et le zèle du lecteur : gaudrioles, certes, et aussi ensuite sens élevé qui ne peut ni ne doit renier son signifiant comique.

Entre polysémie et polyphonie, l'interprétation de Rabelais est donc chose hautement spéculative, surtout si l'on étend l'ambition à la compréhension de son

1. Sur la préface et son ambiguïté, les débats entre Raymond La Charité et Richard Regosin, *Rabelais's Incomparable Book*, Lexington, 1986.

œuvre entière. La « geste » de Panurge, en particulier, et la quête de Vérité vous réserveront d'autres mystères. Pour lors, restons-en à 1534, au *Gargantua*.

Entre les *Fanfreluches antidotées* et l'*Énigme finale*, essayez vos dents et votre zèle. À bon chien bon os.

NOTE SUR LA PRÉSENTE ÉDITION

Nous avons utilisé **le texte de 1534**, dont l'édition savante de référence est procurée par R. Calder et M. Screech chez Droz, 1970, auquel nous avons apporté quelques corrections, marquées par un astérisque.

La **traduction** est bien une traduction : elle perd une grande part des effets poétiques, dus aux décalages linguistiques et aux sonorités, une part aussi de la truculence ; il a bien fallu bricoler la traduction des calembours, mais nous n'avons pas pris d'autres libertés. Une adaptation en langue moderne équivalente aurait réclamé autant de notes probablement que le texte de base.

Ceci n'est pas une édition savante. Les notes sont volontairement restreintes pour ne pas occuper plus de place que le texte. Au demeurant, éclaircir bien des allusions, contestations et débats n'est possible que si on peut alléguer des textes plus clairs et (ou) un contexte plus connu que Rabelais lui-même, ce qui est douteux. Une bibliographie détaillée « en situation » invite à suppléer ces manques.

GARGANTUA

LA VIE TRÈS HORRIFIQUE DU GRAND GARGANTUA, PÈRE DE PANTAGRUEL, JADIS COMPOSÉE PAR M. ALCOFRIBAS, ABSTRACTEUR DE QUINTE ESSENCE.

Aux Lecteurs

Amis lecteurs, qui ce livre lisez,
Despoûillez vous de toute affection,
Et, le lisants, ne vous scandalisez :
Il ne contient mal ne infection.
Vray est qu'icy peu de perfection
Vous apprendrez, si non en cas de rire ;
Aultre argument ne peut mon cueur elire,
Voiant le dueil qui vous mine et consomme :
Mieulx est de ris que de larmes escrire,
Pource que rire est le propre de l'homme.

VIVEZ JOYEUX.

Aux Lecteurs

Amis lecteurs, qui lisez ce livre,
Défaites-vous de toute passion,
Et, en le lisant, ne vous scandalisez pas :
Il ne contient ni mal ni infection.
Il est vrai qu'ici vous n'apprendrez
Que peu de perfection, sinon sur le rire ;
Mon cœur ne peut choisir aucun autre sujet,
Quand je vois le deuil qui vous mine et consume :
Il vaut mieux écrire du rire que des larmes,
Parce que le rire est le propre de l'homme.

VIVEZ JOYEUX.

Prologue de l'auteur

Beuveurs[1] *tresillustres, et vous, Verolés trespre-cieux, — car à vous, non à aultres, sont dediez mes escriptz, — Alcibiades en un dialoge de Platon intitulé* Le Bancquet, *louant son precepteur Socrates, sans controverse prince des philosophes, entre aultres paroles le dict estre semblable es Silenes*[2]. *Silenes estoyent jadis petites boites, telles que voyons de present es bouticques des apothecaires, pinctes au dessus de figures joyeuses et frivoles, comme de harpies, satyres, oysons bridez, lievres cornuz, canes bastées, boucqs volans, cerfz limonniers et aultres telles pinctures contrefaictes à plaisir pour exciter le monde à rire (quel fut Silene, maistre du bon Bacchus). Mais au dedans l'on reservoit les fines drogues*[3] *comme baulme, ambre gris, amomon, musc, zivette, pierreries et aultres choses precieuses. Tel disoit estre Socrates, parce que, le voyans au de hors et l'estimans par l'exteriore apparence, n'en eussiez donné un coupeau d'oignon, tant laid il estoit de corps et ridicule en son maintien, le nez pointu, le reguard d'un taureau, le visaige d'un fol, simple en meurs, rusticq en vestemens, pauvre de fortune, infortuné en femmes, inepte à tous offices de la republicque, tousjours riant, tousjours beuvant d'autant à un*

1. Selon l'argumentaire usuel des textes comiques, il faut trouver un public destinataire, à qui le livre soit utile : à réconforter les malades, par exemple. Mais les buveurs ? L'éloge du vin comme source d'inspiration et parole quasi mystique est une constante de la réflexion sur l'inspiration du livre et partant, sur son déchiffrage. Voir plus loin : « Crochetastes vous une bouteille… »

Prologue de l'auteur

Buveurs très illustres, et vous, vérolés très précieux — car c'est à vous, non aux autres, que je dédie mes écrits —, Alcibiade, dans un dialogue de Platon intitulé Le Banquet, *faisant l'éloge de son précepteur Socrate, sans conteste le prince des philosophes, déclare entre autres choses qu'il est semblable aux Silènes. Les Silènes étaient jadis de petites boîtes, comme celles que nous voyons à présent dans les boutiques des apothicaires, sur lesquelles étaient peintes des figures drôles et frivoles : harpies, satyres, oisons bridés, lièvres cornus, canes bâtées, boucs volants, cerfs attelés, et autres figures contrefaites à plaisir pour inciter les gens à rire (comme le fut Silène, maître du bon Bacchus). Mais à l'intérieur on conservait les drogues fines, comme le baume, l'ambre gris, l'amome, la civette, les pierreries et autres choses de prix. Alcibiade disait que Socrate leur était semblable, parce qu'à le voir du dehors et à l'évaluer par l'aspect extérieur, vous n'en auriez pas donné une pelure d'oignon, tant il était laid de corps et d'un maintien ridicule, le nez pointu, le regard d'un taureau, le visage d'un fou, le comportement simple, les vêtements d'un paysan, de condition modeste, malheureux avec les femmes, inapte à toute fonction dans*

2. Cet éloge de Socrate n'est pas emprunté directement à Platon, mais aux *Adages* d'Érasme : voir dossier, p. 467.

3. Les épices venus d'Orient sont des produits de luxe, et aussi de soin, de même que les pierres précieuses qu'on consomme en poudre.

chascun, tousjours se guabelant, tousjours dissimulant son divin sçavoir. Mais, ouvrans ceste boite, eussiez au dedans trouvé une celeste et impreciable drogue : entendement plus que humain, vertus merveilleuse, couraige invincible, sobresse non pareille, contentement certain, asseurance parfaicte, desprisement incroyable de tout ce pourquoy les humains tant veiglent, courent, travaillent, navigent et bataillent.

A quel propos, en vostre advis, tend ce prelude et coup d'essay ? Par autant que vous, mes bons disciples, et quelques aultres folz de sejour, lisans les joyeux tiltres d'aulcuns livres de nostre invention, comme Gargantua, Pantagruel, Fessepinthe, La dignité des braguettes, Des poys au lard cum commento, *etc.* [1]*, jugez trop facilement ne estre au dedans traicté que mocqueries, folateries et menteries joyeuses, veu que l'enseigne exteriore (c'est le tiltre) sans plus avant enquerir est communement repceu à derision et gaudisserie. Mais par telle legiereté ne convient estimer les œuvres des humains. Car vous mesmes dictes que l'habit ne faict poinct le moine, et tel est vestu d'habit monachal, qui au dedans n'est rien moins que moyne, et tel vestu de cappe Hispanole, qui en son couraige nullement affiert à Hispane. C'est pourquoy fault ouvrir le livre et soigneusement peser ce que y est deduict. Lors congnoistrez que la drogue dedans contenue est bien d'aultre valeur que ne promettoit la boitte ; c'est à dire que les matieres icy traictées ne sont tant folastres comme le tiltre au dessus pretendoit.*

Et, posé le cas qu'on sens literal [2] *vous trouvez matieres assez joieuses et bien correspondentes au nom, toutesfois pas demourer là ne fault, comme au chant*

1. Référence, comme dans la préface de *Pantagruel*, à la tradition des livrets populaires. Ces titres néanmoins sont disparates : Fessepinte est peut-être un autre géant, son nom signifie Buveur ; *La Dignité des Braguettes* est encore mentionné comme ouvrage d'Alcofrybas au chapitre VII ; *Des pois au lard* figure dans *Pantagruel*, dans la merveilleuse bibliothèque de Saint-Victor : il vise sans

l'État ; et toujours riant, trinquant avec chacun, toujours se moquant, toujours cachant son divin savoir. Mais, en ouvrant cette boîte, vous y auriez trouvé une céleste et inappréciable drogue : une intelligence plus qu'humaine, une force d'âme merveilleuse, un courage invincible, une sobriété sans égale, une égalité d'âme sans faille, une assurance parfaite, un détachement incroyable à l'égard de tout ce pour quoi les humains veillent, courent, travaillent, naviguent et bataillent.

À quoi tend, à votre avis, ce prélude et coup d'essai ? ⟲ *C'est que vous, mes bons disciples, et quelques autres fous oisifs, en lisant les joyeux titres de quelques livres de notre invention, comme* Gargantua, Pantagruel, Fessepinte, La Dignité des braguettes, Des pois au lard avec commentaire, *etc., vous pensez trop facilement qu'on n'y traite que de moqueries, folâtreries et joyeux mensonges, puisque l'enseigne extérieure (c'est le titre) est, sans chercher plus loin, habituellement reçue comme moquerie et plaisanterie. Mais il ne faut pas considérer si légèrement les œuvres des hommes. Car vous-mêmes vous dites que l'habit ne fait pas le moine, et tel est vêtu d'un froc qui au-dedans n'est rien moins que moine, et tel est vêtu d'une cape espagnole qui, dans son courage, n'a rien à voir avec l'Espagne. C'est pourquoi il faut ouvrir le livre et soigneusement peser ce qui y est traité. Alors vous reconnaîtrez que la drogue qui y est contenue est d'une tout autre valeur que ne le promettait la boîte : c'est-à-dire que les matières ici traitées ne sont pas si folâtres que le titre le prétendait.*

Et en admettant que le sens littéral vous procure des matières assez joyeuses et correspondant bien au titre,

doute le texte de Pierre Lombard (abrégé P. Lard) et ses commentaires, base des études théologiques.

2. Sur la hiérarchie des lectures, voir la préface. Le chant des Sirènes capte tellement l'attention des navigateurs qu'ils se laissent dériver vers les rochers et se noient ; allusion à *L'Odyssée*, cet épisode est peint dans la galerie de François Ier à Fontainebleau.

⟲ Voir *Au fil du texte*, p. XI.

des Sirenes, ains à plus hault sens interpreter ce que par adventure cuidiez dict en guaieté de cueur.

Crochetastez vous oncques bouteiles ? Caisgne ! Reduisez à memoire la contenence qu'aviez. Mais veistez vous oncques chien rencontrant quelque os medullare ? C'est, come dict Platon, li.2. de Rep.[1]*, la beste du monde plus philosophe. Si veu l'avez, vous avez peu noter de quelle devotion il le guette, de quel soing il le guarde, de quel ferveur il le tient, de quelle prudence il l'entomme, de quelle affection il le brise, et de quelle diligence il le sugce. Qui l'induict à ce faire ? Quel est l'espoir de son estude ? Quel bien y pretendt il ? Rien plus q'un peu de mouelle. Vray est que ce peu plus est delicieux que le beaucoup de toutes aultres, pource que la mouelle est aliment elabouré à perfection de nature, comme dict Galen,* 3. Facu. natural., *et* 11. De usu particu.

A l'exemple d'icelluy vous convient estre saiges[2]*, pour fleurer, sentir et estimer ces beaux livres de haulte gresse, legiers au prochaz et hardiz à la rencontre. Puis, par curieuse leczon et meditation frequente, rompre l'os et sugcer la substantificque mouelle — c'est à dire, ce que j'entends par ces symboles Pythagoricques — avecques espoir certain d'estre faictz escors et preux à ladicte lecture. Car en icelle bien aultre goust trouverez et doctrine plus absconce, que vous revelera de tresaultz sacremens et mysteres horrificques, tant en ce que concerne nostre religion que aussi l'estat politicq et vie oeconomicque.*

1. Les références des titres sont toujours abrégées dans les travaux érudits, selon un code simple : L. ou li. ou lib. = liber ou libri ; cap. ou C. = chapitre ; les titres ou les intitulés de lois sont représentés par leurs premiers mots abrégés. Les noms d'auteurs sont tantôt en forme originelle, tantôt adaptés en français. Les chiffres sont arabes ou romains. Platon, li. 2 se comprend Platon, au second livre du traité *De la république*. Plus loin, Galien, au 3e livre *Des facultés*

il ne faut pourtant pas s'y arrêter, comme au chant des sirènes, mais interpréter à plus haut sens ce que hasard vous croyiez dit de gaieté de cœur.

Avez-vous jamais crocheté une bouteille ? canaille ! souvenez-vous de la contenance que vous aviez. Mais avez-vous jamais vu un chien rencontrant quelque os à moelle ? C'est, comme dit Platon au livre II de la République, *la bête la plus philosophe du monde. Si vous l'avez vu, vous avez pu noter avec quelle dévotion il guette son os, avec quel soin il le garde, avec quelle ferveur il le tient, avec quelle prudence il l'entame, avec quelle passion il le brise, avec quel zèle il le suce. Qui le pousse à faire cela ? Quel est l'espoir de sa recherche ? Quel bien en attend-il ? Rien de plus qu'un peu de moelle. Il est vrai que ce peu est plus délicieux que le beaucoup d'autres produits, parce que la moelle est un aliment élaboré selon ce que la nature a de plus parfait, comme le dit Galien, au 3e livre* Des Facultés naturelles *et au 11e de* L'Usage des parties du corps.

A son exemple, il vous faut être sages pour humer, sentir et estimer ces beaux livres de haute graisse, légers à la poursuite et hardis à l'attaque. Puis, par une lecture attentive et une méditation assidue, rompre l'os et sucer la substantifique moelle, c'est-à-dire — ce que je signifie par ces symboles pythagoriciens — avec l'espoir assuré de devenir avisés et vaillants à cette lecture. Car vous y trouverez une bien autre saveur et une doctrine plus profonde, qui vous révélera de très hauts sacrements et mystères horrifiques, tant sur notre religion que sur l'état de la cité et la gestion des affaires.

naturelles et 11e livre *De l'usage des parties (du corps)*. Ces notations abrégées sont normales pour le lecteur érudit, mais provoquent une difficulté de lecture et quelques absurdités par leur fragmentation qui perd tout sens et ressemble au latin crachoté de Janotus, cf. chap. XIX.

2. Un chien de chasse est *sage* quand il a du flair.

Croiez vous en vostre foy qu'oncques Homere[1]*, escrivent l'*Iliade *et* Odyssée, *pensast es allegories lesquelles de luy ont beluté Plutarche, Heraclides Ponticq, Eustatie et Phornute, et ce que d'iceulx Politian a desrobé ? Si le croiez, vous n'aprochez ne de pieds ny de mains à mon opinion, qui decrete icelles aussi peu avoir esté songéez d'Homere que d'Ovide en ses* Metamorphoses *les sacremens de l'Evangile, lesquelz un Frere Lubin*[2]*, vray croquelardon, s'est efforcé demonstrer, si d'adventure il rencontroit gens aussi folz que luy, et (come dict le proverbe) couvercle digne du chaudron.*

Si ne le croiez, quelle cause est, pourquoy autant n'en ferez de ces joyeuses et nouvelles chronicques, combien que, les dictant, n'y pensasse en plus que vous, qui par adventure beviez comme moy ? Car, à la composition de ce livre seigneurial, je ne perdiz ny emploiay oncques plus, ny aultre temps que celluy qui estoit estably à prendre ma refection corporelle, sçavoir est, beuvant et mangeant. Aussi est ce la juste heure d'escrire ces haultes matieres et sciences profundes, comme bien faire sçavoit Homere, paragon de tous philologes, et Ennie, pere des poëtes latins, ainsi que tesmoigne Horate, quoy q'un malautru ait dict que ses carmes sentoyent plus le vin que l'huile[3]*.*

Autant en dist un tirelupin de mes livres ; mais bren pour luy ! L'odeur du vin, ô combien plus est friant, riant, priant, plus celeste et delicieux que d'huile ! Et prendray autant à gloire qu'on die de moy que plus en vin aye despendu que en huyle, que feist Demosthenes, quand de luy on disoit que plus en huyle que en vin despendoit. A moy n'est que honneur et gloire d'estre

1. Les grands ouvrages de l'Antiquité sont le support de nombreuses interprétations, païennes, puis chrétiennes, multiplement recopiées. Homère, premier des poètes, en particulier : *L'Odyssée* passe pour une allégorie des vicissitudes de la vie humaine. À la liste des commentateurs anciens, Rabelais ajoute un commentateur moderne, Politien, vedette de la cour de Laurent le Magnifique à Florence, et une gloire de l'humanisme.

Croyez-vous sincèrement que jamais Homère, en écrivant L'Iliade *et* L'Odyssée, *ait pensé aux allégories qu'y ont bricolées Plutarque, Héraclide du Pont, Eusthate et Phornute, et à ce que Politien leur a volé ? Si vous le croyez, vous n'approchez ni des pieds ni des mains de mon opinion, qui certifie qu'Homère a aussi peu songé à ces allégories qu'Ovide dans ses* Métamorphoses *aux mystères de l'Évangile, quoiqu'un certain Frère Lubin, vrai croquelardon, se soit efforcé de les y montrer, au cas où il rencontrerait des gens aussi fous que lui et, comme dit le proverbe, couvercle digne du chaudron.*

Si vous ne le croyez pas, quelle est la raison pour laquelle vous n'en ferez pas autant de ces joyeuses et nouvelles Chroniques, quoique, en les dictant, je n'y aie pas pensé plus que vous, qui peut-être buviez comme moi ? Car, pour composer ce livre seigneurial, je n'ai jamais perdu ni consacré plus long ni autre temps que celui qui était fixé pour ma réfection corporelle, c'est-à-dire pour boire et manger. Aussi est-ce le bon moment pour écrire sur ces hautes matières et sciences profondes, comme le savaient bien faire Homère, modèle de tous les philologues, et Ennius, père des poètes latins, ainsi qu'en témoigne Horace, quoiqu'un malotru ait dit que ses poèmes sentaient plus le vin que l'huile.

C'est aussi ce que dit un turlupin de mes livres, mais je l'emmerde ! L'odeur du vin est ô combien plus friande, riante, priante, plus céleste et délicieuse que celle de l'huile ! Et je serai aussi fier qu'on dise de moi que j'ai plus dépensé en vin qu'en huile, que l'était Démosthène quand on disait de lui qu'il dépensait plus en huile qu'en vin. Pour moi il n'y a qu'honneur et

2. Pierre Lavin, un dominicain, a essayé de faire des *Métamorphoses* une série d'allégories des mystères chrétiens.

3. L'huile est bien sûr destinée à la lampe, et mesure le caractère studieux des auteurs qui travaillent même la nuit, à moins, opinion inverse, qu'elle ne mesure les efforts de tâcherons peu doués. Encore un Adage qu'Érasme a commenté.

dict et reputé bon gaultier et bon compaignon, et en ce nom suis bien venu en toutes bonnes compaignies de Pantagruelistes. A Demosthenes fut reproché par un chagrin que ses Oraisons *sentoyent comme la serpilliere d'un hord et sale huilier. Pourtant, interpretrez tous mes faictz et mes dictz en la perfectissime partie ; ayez en reverence le cerveau caseiforme qui vous paist de ces belles billes vezées, et, à vostre povoyr, tenez moy tousjours joyeux.*

Or esbaudissez vous, mes amours, et guayement lisez le reste, tout à l'aise du corps et au profict des reins ! Mais escoutaz, vietzdazes, — que le maulubec vous trousque[1] *! — vous soubvieigne de boyre à my pour la pareille, et je vous plegeray tout ares metys.*

1. La traduction des insultes et obscénités pose un problème non de décence, mais de comique. « Écoutez, vits d'âne ! qu'un ulcère vous rende boiteux » manque à l'évidence de la vigueur de l'expression gasconne d'origine.

gloire à être dit et réputé joyeux luron et bon compagnon, et à ce titre je suis bienvenu en toutes compagnies de Pantagruélistes ; Démosthène, un grincheux lui a reproché que ses Discours avaient l'odeur d'un tablier de marchand d'huile crasseux. Pour cette raison, interprétez tous mes faits et dires en la meilleure part ; révérez le cerveau fromageux qui vous nourrit de ces belles billevesées, et si vous le pouvez, tenez-moi toujours pour joyeux.

Or donc réjouissez-vous, mes amours, lisez gaiement le reste, pour l'agrément du corps et le profit des reins ! mais écoutez, couillons, — ou que le chancre mou vous ronge ! — souvenez-vous de boire à ma santé, et je vous en promettrai autant.

CHAPITRE I

De la genealogie et antiquité de Gargantua

Je vous remectz à la grande chronicque Pantagrueline [1] recongnoistre la genealogie et antiquité dont nous est venu Gargantua. En icelle vous entendrez plus au long comment les geans nasquirent en ce monde, et comment d'iceulx, par lignes directes, yssit Gargantua, pere de Pantagruel, et ne vous faschera si pour le present je m'en deporte, combien que la chose soit telle que, tant plus seroit remembrée, tant plus elle plairoit à vos Seigneuries ; comme vous avez l'autorité de Flacce [2], qui dict estre aulcuns propos, telz que ceulx cy, qui plus sont delectables quand plus souvent sont redictz.

Pleust à Dieu q'un chascun sceust aussi certainement sa genealogie, depuis l'arche de Noë jusques à cest eage ! Je pense que plusieurs sont aujourd'huy empereurs, roys, ducz, princes et papes en la terre, lesquelz sont descenduz de quelques porteurs de rogatons et de coustretz, comme, au rebours, plusieurs sont gueux de l'hostiaire, souffreteux et miserables, lesquelz sont descenduz de sang et ligne de grandz roys et

1. Renvoi aux *Grandes Chroniques* et au chapitre I de *Pantagruel*. Il est d'usage dans un roman de chevalerie de définir les origines du héros, toute valeur aristocratique étant le fruit de la lignée.

CHAPITRE I

De la généalogie et des anciennes origines de Gargantua

Je vous renvoie à la grande chronique pantagruéline pour retrouver la généalogie et l'ancien temps dont nous est venu Gargantua. Vous y apprendrez plus longuement comment les géants naquirent en ce monde et comment, en ligne directe, en est descendu Gargantua, père de Pantagruel ; vous ne vous fâcherez pas si, pour l'heure, je m'en abstiens ; et pourtant la chose est si belle que, plus on la répéterait, plus elle plairait à vos Seigneuries : vous avez la caution de Flaccus, qui déclare que certains propos tels que ceux-ci sont d'autant plus délectables qu'on les redit plus souvent.

Plût à Dieu que tout le monde connût aussi certainement sa généalogie depuis l'arche de Noé jusqu'à notre époque ! Je crois qu'il y a aujourd'hui beaucoup d'empereurs, de rois, de ducs, de princes et de papes ici-bas, qui descendent de quelques porteurs de reliquailles et de hottes, et qu'à l'inverse nombreux sont les gueux de l'hospice, souffreteux et misérables, qui descendent du sang et de la lignée de grands rois et

2. Horace dans l'*Art poétique*, v. 365, mais c'est encore Érasme, *Adages*, I, II, 49.

empereurs [1], attendu l'admirable transport des regnes et empires [2] :

des Assyriens es Medes,
des Medes es Perses,
des Perses es Macedones,
des Macedones es Romains,
des Romains es Grecz,
des Grecs es Françoys.

Et, pour vous donner à entendre de moy qui parle, je cuyde que soye descendu de quelque riche roy ou prince on temps jadis. Car oncques ne veistes homme qui eust plus grande affection d'estre roy et riche que moy, affin de faire grand chere, et pas ne travailler, et bien enrichir mes amis et tous gens de bien et de sçavoir. Mais en ce je me reconforte que en l'aultre monde je le seray, voyre plus grand que de present ne l'auseroye soubhaiter [3]. Vous en telle ou meilleure pensée reconfortez vostre malheur, et beuvez fraiz, si faire ce peut.

Retournant à nos moutons, je vous diz que par un don souverain de Dieu nous a esté reservée l'antiquité et genealogie de Gargantua plus entiere que nulle aultre, — de Dieu je ne parle, car il ne me appartient, aussy les diables (ce sont les caffars) se y opposent. Et fut trouvée par Jean Audeau en un pré qu'il avoit près l'arceau Gualeau [4], au dessoubz de l'Olive, tirant à

1. Au XVe et au XVIe siècle, la recherche des ancêtres et des antiquités nationales est un élément de la construction des royaumes et, pour les familles princières, une occasion (sincère) de se relier aux origines mythologiques. Ainsi les rois de France, comme les empereurs, sont persuadés de descendre d'Hercule. Le tout s'opère à l'aide des traditions folkloriques (Gargantua lui-même est une version d'Hercule, voir notre dossier p. 450) et de textes apocryphes, c'est-à-dire confectionnés pour les besoins de la cause. Mais cette idéalisation des origines est combattue par les travaux des historiens qui savent que les successions royales sont souvent le fruit d'usurpations.

2. Résumé rapide de la façon dont on comprend alors l'histoire du monde, comme un déplacement dans le temps et l'espace des puissances et des cultures. C'est aussi un enjeu politique : qui est l'héritier de l'Empire romain d'Orient (= les Grecs) en Occident ? L'Italie, la France et l'Empire se disputent le titre et la gloire.

empereurs, vu l'admirable transfert des règnes et empires :

des Assyriens aux Mèdes,
des Mèdes aux Perses,
des Perses aux Macédoniens,
des Macédoniens aux Romains,
des Romains aux Grecs,
des Grecs aux Français.

Et, pour vous faire comprendre mon cas, moi qui vous parle, je crois que je descends de quelque riche roi ou prince du temps jadis. Car vous n'avez jamais vu personne qui ait plus grand désir que moi d'être roi et riche, afin de faire grande chère, et ne pas travailler, et bien enrichir mes amis et tous les gens de bien et de savoir. Mais je me console en pensant que dans l'autre monde je le serai, et même plus grand que je n'oserais le souhaiter actuellement. Pour vous, consolez-vous de votre malheur à cette pensée ou mieux si vous pouvez, et buvez frais, si c'est possible.

Pour en revenir à nos moutons, je vous dis que par un don souverain de Dieu nous ont été conservées la lignée et la généalogie de Gargantua plus complètement que pour nul autre — celle de Dieu, je n'en dis rien car il ne m'appartient pas d'en parler, d'ailleurs les diables (je veux dire les cafards) s'y opposent. Cette généa-

3. Vision rétributive et compensatoire de la survie des âmes : les premiers seront les derniers et les humbles posséderont le ciel. Sur cette pensée évangélique, se greffent d'autres apports carnavalesques (inversion des rapports sociaux) que traduit dans *Pantagruel* le voyage d'Épistemon aux Enfers.

4. Première mention de lieux réels où vont se dérouler les Chroniques nouvelles : la région du Chinonais, dans toute la précision d'une onomastique exacte, avec des noms de personnages réels, qui contredisent le gigantisme et l'antiquité du personnage principal. La fiction d'une découverte faite dans les anciens tombeaux, outre le fait qu'elle est souvent la réalité archéologique, est fréquente. Le tombeau, on le notera, est immense, car les géants sont nos ancêtres (voir dossier, p. 450).

Narsay, duquel faisant lever les fossez, toucherent les piocheurs de leurs marres un grand tombeau de bronse, long sans mesure, car oncques n'en trouverent le bout par ce qu'il entroit trop avant les excluses de Vienne. Icelluy ouvrans en certain lieu, signé, au dessus, d'un goubelet à l'entour du quel estoit escript en letres Ethrusques [1] : HIC BIBITUR, trouverent neuf flaccons en tel ordre qu'on assiet les quilles en Guascoigne, des quelz celluy qui on mylieu estoit couvroit un gros, gras, grand, gris, joly, petit, moisy livret, plus, mais non mieulx sentent que roses.

En icelluy fut la dicte genealogie trouvée, escripte au long de letres cancelleresques, non en papier, non en parchemin, non en cere, mais en escorce d'ulmeau, tant toutesfoys usées par vetusté qu'à poine en povoit on trois recongnoistre de ranc.

Je (combien que indigne) y fuz appellé, et, à grand renfort de bezicles, practicant l'art dont on peut lire lettres non apparentes, come enseigne Aristotele [2], la translatay, ainsi que veoir pourrez en Pantagruelisants, c'est à dire beuvants à gré et lisants les gestes horrificques de Pantagruel.

A la fin du livre estoit un petit traicté intitulé : *Les Fanfreluches antidotées*. Les ratz et blattes, ou (affin que je ne mente) aultres malignes bestes, avoient brousté le commencement ; le reste j'ay cy dessoubz adjousté, par reverence de l'antiquaille.

1. Opposition des différents types de graphie, ici celui de la chancellerie romaine. *Hic Bibitur* n'est pas étrusque, et en bon latin signifie : Ici l'on boit.

2. Aristote n'a bien sûr rien dit des lettres invisibles.

logie fut trouvée par Jean Audeau dans un pré qu'il possédait près de l'arceau Gualeau, au-dessous de l'Olive, du côté de Narsay ; en faisant creuser des fossés, les piocheurs touchèrent de leurs houes un grand tombeau de bronze, infiniment long, car ils n'en trouvèrent jamais le bout, vu qu'il était trop engagé dans les chenaux de la Vienne. En l'ouvrant en un certain endroit, marqué d'un gobelet autour duquel était écrit en lettres étrusques : HIC BIBITUR, ils trouvèrent neuf flacons disposés comme on fait des quilles en Gascogne ; celui qui était au centre recouvrait un gros livre, gras, grand, joli, petit, moisi, qui sentait plus, mais pas meilleur, que la rose.

C'est là qu'on trouva ladite généalogie, écrite en lettres de chancellerie, non pas sur du papier, du parchemin ou de la cire, mais sur de l'écorce d'orme ; mais les lettres étaient si usées par le temps qu'on pouvait à peine en reconnaître trois à la suite.

C'est à moi, malgré mon indignité, qu'on fit appel, et, à grand renfort de bésicles, en recourant à l'art de lire les lettres invisibles, comme l'enseigne Aristote, je la traduisis, comme vous pourrez le voir en pantagruélisant, c'est-à-dire en buvant à votre guise et en lisant les gestes horrifiques de Pantagruel.

À la fin du livre, il y avait un petit traité intitulé : *Les Fanfreluches antidotées.* Les rats et blattes ou, pour ne pas mentir, d'autres vilaines bêtes en avaient brouté le début ; le reste, je l'ai inséré ici, par respect pour l'antiquité.

CHAPITRE II

Les Fanfreluches antidotées[1], trovées en un monument antique

— i:enu le grand dompteur des Cimbres,
, « sant par l'aer, de peur de la rousée.
sa venue on a remply les timbres
c beurre fraiz, tombant par une housée.
uquel quand fut la grand mere arrousée,
Cria tout hault : « Hers, par grace, peschez le,
Car sa barbe est presque toute embousée,
Ou pour le moins tenez luy une eschelle. »

Aulcuns disoient que leicher sa pantoufle
Estoit meilleur que guaigner les pardons ;
Mais il survint un affecté marroufle,
Sorti du creux où l'on pesche aux gardons,
Qui dist : « Messieurs, pour Dieu nous en gardons ;
L'anguille y est, et en cest estau musse ;
Là trouverez (si de près reguardons)
Une grand'tare au fond de son aumusse. »

Quand fut au poinct de lire le chapitre,
On n'y trouva que les cornes d'un veau.
« Je (disoyt il) sens le fond de ma mitre

1. Le titre se traduirait par « Bagatelles pourvues d'un remède ». Nous leur laissons leur titre original, dont la compréhension n'augmente pas celle du texte. Il s'agit d'une énigme, genre apprécié au XVIe siècle, mais assez réussie pour qu'on ne l'ait pas déchiffrée, sauf à voir par fragments passer quelques personnages mythologiques, le

CHAPITRE II

Les Fanfreluches antidotées trouvées en un monument ancien

a-i : enu <voici venu ?> le grand dompteur des Cimbres
v « sant <passant ?> par l'air, de peur de la rosée.
' <à ?> sa venue on a rempli les timbres
c' <de ?> beurre frais, tombant en une ondée.
quand la grand-mère en fut arrosée,
Elle cria : "De grâce, repêchez-le,
Car sa barbe est presque tout embousée,
Ou pour le moins tendez-lui une échelle". »

Certains disaient que lécher sa pantoufle
Était meilleur que gagner des pardons ;
Mais il surgit un arrogant maroufle,
Sorti du trou où l'on pêche aux gardons,
Qui dit : « Messieurs, par Dieu, gardons-nous-en ;
L'anguille est sur l'étal, elle s'y muche ;
Vous trouverez, en y bien regardant,
Une grand'tare au fond de sa capuche. »

Quand on en fut à lire le chapitre,
On n'y trouva que les cornes d'un veau.
« Je sens, disait-il, le fond de ma mitre

pape (dont on embrassait la chaussure en signe de respect) et l'Empereur (aigle). On suppose qu'il s'agit d'une satire contre Charles Quint, peut-être aussi le pape, avec quelques phrases obscènes (trous divers) qui ne constituent pas une narration suivie, ni une prophétie...

Si froyd que autour me morfond le cerveau. »
On l'eschaufa d'un parfunct de naveau,
Et fut content de soy tenir es atres,
Pourveu qu'on feist un limonnier nouveau
A tant de gents qui sont acariatres.

Leur propos fut du trou de sainct Patrice,
De Gilbathar, et de mile aultres trous :
S'on les pourroit reduire à cicatrice
Par tel moien que plus n'eussent la tous,
Veu qu'il sembloit impertinent à tous
Les veoir ainsi à chascun vent baisler.
Si d'adventure ilz estoient à poinct clous,
On les pourroit pour houstage bailler.

En cest arrest le corbeau fut pelé
Par Hercules, qui venoit de Lybie.
« Quoy ! (dist Minos), que n'y suis je appellé ?
Excepté moy, tout le monde on convie,
Et puis l'on vieult que passe mon envie
A les fournir d'huytres et de grenoilles.
Je donne au diable en cas que de ma vie
Preigne à mercy leur vente de quenoilles. »

Pour les matter survint Q.B. qui clope,
Au saufconduit des mistes sansonnetz.
Le tamiseur, cousin du grand Cyclope,
Les massacra. Chascun mousche son nez ;
En ce gueret peu de bougrins sont nez,
Qu'on n'ait berné sus le moulin à tan.
Courrez y tous et à l'arme sonnez :
Plus y aurez que n'y eustes antan.

Bien peu apres, l'oyseau de Juppiter
Delibera pariser pour le pire,
Mais, les voyant tant fort se despitter,
Craignit qu'on mist ras, jus, bas, mat l'empire,
Et mieulx aima le feu du ciel empire
Au tronc ravir où l'on vend les soretz,
Que l'aer serain, contre qui l'on conspire,
Assubjectir es dictz des Massoretz.

Si froid qu'autour se fige mon cerveau. »
Mais, réchauffé d'un parfum de navet,
Il se contenta de rester près de l'âtre,
Pourvu qu'on fît attelage nouveau
Pour tant de gens qui sont acariâtres.

On discuta du trou de saint Patrice,
De Gibraltar et de mille autres trous :
Si l'on pouvait en faire cicatrices
De telle façon qu'ils n'aient plus la toux,
Vu qu'il paraissait incongru à tous
De les voir ainsi à tout vent bayer.
Si par hasard ils étaient obturés,
En tant qu'otages on pourrait les livrer.

Sur cet arrêt, le corbeau fut pelé
Par Hercule, qui venait de Libye.
« Pourquoi, dit Minos, n'y suis-je appelé ?
Excepté moi, tout le monde on convie,
Et l'on voudrait que m'en passe l'envie
À leur envoyer huîtres et grenouilles.
Je me donne au diable si de ma vie
J'ai pitié de leur vente de quenouilles. »

Pour les mater survint Q.B. qui clope,
Protégé par les prêtres sansonnets.
Le tamiseur, cousin du grand Cyclope,
Les massacra. Chacun mouche son nez ;
En ce guéret peu de bougres sont nés,
Qu'on n'ait roulés sur le moulin à tan.
Courez-y tous et l'alarme sonnez :
Vous y gagnerez plus qu'auparavant.

Bien peu après l'oiseau de Jupiter
Se résolut à parier pour le pire,
Mais les voyant si fort se dépiter,
Craignant qu'on ne mît bas et mat l'empire,
Il préféra le feu du ciel ravir
Au tronc où l'on vend les harengs saurets,
Que l'air serein, contre qui l'on conspire,
Soumettre aux sentences des Massorets.

Le tout conclud fut à poincte affilée,
Maulgré Até, la cuisse heronniere,
Que là s'assist, voyant Pentasilée,
Sus ses vieulx ans prinse pour cressonniere.
Chascun crioyt : « Villaine charbonniere,
T'apartient il toy trouver par chemin ?
Tu la tolluz, la Rhomaine baniere
Qu'on avoit faict au traict du parchemin ! »

Ne fust Juno, que dessoubz l'arc celeste
Avecq son duc tendoit à la pippée,
On luy eust faict un tour si tresmoleste
Que de tous poincts elle eust esté frippée.
L'accord fut tel, que d'icelle lippée
Elle en auroit deux œufz de Proserpine,
Et, si jamais elle y estoit grippée,
On la lieroit au mont de l'albespine.

Sept moys apres — houstez en vingt et deux —
Cil qui jadis anihila Cartage
Courtoysement se mist en mylieu d'eulx,
Les requerent d'avoir son heritage,
Ou bien qu'on feist justement le partage
Scelon la loy que l'on tire au rivet,
Distribuent un tatin du potage
A ses amis qui firent le brevet.

Mais l'an viendra, signé d'un arc turquoys,
De cinq fuseaux et trois culz de marmite,
On quel le dos d'un roy trop peu courtoys,
Poivré sera soubz un habit d'hermite.
O la pitié ! Pour une chattemite
Laisserez vous engouffrer tant d'arpens ?
Cessez, cessez ; ce masque nul n'imite ;
Retirez vous au frere des serpens.

Cest an passé, cil qui est, regnera
Paisiblement avecq ses bons amis.
Ny brusq ny smach lors ne dominera ;
Tout bon vouloir aura son compromis ;
Et le soulas, qui jadis fut promis

Le tout fut conclu à fine aiguillée,
Malgré Até, à la cuisse héronnière,
Qui s'assit là, voyant Penthésilée,
Sur ses vieux jours prise pour cressonnière.
Chacun criait : « Vilaine charbonnière,
Te sied-il te trouver sur le chemin ?
Tu as volé la bannière romaine
Qu'on fit en tirant sur un parchemin ! »

Et sans Junon, qui dessous l'arc céleste
Avec son duc chassait à la pipée,
On lui aurait joué un tour si funeste
Qu'elle en eût été de partout fripée.
On s'accorda pour que de la lippée
Elle reçût deux œufs de Proserpine,
Et si jamais elle était attrapée,
On la lierait au mont de l'aubépine.

Sept mois après — ôtez-en vingt et deux —
Celui qui jadis détruisit Carthage
Se dressa bravement entre eux,
Leur demandant d'avoir son héritage,
Ou bien qu'on en fît un juste partage
Selon la loi que l'on tire au rivet,
Distribuant un reste de potage
À ses valets qui firent le brevet.

Mais l'an viendra, marqué d'un arc turquois,
De cinq fuseaux et trois culs de marmite,
Où le dos d'un roi vraiment peu amène,
Sera grêlé sous un habit d'ermite.
Quelle pitié ! Pour une chattemite
Laisserez-vous engloutir tant d'arpents ?
Cessez ; que cette farce nul n'imite ;
Retirez-vous près du frère des serpents.

Passé l'an, celui-qui-est régnera
Paisiblement avec ses bons amis.
Violence ou affront ne dominera ;
Tout bon vouloir aura son compromis ;
Et le bonheur, qui jadis fut promis

Es gens du ciel, viendra en son befroy ;
Lors les haratz, qui estoient estommys,
Triumpheront en royal palefroy.

Et durera ce temps de passepasse
Jusques à tant que Mars ayt les empas.
Puis en viendra un qui tous aultres passe,
Dilitieux, plaisant, beau sans compas.
Levez vos cueurs, tendez à ce repas,
Tous mes feaulx. Car tel est trespassé
Qui pour tout bien ne retourneroit pas,
Tant sera lors clamé le temps passé.

Finablement, celluy qui fut de cyre
Sera logé au gond du Jacquemart.
Plus ne sera reclamé : « Cyre, Cyre »,
Le brimbaleur qui tient le coquemart.
Heu, qui pourroit saisir son braquemart,
Tout seroient netz les tintouins cabus,
Et pourroit on, à fil de poulemart,
Tout baffouer le maguazin d'abus.

Aux gens du ciel, viendra en son beffroi ;
Et les haras <les harassés>, qui étaient estourbis,
Triompheront sur un beau palefroi.

Il durera, ce temps de passe-passe
Jusqu'au jour où Mars sera entravé.
Puis viendra un être qui tous surpasse,
Délicieux, plaisant, de toute beauté.
Levez vos cœurs, venez à ce repas,
Tous mes féaux. Car tel est trépassé
Qui pour rien au monde ne revivrait,
Tant on regrettera le temps passé.

Finalement, celui qui fut de cire
Sera logé au gond du Jacquemart.
On ne réclamera plus : « Sire, Sire »,
Au brimbaleur qui tient le coquemart.
Ah ! s'il pouvait saisir son braquemart,
On en finirait des tracas cabus,
Et l'on pourrait, avec un fil d'amarre,
Ligoter tout le magasin d'abus.

CHAPITRE III

Comment Gargantua fut onze mois porté dans le ventre de sa mère

Grandgousier était bon compagnon en son temps, aimant à boire sec autant qu'homme de ce monde, et il mangeait volontiers salé. Pour cela, il avait habituellement une bonne provision de jambons de Mayence et de Bayonne, force langues de bœuf fumées, quantité d'andouilles à la bonne saison et de bœuf salé à la moutarde ; et des réserves de caviar, provision de saucisses, non pas de Bologne (car il craignait les décoctions de Lombard), mais de Bigorre, de Longaulnay, de la Brenne et de Rouergue.

En son âge viril, il épousa Gargamelle, fille du roi des Papillons, une belle garce à la belle trogne ; et tous deux faisaient souvent la bête à deux dos, se frottant joyeusement le lard, tant et si bien qu'elle fut grosse d'un beau fils qu'elle porta jusqu'au onzième mois.

Car les femmes peuvent bien porter aussi longtemps, voire plus, surtout quand il s'agit de quelque chef-d'œuvre et d'un personnage qui doive en son temps

3. Chiffre surprenant mais que Rabelais n'invente pas. Les références sont ici empruntées à la science d'un ami de Rabelais, le juriste André Tiraqueau. Les onze mois sont un problème pour juger des héritages autant qu'un prodige médical, d'où la diversité des autorités alléguées.

CHAPITRE III

Comment Gargantua fut unze moys porté ou ventre de sa mere

Grandgouzier[1] estoit bon raillard en son temps, aymant à boyre net autant que home qui pour lors feust on monde, et mangeoyt volentiers salé. A ceste fin, avoit ordinairement bonne munition de jambons de Magence et de Baionne, force langues de beuf fumées, abondance de andouilles en la saison et beuf salé à la moustarde ; renfort de boutargues, provision de saulcisses, non de [Bouloigne (car il craignoit ly bouconé de Lombard), mais de Bigorre, de Lonquaulnay, de la Brene et de Rouargue.

En son eage virile, espousa Gargamelle[2], fille du roy des Parpaillos, belle gouge et de bonne troigne ; et faisoient eulx deux souvent ensemble la beste à deux douz, joieusement se frotans leur lard, tant qu'elle engroissa d'un beau filz et le porta jusques à l'unziesme mois[3].

Car autant, voire d'adventage, peuvent les femmes ventre porter, mesmement quand c'est quelque chef d'œuvre et personnage qui doibve en son temps faire

1. On reprend la généalogie au père, dont le nom est déjà un programme des vertus de la lignée : la grande bouche assoiffée est caractéristique des trois générations de géants, Pantagruel ayant comme caractère spécifique d'être un démon qui donne soif, comme le salé dont ses pères font grand usage à même fin.

2. Conformément à la Chronique, dans laquelle cependant Grandgousier et Gargamelle ont été faits par Merlin.

grandes prouesses, come dict Homere que l'enfant du quel Neptune engroissa la nymphe nasquit l'an apres revolu : ce fut le douziesme mois. Car (come dict A. Gelle, *lib. 3*), ce long temps convenoit à la majesté de Neptune, affin qu'en icelluy l'enfant feust formé à perfection. A pareille raison, Jupiter feist durer xlviij heures la nuyct qu'il coucha avecques Alcmene, car en moins de temps n'eust il peu forger Hercules qui nettoia le monde de monstres et tirans.

Messieurs les anciens Pantagruelistes ont conformé ce que je dis et ont déclairé non seulement possible, mais aussi legitime, l'enfant né de femme l'unziesme moys apres la mort de son mary :

> Hippocrates, *lib. De alimento,*
> Pline, *li. 7, cap. 5,*
> Plaute, *in Cistellaria,*
> Marcus Varro, en la satyre inscripte *Le Testament* allegant l'autorité d'Aristoteles à ce propous,
> Censorinus, *li. De die natali,*
> Aristoteles, *lib. vij, cap. iij* et *iiij, De nat. animalium,*
> Gellius, *li. iij, ca. xvj,*

et mile aultres folz ; le nombre desquelz a esté par les legistes acreu, *ff. De suis et legit., 1. Intestato, § fi.*, et, *in Autent., De restitut. et ea que parit in xj mens.* D'abondant en ont chaffourré leur robidilardicque loy[1] *Gallus, ff. De lib. et posthu.*, et *1. septimo, ff. De stat. homi.*, et quelques aultres, que pour le present dire n'ause. Moienans lesquelles loys, les femmes veufves peuvent franchement jouer du serrecropiere à tous enviz et toutes restes, deux moys apres le trespas de leurs mariz.

Je vous prie par grace, vous aultres mes bons averlans, si d'icelles en trouvez que vaillent le desbraguetter,

1. Les lois, comme les références livresques, sont désignées par un code d'abréviations dans lesquelles il est encore plus difficile de se retrouver si l'on n'est pas spécialiste. Elles renvoient aux livres

accomplir de grands exploits ; ainsi Homère affirme que l'enfant dont Neptune engrossa la nymphe naquit après l'an révolu, soit au douzième mois. Car (comme dit Aulu-Gelle au livre 3), ce long temps seyait à la majesté de Neptune, afin que l'enfant y fût formé à la perfection. Pour la même raison, Jupiter fit durer quarante-huit heures la nuit où il coucha avec Alcmène, car il n'aurait pu, en moins de temps, forger Hercule qui nettoya le monde de monstres et de tyrans.

Messieurs les anciens Pantagruélistes ont confirmé ce que je dis et ont déclaré non seulement possible, mais aussi légitime, l'enfant né d'une femme onze mois après la mort de son mari :

> Hippocrate, au livre *De la nourriture*
> Pline, au livre VII, chapitre V
> Plaute, dans *La Cassette*
> Marcus Varron, dans la satire nommée *Le Testament*, alléguant l'autorité d'Aristote à ce propos,
> Censorinus, dans son livre *Du jour de naissance*,
> Aristote, au livre VII, chapitres III et IV, *De la nature des animaux*,
> Aulu-Gelle, au livre III, chapitre XVI,

et mille autres fous, dont le nombre a été accru par les légistes, *ff. De ses légitimes héritiers, en cas de mort intestat*, et dans les *Authentiques, De la restitution*, et *De celle qui engendre au Onzième mois*. Ils en ont de surcroît gribouillé leur robilardique Loi *Gallus*, *ff. Des enfants, et des posthumes* et *Loi du septième mois, ff. Du statut des gens*, et quelques autres, que je n'ose nommer à présent. En fonction de quoi les veuves peuvent franchement jouer de la croupière sans grand risque, deux mois après le décès de leur mari.

Je vous en prie humblement, vous autres mes bons compères : si vous en trouvez qui vaillent qu'on se

de base : les *Pandectes*, recueil de décisions des anciens juristes romains, constamment utilisés et commentés.

montez dessus et me les amenez. Car, si on troisiesme moys elles engroissent, leur fruict sera heritier du deffunct ; et, la groisse congnue, poussent hardiment oultre, et vogue la gualée puis que la panse est pleine ! — comme Julie, fille de l'empereur Octavian [1], ne se abandonnoyt à ses taboureurs sinon quand elle se sentoyt grosse, à la forme que la navire ne reçoyt son pilot que premierement ne soyt callafatée et chargée. Et, si personne les blasme de soy faire rataconniculer ainsi suz leur groisse, veu que les bestes suz leurs ventrées n'endurent jamais le masle masculant, elles responderont que ce sont bestes, mais elles sont femmes, bien entendentes les beaulx et joyeux menuz droictz de superfetation [2], come jadis respondit Populie, scelon le raport de Macrobe, *li. ij Saturnal.*

Si le diavol ne vieult qu'elles engroissent, il fauldra tortre le douzil, et bouche clause.

1. Anecdotes empruntées aux recueils de conversations et propos de table, ici Macrobe, et plus haut Aulu-Gelle. Le risque de grossesse illégitime est évidemment un motif de fidélité au mari, tous les ouvrages sur la galanterie féminine concluent donc logiquement que le meilleur moment pour une infidélité est la grossesse... La « Querelle des femmes » bat son plein, ainsi que le manifestera le *Tiers Livre*.

2. Fécondation se produisant chez une femelle qui porte déjà un fœtus.

débraguette, montez dessus et amenez-les-moi. Car, si au troisième mois, elles sont grosses, leur fruit sera héritier du défunt ; et, la grossesse connue, elles peuvent y aller franchement, et vogue la galère puisque le ventre est plein ! comme Julie, fille de l'empereur Octavien, ne s'abandonnait à ses tambourineurs que quand elle se sentait grosse, de même que le bateau ne reçoit son pilote que lorsqu'il a été calfaté et chargé. Et si quelqu'un les blâme de se faire ainsi enfiler par les deux bouts pendant leur grossesse, alors que les bêtes qui sont pleines n'acceptent jamais le mâle en chaleur, elles répondront que ce sont des bêtes, mais qu'elles sont, elles, femmes, qui comprennent bien les beaux et joyeux petits droits de superfétation ; c'est ce que jadis répondit Populie, selon le témoignage de Macrobe, au livre II des *Saturnales*.

Et si le diable ne veut pas qu'elles soient grosses, il faudra tourner le fausset, et garder bouche close.

CHAPITRE IIII

Comment Gargamelle, estant grousse de Gargantua, se porta à manger tripes

L'occasion et maniere comment Gargamelle enfanta fut telle, et si ne le croiez, le fondement vous escappe !

Le fondement luy escappoit une apresdisnée, le iij. jour de Febvrier[1], par trop avoir mangé de gaudebillaux. Gaudebillaux sont grasses tripes de coiraux. Coireaux sont beufz engressez à la creche et prez guimaux. Prez guimaux sont qui portent herbe deux fois l'an. D'iceulx gras beufz avoient faict tuer trois cens soixante sept mile et quatorze, pour estre à mardy gras sallez, affin qu'en la prime vere ilz eussent beuf de saison à tas pour mieulx entrer en vin.

Les tripes furent copieuses, come entendez, et tant friandes estoient que chascun en leichoit ses doigtz. Mais la grande diablerie à quatre personnaiges[2] estoit bien en ce que possible n'estoit longuement les reserver, car elles feussent pourries. Ce que sembloit indecent. Dont fut conclud qu'ilz les bauffreroient sans rien y perdre. A ce faire convierent tous les citadins de Sainnais, de Suillé, de La Roche Clermaud, de Vaugaudry,

1. Le 3 février est la fête de Saint-Blaise. C'est la première date pour le début du Carême, qui débute par un Mardi-Gras où l'on mange pour la dernière fois de la viande. On a tué des bœufs, les tripes ne peuvent être conservées, il faut donc les manger vite avant ces quarante jours de maigre. La naissance de Gargantua à sa manière

CHAPITRE IV

Comment Gargamelle, grosse de Gargantua, se laissa aller à manger des tripes

Voici dans quelles circonstances et de quelle manière Gargamelle enfanta, et si vous ne le croyez pas, que le fondement vous échappe !

Le fondement lui échappa un après-midi, le troisième jour de février, d'avoir trop mangé de gaudebillaux. Les gaudebillaux sont de grasses tripes de coiraux. Les coiraux sont des bœufs engraissés à l'étable et aux prés guimaux. Les prés guimaux, des prés qui portent l'herbe deux fois par an. On avait fait tuer trois cent soixante-sept mille et quatorze de ces bœufs gras, pour être salés pour le mardi gras, afin qu'au printemps ils aient du bœuf de saison en quantité pour mieux apprécier le vin.

Les tripes furent copieuses, comme vous l'imaginez bien, et si délectables que chacun s'en léchait les doigts. Mais le diable était qu'on ne pouvait longtemps les conserver, car elles auraient pourri ; ce qui semblait choquant. On en conclut donc qu'on engloutirait tout sans rien perdre. Pour cela, on convia tous les habitants de Cinais, de Seuillé, de La Roche-Clermault, de Vaugaudry, sans oublier ceux du Coudray, de Mont-

est un épisode du Carnaval, affirmation de la puissance du boire et du manger contre le jeûne et l'abstinence.

2. Les épisodes des Mystères où les diables interviennent sont d'autant plus appréciés qu'il n'y en a pas qu'un, d'où cette expression intensive. C'est l'Enfer !

sans laisser arriere le Coudray, Monspensier, le Gué de Vede et aultres voisins, tous bons beveurs, bons compaignons, et beaux joueurs de quille là.

Le bon homme Grandgousier y prenoit plaisir bien grand et commendoit que tout allast par escuelles. Disoit toutesfoys à sa femme qu'elle en mangeast le moins, veu qu'elle aprochoit de son terme et que ceste tripaille n'estoit viande moult louable : « Celluy (disoit il) a grande envie de mascher merde, qui d'icelle le sac mangeue. » Non obstants ces remonstrances, elle en mangea seze muiz, deux bussars et six tepins. O belle matiere fecale que doivoit boursoufler en elle !

Apres disner, tous allerent pelle melle à la Saulaie, et là, sus l'herbe drue, dancerent au son des joyeux flageolletz et doulces cornemuses, tant baudement que c'estoit passetemps celeste les veoir ainsi soy riguoller.

Puis entrerent en propos de ressjeuner on propre lieu. Lors flaccons d'aller, jambons de troter, goubeletz de voler, breusses de tinter :

« Tire !

— Baille !

— Tourne !

— Brouille !

— Boutte à moy, sans eau ; ainsi, mon ami.

— Fouette moi ce verre gualentement.

— Produiz moi du clairet, verre pleurant.

— Treves de soif !

— Ha, faulce fiebvre, ne t'en iras tu pas ?

— Par ma foy, ma commere, je ne peuz entrer en bette.

— Vous estez morfondue, m'amie ?

— Voire.

— Ventre sainct Quenet ! parlons de boire.

— Ceste main vous guaste le nez.

— O quants aultres y entreront avant que cestui cy en sorte !

— Boire à si petit gué, c'est pour rompre son poictral.

— Cecy s'appelle pippée à flacons.

pensier, du Gué de Vède et autres bons voisins, tous bons buveurs, bons compagnons et beaux joueurs de quille.

Le bonhomme Grandgousier y prenait grand plaisir et ordonnait que tout allât par écuelles. Il disait pourtant à sa femme d'en manger le moins possible, vu qu'elle approchait de son terme et que cette tripaille n'était pas un mets très recommandable : « Il a, disait-il, grande envie de mâcher de la merde, celui qui en mange le sac. » Malgré ces remontrances, elle en mangea seize muids, deux tonneaux et six pots. Ô la belle matière fécale qui devait boursoufler en son ventre !

Après déjeuner tous allèrent pêle-mêle à la Saulaie et là, sur l'herbe drue, ils dansèrent au son des joyeux flageolets et des douces cornemuses, si gaiement que c'était divertissement céleste que de les voir ainsi se divertir.

Puis ils décidèrent de reprendre une collation sur place. Aussi flacons d'aller, jambons de trotter, gobelets de voler, brocs de tinter :

« Tire !

— Donne !

— Tourne !

— Mélange !

— Donne-m'en, sans eau ; c'est cela, mon ami.

— Vide-moi ce verre galamment.

— Verse-moi du clairet, que le verre en pleure.

— Trève de soif !

— Ha, maudite fièvre, ne partiras-tu pas ?

— Ma foi, ma commère, je n'arrive pas à me mettre à boire.

— Vous avez pris froid, mon amie ?

— Sans doute.

— Ventre saint Quenet ! parlons de boire.

— A lever le coude, vous vous gâtez le nez.

— Ô combien d'autres y entreront avant que celui-ci en sorte !

— Boire à un niveau si bas, c'est fait pour se rompre le cou.

— Voilà qui s'appelle un piège à flacons.

— Quelle difference est entre bouteille et flaccon ?

— Grande, car bouteille est fermée à bouchon, et flaccon à vitz.

— Nos peres beurent bien et vuiderent les potz.

— C'est bien chien chanté. Beuvons !

— Voulez vous rien mander à la riviere ? Cestui cy va laver les tripes.

— Je boy come un templier.

— Et je *tanquam sponsus*[1].

— Et moi *sicut terra sine aqua*.

— Un synonyme de jambon ?

— C'est un poulain. Par le poulain on descend le vin en cave, et par le jambon en l'estomach.

— Or czà, à boire, boire czà ! Il n'y a poinct charge. *Respice personam* ; *pone pro duos* ; *bus non est in usu*.

— Si je montois aussi bien comme j'avalle, je feusse pieczà hault en l'aer.

— Mais si ma couille pissoit telle urine, la voudriez vous bien sugcer ?

— Je retiens apres.

— Paige, baille ; je t'insinue ma nomination en mon tour[2].

— *Hume, Guillot ! Encores y en a il on pot*.

— Remede contre la soif ?

— Il est contraire à celluy qui est contre morsure de chien : courrez tousjours apres le chien, jamais ne vous mordera ; bevez tousjours avant la soif, et jamais ne vous adviendra.

— Du blanc ! Verse tout, verse de par le diable ! Verse deczà, tout plein : la langue me pele.

— Lans, tringue !

— A toi, compaing ! De hayt, de hayt !

— Là ! là ! là ! C'est morfiaillé, cela.

1. Les buveurs utilisent pour dire leur félicité des passages de psaumes diversement interprétables. *Tanquam sponsus* peut faire allusion au chaudeau qu'on apporte aux jeunes mariés pour les inciter à bien faire, ou équivoquer sur *sponsus/spongia*, comme une

— Quelle différence y a-t-il entre une bouteille et un flacon ?

— Elle est grande : la bouteille est fermée d'un bouchon, le flasque-con par un vit.

— Nos pères ont bien bu et bien vidé leurs pots.

— C'est bien chien chanté. Buvons !

— Que demander à la rivière ? Celui-ci va me laver les tripes.

— Je bois comme un templier.

— Et moi comme un jeune époux.

— Et moi comme une terre sans eau.

— Un synonyme de jambon ?

— Une échelle. Par l'échelle on descend le vin à la cave, et par le jambon à l'estomac.

— Or çà ! à boire, à boire, donc ! Il n'y a pas la dose. Considère la personne : mets-en pour deux, sans abus ; car le bu, on n'en a plus l'usage.

— Si je montais aussi bien que je descends, je serais déjà haut dans les airs.

— Et si ma couille pissait une urine pareille, voudriez-vous la sucer ?

— Je me réserve pour la suite.

— Page, donne ; inscris ma demande sur tes registres.

— Bois, Guillot ! Il y en a encore dans le pot.

— Un remède contre la soif ?

— Le contraire de celui contre la morsure des chiens : courez toujours après le chien, jamais il ne vous mordra ; buvez toujours avant la soif, jamais elle ne vous viendra.

— Du blanc ! Verse tout, verse donc par le diable ! Verse là-dedans, tout plein : j'ai la langue râpeuse.

— Pois, kamerade !

— A toi, commère ! Gai, gai !

— Là ! Là ! Là ! Voilà qui est bien liché.

éponge... Ce psaume 18 parle bien sûr de l'âme attendant le Seigneur, comme la terre sans eau du psaume 142.

2. Après les ecclésiastiques trahis par leur idiolecte, les juristes qui demandent leur vin selon les formes pour déposer un procès.

— *O lachrima Christi*[1] !

— C'est de La Deviniere[2], c'est vin pineau.

— O le gentil vin blanc !

— Et, par mon ame, ce n'est que vin de tafetas.

— Hen, hen ! Il est à une aureille[3], bien drappé et de bonne laine.

— Diriez vous q'une mousche y eust beu ?

— A la mode de Bretaigne !

— Net, net, à ce pyot !

— Avallez, ce sont herbes[4] ! »

1. Larmes du Christ : c'est toujours le nom d'un vin italien.

2. Deviniere : propriété des parents de Rabelais.

3. Expression mystérieuse : soit nous restons dans la métaphore du drap, et les draps « essorillés » (à qui on a coupé les oreilles) sont ceux dont on a recoupé la lisière. Soit cela vise l'entendement, la bonne compréhension.

4. Remèdes et philtres. Tout ce passage de propos décousus a été considérablement augmenté dans la version de 1542.

— Ô larmes du Christ !
— C'est de la Devinière, c'est du pineau.
— Ô le gentil vin blanc !
— Et, par mon âme, c'est un velours.
— Hem, hem ! il est soigné, la robe est belle et bien moelleuse.
— Diriez-vous qu'une mouche y aurait bu ?
— À la mode de Bretagne !
— Videz le pot !
— Avalez, c'est bon pour la santé ! »

CHAPITRE V

Comment Gargantua nasquit en faczon bien estrange

Eulx tenens ces menuz propos de beuverie, Gargamelle commencza se porter mal du bas, dont Grandgousier se leva dessus l'herbe et la reconfortoit honestement, pensant que ce feust mal d'enfant, et luy disant qu'elle s'estoit là herbée soubz la Saullaye et qu'en brief elle feroit piedz neufz[1] : par ce luy convenoit prendre couraige nouveau au nouvel advenement de son poupon, et, encores que la douleur luy feust quelque peu en fascherie, toutesfoys que ycelle seroit briefve, et la joye qui toust succederoit luy tolliroit tout cest ennuy, en sorte que seulement ne luy en resteroit la soubvenence. « Je le prouve (disoit il) : Dieu — c'est nostre Saulveur — dict en l'Evangile, *Joan. 16* : « La femme qui est à l'heure de son enfantement a tristesse ; mais lors qu'elle a enfanté, elle n'a soubvenir aulcun de son angoisse. »

— Ha ! (dist elle) vous dictes bien, et ayme beaucoup mieulx ouyr telz propos de l'Evangile, et mieulx m'en trouve, que de ouyr la vie de saincte Marguarite[2], ou quelque aultre capharderie. Mais pleust à Dieu que vous l'eussiez coupé !

— Quoy ? dist Grandgosier.

1. Comme les chevaux mis au vert, dans les prés, dont les sabots repoussent ?

CHAPITRE V

Comment Gargantua naquit de bien étrange façon

Pendant qu'ils tenaient ces menus propos de beuverie, Gargamelle commença de se trouver mal du bas. Aussi Grandgousier se leva de dessus l'herbe et il la réconfortait fort civilement, pensant que c'était le mal d'enfant, et lui disait qu'elle s'était mise au vert sous la Saulaie et que sous peu elle serait sur pied : qu'il lui fallait prendre courage pour l'arrivée de son poupon et, bien que la douleur la rendît chagrine, elle serait brève ; la joie qui suivrait lui enlèverait si bien cette peine qu'il ne lui en resterait même pas le souvenir.

« Je le prouve, disait-il : Dieu, notre Sauveur, dit dans l'Évangile de Jean, 16 : "La femme à l'heure de son enfantement éprouve de la tristesse ; mais lorsqu'elle a enfanté, elle n'a nul souvenir de son angoisse."

— Ha ! dit-elle, vous dites bien, et j'aime bien mieux entendre ces paroles de l'Évangile, et je m'en trouve mieux, que d'entendre la vie de sainte Marguerite ou quelque autre cafarderie. Mais plût à Dieu que vous l'eussiez coupé !

— Quoi ? dit Grandgousier.

2. Sainte Marguerite est la protectrice des femmes en couches, une des superstitions populaires qui répugnent aux évangélistes.

— Ha ! (dist elle) que vous estes bon homme ! Vous l'entendez bien.

— Mon membre ? (dist il). Sang de les cabres ! S'il vous semble bon, faictez apporter un cousteau.

— Ha ! (dist elle) jà Dieu ne plaise ! Dieu me le pardoyent ! je ne le dis pas de bon cueur, et pour ma parolle n'en faictez ne plus ne moins. Mais je auray prou d'affayres aujourd'uy, si Dieu ne me ayde, et tout par vostre membre, que vous feussiez bien ayse.

— Couraige, couraige ! (dist il). Ne vous souciez au reste et laissez fayre aux quatre boeufz de davant. Je m'en voys boyre encores quelque veguade. Si ce pendant vous survenoyt quelque mal, je me tiendray près : huschant en paulme, je me rendray à vous. »

Peu de temps apres, elle commencza de lamenter et cryer. Et soubdain vindrent à tas saiges femmes de tous coustez ; et, la tastant par le bas, trouverent quelques pellauderies, assez de maulvais goust, et pensoyent que ce feust l'enfant : mais c'estoit le fondement qui luy escappoit, à la mollification du droict intestine — lequel vous appellez le boyau cullier — par trop avoir mangé des tripes, dont avons parlé cy dessus.

Dont une horde vieigle de la compaignie, laquelle avoit la reputation d'estre grande medicine et là estoit venue de Brizepaille d'auprès de Sainctgenou davant soixante ans, luy feist un restrinctif si horrible que tous ses larrys tant feurent oppilez et reserrez que à grande pene, avecques les dentz, vous les eussiez eslargiz, qui est chose bien horrible à penser : mesmement que le diable, à la messe de sainct Martin escripvent le caquet de deux Gualoises, à belles dentz alongea son parchemin [1].

Par cest inconvenient feurent au dessus relaschez les cotyledons de la matrice, par lesquelz sursaulta l'enfant, et entra en la vene creuse, et, gravant par le diaphragme

1. Légende médiévale, pour caractériser le bavardage féminin : le parchemin du diable n'est pas assez grand pour tout noter, il essaie de l'allonger.

— Ha ! dit-elle, que vous êtes benêt ! Vous comprenez bien.

— Mon membre ? dit-il. Sangdious ! Si bon vous semble, faites apporter un couteau.

— Ha ! dit-elle, à Dieu ne plaise ! Dieu me pardonne ! Je ne le dis pas pour de vrai, et ne tenez pas compte de mes paroles. Mais j'aurai beaucoup à faire aujourd'hui, si Dieu ne m'aide, et tout cela à cause de votre membre et pour votre plaisir.

— Courage, courage ! dit-il. Ne vous souciez de rien et laissez faire les choses. Je m'en vais boire encore un petit coup. Si pendant ce temps, il vous arrivait quelque mal, je serais tout près ; au moindre appel, je serai là. »

Peu de temps après, elle commença à se lamenter et à crier. Aussitôt, arrivèrent en masse des sages-femmes de tous côtés ; la tâtant par en dessous, elles trouvèrent quelques morceaux de peau, d'assez mauvais goût, et elles pensaient que c'était l'enfant : mais c'était le fondement qui lui lâchait, par le relâchement du gros intestin — que vous appelez le boyau culier —, pour avoir trop mangé de tripes, comme nous l'avons dit plus haut.

Alors une vilaine vieille de la compagnie, qui avait la réputation d'être guérisseuse, venue de Brisepaille d'auprès de Saint-Genou depuis soixante ans, lui administra un astringent si terrible que ses sphincters furent si obstrués et resserrés que vous ne les auriez pas élargis même avec les dents — ce qui est chose bien horrible à imaginer —, manière dont le diable, à la messe de saint Martin, enregistrant par écrit le bavardage de deux commères, dut étirer son parchemin à belles dents.

Cet obstacle fit se relâcher, au-dessus, les cotylédons de la matrice, par où l'enfant jaillit, entra dans la veine cave et, grimpant par le diaphragme jusqu'au-dessus

Voir *Au fil du texte*, p. IX.

jusques au dessus des espaules (où la dicte vene se part en deux), print son chemin à gausche, et sortit par l'aureille senestre.

Soubdain qu'il feut né, il ne crya pas comme les aultres enfans : « Mies ! mies ! mies ! », mais à haulte voix s'escrioyt : « A boyre ! à boyre ! à boyre ! », comme invitant tout le monde à boyre.

Je me doubte que ne croyez asseurement ceste estrange nativité. Si ne le croyez, je ne m'en soucye pas ; mais un homme de bien, un homme de bon sens, croyt tousjours ce qu'on luy dict et ce qu'il trouve par escript. Ne dict pas Solomon, *Proverbiorum 14* : « Innocens credit omni verbo », etc. ; et sainct Paul, *prime Corinthio. 13* : « Charitas omnia credit »[1] ? Pourquoy ne le croyriez vous ? Pource (dictez vous) qu'il n'y a nulle apparence. Je vous dicz, que pour ceste seule cause, vous le debvez croyre en foy parfaicte. Car les Sorbonistes disent que foy est argument des choses de nulle apparence. Est ce contre nostre loy, nostre foy, contre raison, contre la Saincte Escripture ? De ma part, je ne trouve rien escript es Bibles sainctes qui soyt contre cela. Mais, si le vouloir de Dieu estoyt tel, diriez vous qu'il ne l'eust peu fayre ? Ha, pour grace, ne emburelucocquez jamais vos espritz de ces vaines pensées. Car je vous diz que à Dieu rien n'est impossible, et, s'il vouloit, les femmes auroyent doresnavant ainsi leurs enfans par l'aureille.

Bacchus ne feut il pas engendré par la cuisse de Juppiter ? Rocquetaillade nasquit il pas du talon de sa mere ? Minerve ne nasquit elle pas du cerveau par l'aureille de Juppiter ?

Mais vous seriez bien dadventaige esbahys et estonnez si je vous expousoys presentement tout le chapitre

1. Citations exactes, et argument tendancieux : la définition de la foi comme dépassant la raison est d'une absolue orthodoxie. Mais le propos théologique s'applique à la révélation et aux textes bibliques, pas à tout écrit, même par amour et innocence chrétienne. Passage supprimé dans les éditions ultérieures. Même vérité, mais même appli-

des épaules, où ladite veine se sépare en deux, prit le chemin de gauche et sortit par l'oreille gauche.

Dès qu'il fut né, il ne cria pas comme les autres enfants : « Mi ! mi ! mi ! », mais il clamait à pleine voix : « À boire ! à boire ! à boire ! », comme s'il invitait tout le monde à boire.

Je me doute que vous ne croyez pas vraiment à cette étrange naissance. Si vous n'y croyez pas, je ne m'en soucie pas ; mais un homme de bien, un homme de bon sens, croit toujours ce qu'on lui dit et ce qu'il trouve écrit. Salomon ne dit-il pas, au chapitre 14 des *Proverbes* : « L'Innocent croit toute parole », etc. ; et saint Paul, dans la *Première aux Corinthiens, 13* : « La Charité croit tout » ? Pourquoi ne le croiriez-vous pas ? Parce que (dites-vous) ça ne se voit jamais. Et moi je vous dis que, justement pour cela, vous devez y ajouter totalement foi. Car les Sorbonnistes disent que la foi permet de croire les choses qu'on n'a jamais vues. Est-ce contre notre loi, notre foi, contre la raison, contre la Sainte Écriture ? Pour ma part, je ne trouve rien dans la Sainte Bible qui s'y oppose. Et si la volonté de Dieu était telle, diriez-vous qu'il n'aurait pu le faire ? Ha, de grâce, ne vous emberlificotez pas l'esprit de ces vaines pensées. Car je vous dis qu'à Dieu rien n'est impossible et, s'il le voulait, les femmes auraient dorénavant ainsi leurs enfants par l'oreille.

Bacchus ne fut-il pas engendré par la cuisse de Jupiter ? Rocquetaillade ne naquit-il pas du talon de sa mère ? Minerve ne naquit-elle pas du cerveau par l'oreille de Jupiter ?

Mais vous seriez encore plus ébahis et stupéfaits si je vous exposais ici tout le chapitre de Pline où il parle

cation tendancieuse en ce qui concerne la volonté divine, qui peut tout (argument orthodoxe), mais qui ne le réalise pas forcément. Les légendes citées ensuite relèvent des *Métamorphoses* d'Ovide, sauf Roquetaillade, inconnu.

de Pline on quel parle des enfantemens estranges et contre nature : et toutesfoys je ne suis poinct menteur tant asseuré comme il a esté. Lisez le on septiesme de sa *Naturelle Histoyre*, *capi. 3*, et ne m'en tabustez plus l'entendement.

des enfantements étranges et contre nature : et pourtant je ne suis pas un menteur aussi invétéré que lui. Lisez le livre sept de son *Histoire naturelle*, chapitre III, et ne me cassez plus la tête.

CHAPITRE VI

Comment le nom fut imposé à Gargantua, et comment il humoyt le piot

Le bon homme Grantgousier, beuvant et se rigollant avecques les aultres, entendit le cris horrible que son filz avoit faict entrant en lumiere de ce monde, quant il brasmoit, demandant : « A boyre ! à boyre ! à boyre ! » Dont il dist : « Que grant tu as ! » (*supple* le gousier). Ce que oyans, les assistans dirent que vrayement il debvoit avoir par ce le nom Gargantua [1], puis que telle avoyt esté la premiere parole de son pere à sa nativité, à l'imitation et exemple des anciens Hebreux. A quoy fut condescendu par ycelluy, et pleut tresbien à sa mere. Et, pour l'appaiser, luy donnerent à boyre à tyre larigot, et feut porté sus les fonts et là baptisé, comme est la coustume des bons christians.

Et luy feurent ordonnées dix et sept mille neuf cens vaches de Pautille et de Brehemond pour l'alaicter ordinairement. Car de trouver nourrice convenente n'estoyt possible en tout le pais, consideré la grande quantité de laict requis pour ycelluy alimenter, combien qu'aulcuns docteurs Scotistes [2] ayent affermé que sa mere

1. Nomination par calembour : on est persuadé que les noms (et les mots plus généralement) sont « naturellement » en accord avec ce qu'ils désignent, et qu'en retournant à leur condition de naissance, ou à leur étymologie, on apprend réellement quelque chose sur celui qui est nommé. Mais la pratique coutumière est moins savante : seul saint Jean-Baptiste semble avoir été nommé de cette façon par son père (Luc I, 8-20).

CHAPITRE VI

Comment son nom fut donné à Gargantua, et comment il buvait le coup

Le bonhomme Grandgousier, qui buvait et s'amusait avec les autres, entendit le cri horrible que son fils avait poussé en arrivant au jour, quand il bramait en demandant : « À boire ! à boire ! à boire ! » Alors il dit : « Quel grand tu as ! » (sous-entendu le gosier). En l'entendant, les assistants dirent que, pour cette raison, vraiment il devait porter le nom de Gargantua, puisque cela avait été la première parole de son père à sa naissance, suivant l'exemple des anciens Hébreux. Cela fut accepté par son père, et plut beaucoup à sa mère. Pour apaiser l'enfant, on lui donna à boire à tire-larigot, et il fut porté sur les fonts et baptisé, comme c'est la coutume des bons chrétiens.

Et on fit venir pour lui dix-sept mille neuf cents vaches de Pontille et de Bréhémont pour l'allaiter quotidiennement. Car on ne put trouver de nourrice convenable dans tout le pays, en raison de la grande quantité de lait nécessaire pour l'alimenter, bien que certains docteurs scotistes aient affirmé que sa mère

2. Philosophes et théologiens disciples de Jean Duns Scot (l'Ecossais), philosophe du XIIIe siècle dont Rabelais se gausse régulièrement, et qui sont pour lui représentatifs des défauts que l'humanisme impute à la philosophie du Moyen Age : obscurité, goût abusif des discussions méticuleuses sur des points minuscules, bavardage et mauvais latin, scolastique en un mot. Voir dans le dossier l'attaque d'Érasme sur les théologiens (p. 455).

l'alaicta et qu'elle pouvoit trayre de ses mammelles quatorze cens pippes de laict pour chascune fois, ce que n'est vraysemblable, et a esté la proposition declarée par Sorbone[1] scandaleuse, et des pitoyables aureilles offensive, et sentant de loing heresie.

En cest estat passa jusques à un an et dix moys, en quel temps, par le conseil des medicins, on commencza le porter, et fut faicte une belle charrette à boeufz par l'invention de Jean Denyau, et là dedans on le pourmenoit par cy par là joyeusement ; et le faisoyt bon veoir, car il portoit bonne troigne et avoyt presque dix et huyt mentons ; et ne crioyt que bien peu ; mais il se conchioyt* à toutes heures, car il estoyt merveilleusement phlegmaticque[2] des fesses, tant de sa complexion naturelle que de la disposition accidentale qui luy estoyt advenue par trop humer de purée septembrale. Et n'en humoyt poinct sans cause, car, s'il advenoyt qu'il feust despit, courroussé, faché ou marry, s'il trepignoyt, s'il pleuroyt, s'il crioyt, luy aportant à boyre l'on le remettoyt en nature, et soubdain demouroyt quoy et joyeux.

Une de ses gouvernantes m'a dict, que de ce fayre il estoyt tant coustumier, qu'au seul son des pinthes et flaccons il entroyt en ecstase, comme s'il goustoyt les joyes de paradis. En sorte qu'elles, considerant ceste complexion divine, pour le resjouyr, au matin, faisoyent davant luy sonner des verres avecques un cousteau, ou des flaccons avecques leur toupon, ou des pinthes avecques leur couvercle ; auquel son il s'esguayoit, il tressailloit, et luy mesmes se bressoit en dodelinant de la teste, monichordisant des doigtz et baritonant du cul.

1. La Sorbonne, Collège fondé par Robert de Sorbon, n'est qu'un des Collèges de l'Université de Paris, mais il est alors plus spécialisé dans la Théologie, d'où l'amalgame de désignation. La formule de condamnation est bien celle qu'utilise la faculté de Théologie pour la censure (dont elle est alors chargée). Phrase supprimée dans les éditions postérieures. À cette date, Rabelais n'a pas encore été censuré, mais ses amis et même protecteurs l'ont été (Marguerite de Navarre en 1532).

l'allaita et qu'elle pouvait tirer de ses mamelles quatorze cents pipes de lait à chaque fois, ce qui n'est pas vraisemblable ; d'ailleurs la Sorbonne a déclaré cette proposition scandaleuse, offensante pour les oreilles pieuses, et sentant de loin l'hérésie.

C'est ainsi qu'il vécut jusqu'à l'âge d'un an et dix mois ; à ce moment, sur le conseil des médecins, on commença à le porter, et on fit faire une belle charrette à bœufs de l'invention de Jean Denyau ; on le promenait de-ci de-là joyeusement ; et il faisait plaisir à voir, car il arborait une bonne trogne et avait dix-huit mentons ; et il ne criait que bien peu ; mais il se conchiait à toute heure, car il avait les fesses remarquablement paresseuses, aussi bien par complexion naturelle que par disposition accidentelle, qui lui était venue de trop boire de purée de septembre. Et ce n'est pas sans raison qu'il en buvait, car s'il arrivait qu'il fût irrité, courroucé, fâché ou marri, s'il trépignait, pleurait ou criait, c'est en lui apportant à boire qu'on le remettait en sa disposition naturelle, et il restait aussitôt calme et joyeux.

Une de ses gouvernantes m'a dit qu'il en avait tellement pris l'habitude qu'au seul son des pintes et flacons il entrait en extase, comme s'il goûtait les joies du paradis. De sorte que, considérant cette complexion divine, pour l'amuser, au matin, elles faisaient sonner devant lui des verres avec un couteau, ou des flacons avec leur bouchon, ou des pintes avec leur couvercle ; à ce son, il s'égayait, il tressaillait, et il se berçait lui-même en dodelinant de la tête, en pianotant des doigts et en barytonant du cul.

2. On définit le tempérament par l'équilibre (ou le déséquilibre) entre quatre humeurs : la mélancolie (qui rend froid, sec et rêveur), la bile (qui rend jaune, maigre et colérique), le sang (qui rend rouge, replet, riant et luxurieux) et le flegme, qui rend gras, blanc, et plutôt paresseux. Il est peu usuel que la suprématie d'une humeur soit réservée spécifiquement à une partie de l'individu.

CHAPITRE VII

Comment on vestit Gargantua

Luy estant en cest aage, son pere ordonna qu'on luy feist des habillemens [1] à sa livrée, laquelle estoit de blanc et bleu. De faict on y besoigna, et furent faictz, taillez et cousuz à la mode qui pour lors couroyt. Par les anciennes pantarches, qui sont en la Chambre des Comptes à Montsoreau, je trouve qu'il feut vestu en la faczon que s'ensuyt :

Pour sa chemise furent levéez neuf cens aulnes de toille de Chasteleraud, et deux cens pour les coussons en sorte de carreaux, lesquelz on mist soubz les esselles. Et n'estoit poinct froncée, car la fronseure des chemises n'a poinct esté inventée si non depuis que les lingieres, lors que la poincte de leur agueille estoit rompue, ont commencé à besoigner du cul [2].

Pour son pourpoint feurent levéez huyt cens treize aulnes de satin blanc, et pour les agueillettes quinze cens neuf peaux et demye de chiens. Lors commencza le monde de attacher les chausses au pourpoint, et non le pourpoint aux chausses ; car c'est chose contre nature.

1. Rappelons que l'habillement complet d'un gentilhomme comporte plusieurs vêtements superposés : chemise, pourpoint serré, saie qui est une veste large courte, et robe, qui est plus proche de l'actuel manteau long. La mode ici décrite est celle de la cour de François Ier, où les vêtements très ornés sont « déchiquetés », c'est-à-dire découpés de façon à laisser passer des doublures contrastantes. Les

CHAPITRE VII

Comment on vêtit Gargantua

C'est à cet âge que son père ordonna qu'on lui fît des vêtements à ses couleurs, qui étaient le blanc et le bleu. Effectivement on s'y employa, et ils furent faits, taillés et cousus à la mode de l'époque. Dans les anciennes archives qui se trouvent à la Chambre des Comptes de Montsoreau, je trouve qu'il fut vêtu de la façon suivante :

Pour sa chemise on leva neuf cents aunes de toile de Châtellerault, et deux cents pour les goussets en forme de carrés qu'on mit sous les aisselles. Elle n'était point froncée, car les fronces des chemises n'ont été inventées que depuis que les lingères, lorsque la pointe de leur aiguille était cassée, ont commencé à travailler du cul.

Pour son pourpoint on leva huit cent treize aunes de satin blanc, et pour les aiguillettes quinze cent neuf peaux et demie de chiens. C'est alors qu'on commença d'attacher les chausses au pourpoint, et non le pourpoint aux chausses ; car c'est là une chose contre nature.

braguettes apparentes sont rembourrées et jouent le rôle de poches, d'où leur ampleur qui permet de rêver. Chaque famille a sa « livrée », c'est-à-dire un choix de couleurs emblématiques.

2. Le gros bout de l'aiguille s'appelait le cul, d'où l'équivoque sur le travail des couturières.

Pour ses chausses feurent levéez unze cens cinq aulnes et un tiers d'estamet blanc. Et feurent deschicquetéez en forme de columnes, striéez et crenelées par le darriere, affin de n'eschaufer les reins. Et flocquoit, par dedans la deschicqueteure, de damas bleu tant que besoing estoit. Et notez qu'il avoit tresbelles griefves et bien proportionnées au reste de sa stature.

Pour la braguette feurent levéez seize aulnes un quartier d'icelluy mesmes drap. Et feut la forme d'icelle comme d'un arc boutant, bien estachée joyeusement à deux belles boucles d'or, que prenoyent deux crochetz d'esmail, en un chascun desquelz estoit enchassée une grosse esmeraugde de la grosseur d'une pomme d'orange. Car (ainsi que dict Orpheus, *libro De Lapidibus*, et Pline, *lib. ultimo*) elle a vertus erective et confortative du membre naturel. L'exiture de la braguette estoyt à la longueur d'une canne, deschicquettée comme les chausses, avecques le damas bleu flottant comme davant. Mais, voyans la belle brodeure de canetille et les plaisans entrelatz d'orfeuverie, guarniz de fins diamens, fins rubiz, fines turquoises, fines esmeraugdes et unions Persicques, vous l'eussiez comparée à une belle corne d'abondance, telles que voyez es antiquailles, et telle que donna Rhea es deux nymphes Adrastea et Ida, nourrices de Juppiter : tousjours gualante, succulente, resudante, tousjours verdoyante, tousjours fleurissante, tousjours fructifiante, plene d'humeurs, plene de fleurs, plene de fruictz, plene de toutes delices. Je advoue Dieu s'il ne la faisoyt bon veoyr ! Mais je vous en exposeray bien dadventaige on livre que j'ay faict *De la dignité des braguettes*[1]. D'un cas vous advertis que, si elle estoit bien longue et bien ample, si estoyt elle bien guarnie au dedans et bien avitaillée, en riens ne ressemblant les hypocriticques braguettes d'un tas de muguetz, qui ne sont plenes que de vent, au grant interest du sexe féminin.

1. Livre évoqué dans la préface.

Pour ses chausses on leva onze cent cinq aunes un tiers d'étamine blanche. On les échancra en bandes parallèles, striées et crénelées sur l'arrière, pour ne pas lui échauffer les reins. Et dans les échancrures bouffait un tissu de damas bleu, autant que de besoin. Notez d'ailleurs qu'il avait de très belles jambes, bien proportionnées à sa taille.

Pour la braguette on leva seize aunes un quart du même drap. Elle avait la forme d'un arc-boutant, plaisamment attachée à deux belles boucles d'or que fixaient deux crochets d'émail où était enchâssée une grosse émeraude de la grosseur d'une orange. Car (ainsi que disent Orphée, au livre *Des Pierreries* et Pline dans son dernier livre) l'émeraude a une vertu érective et raffermissante du membre naturel. L'ouverture de la braguette était de plus d'une aune, échancrée comme les chausses, avec le damas bleu bouffant de la même façon. En voyant les belles broderies en filigranes d'or et les ravissants entrelacs d'orfèvrerie, garnis de fins diamants, de fins rubis, de fines turquoises, de fines émeraudes et de perles d'Orient, vous l'auriez comparée à une belle corne d'abondance, telle qu'on en voit sur les statues antiques et telle qu'en donna Rhea aux deux nymphes Adrastée et Ida, nourrices de Jupiter : toujours vivace, succulente, suintante de rosée, toujours verdoyante, toujours fleurissante, toujours fructifiante, pleine de suc, pleine de fleurs, pleine de fruits, pleine de toutes les délices. Dieu sait qu'il faisait bon la voir ! Mais je vous en dirai bien davantage dans mon livre *De la dignité des braguettes*. En tout cas je vous précise que, si elle était bien longue et bien ample, elle était aussi bien garnie et bien fournie à l'intérieur, ne ressemblant en rien aux hypocrites braguettes d'un tas de mignons, qui ne sont pleines que de vent, au grand dam du sexe féminin.

Pour ses souliers furent levéez quatre cens six aulnes de velours bleu cramoysi. Et furent deschicquettez à barbe d'escrevisse bien mignonnement. Pour la quarreleure d'yceulx, furent employez unze cens peaulx de vache brune, taillée à queues de merluz.

Pour son saye furent levéez dix et huyt cens aulnes de velours bleu, tainct en grene, brodé à l'entour de belles vignettes et par le mylieu de pinthes d'argent de canetille, enchevestrées de verges d'or avecques force perles : par ce denotant qu'il seroit un bon fessepinthe en son temps.

Sa ceincture fut de troys cens aulnes et demye de cerge de soye, moytié blanche et moytié bleue.

Son espase ne fut Valentienne, ny son poignart Sarragossoys, car son pere haissoyt tous ces indalgos bourrachous, marranisez [1] comme diables ; mais il eut la belle espée de boys et le poignart de cuyr bouilly, pinctz et dorez comme un chascun soubhaiteroit.

Sa bourse fut faicte de la couille d'un oriflant que luy donna Her Pracontal, proconsul de Lybie.

Pour sa robbe furent levées neuf mille six cens aulnes moins deux tiers de velours bleu comme dessus, tout porfilé d'or en figure diagonale, dont par juste perspective issoit une couleur innommée, telle que voyez es coulz des tourterelles, qui resjouissoit merveilleusement les yeulx des spectateurs.

Pour son bonnet feurent levées troys cens deux aulnes un quart de velours blanc. Et fut la forme d'icelluy large et ronde à la capacité du chief ; car son pere disoit que ces bonnetz à la Marrabeise, faictz comme une crouste de pasté, porteroyent quelque jour mal'encontre à leurs tonduz.

Pour son plumart portoit une belle grande plume bleue, prinse d'un onocrotal du pays de Hircanie la saulvaige, bien mignonnement pendente suz l'aureille droicte.

1. Marranes, cf. plus loin marrabeise : les marranes sont des juifs ou des musulmans convertis de force et que leurs convertisseurs mêmes suspectent de continuer leurs pratiques religieuses antérieures. Terme

Pour ses souliers on leva quatre cent six aunes de velours bleu violacé. On les échancra joliment en barbe d'écrevisse. Pour les semelles, on employa onze cents peaux de vache brune, taillées en queue de merlu.

Pour sa casaque on leva dix-huit cents aunes de velours bleu, teint de cochenille, brodé sur les bords de beaux dessins et au centre de pintes en filigrane d'argent, entremêlées de verges d'or avec force perles : cela marquait qu'il boirait en son temps en bon fesse-pinte.

Sa ceinture était de trois cents aunes et demie de serge de soie, mi-blanche, mi-bleue.

Son épée n'était pas de Valence, ni son poignard de Saragosse, car son père haïssait tous ces hidalgos ivrognes, renégats comme des démons ; il reçut une belle épée de bois et un poignard de cuir bouilli, peints et dorés comme tout le monde en souhaiterait.

Sa bourse était faite d'une couille d'éléphant que lui avait donnée Her Pracontal, gouverneur de Libye.

Pour sa robe on leva neuf mille six cents aunes moins deux tiers de velours bleu aussi, tout brodé d'or en biais, qui produisait, sous un certain angle, une couleur ineffable, comme on en voit au cou des tourterelles, qui réjouissait merveilleusement les yeux des spectateurs.

Pour son bonnet on leva trois cent deux aunes un quart de velours blanc. Il était de forme large et ronde à la mesure de la tête ; car son père disait que ces bonnets à l'orientale, faits comme une croûte de pâté, porteraient un jour malheur aux tondus qui les portaient.

Comme panache il portait une belle grande plume bleue, prise à un pélican de la sauvage Hircanie, joliment pendante sur l'oreille droite.

d'insulte en Espagne, et hors d'Espagne terme d'insulte désignant les Espagnols en général. Élément discret de la propagande anti-espagnole de François Ier.

Pour son imaige avoit, en une plataine d'or pesant soixante et huyct marcs, une figure d'esmail competent, en laquelle estoit portraict un corps humain ayant deux testes, l'une virée vers l'aultre, quatre bras, quatre piedz et deux culz, tel que dict Platon, *in Symposio* [1], avoir esté l'humaine nature à son commencement mystic, et autour estoit escript en letres Ioniques :

Η ΑΓΑΠΗ ΟΥ ΖΗΤΕΙ ΤΑ ΕΑΥΤΗΣ

Pour porter au col, eut une chaine d'or pesante vingt et cinq mille soixante et troys marcs d'or, faicte en forme de grosses bacces, entre lesquelles estoyent en oeuvre gros jaspes verds, engravez et taillez en dracons tous environnez de rayes et estincelles, comme les portoit jadis le roy Nechepsos ; et descendoit jusque à la boucque du petit ventre : dont toute sa vie en eut l'emolument tel que sçavent les medicins Gregoys.

Pour ses guands furent mises en oeuvre seize peaulx de lutins, et troys de loups guarous pour la brodeure d'iceulx ; et de telle matiere luy feurent faictz par l'ordonnance des Cabalistes de Sainlouand [2].

Pour ses aneaulx (lesquelz voulut son pere qu'il portast pour renouveller le signe antique de noblesse) il eut, on doigt indice de sa main gausche, une escarboucle grosse comme un œuf d'austruche, enchassée en or de seraph bien mignonnement. On doigt medical d'icelle eut un anneau faict des quatre metaulx ensemble en la plus merveilleuse faczon que jamais feust veue, sans que l'acier froissast l'or, sans que l'argent foullast le cuyvre. Le tout fut faict par le capitaine Chappuys et Alcofribas [3], son bon facteur. On doigt medical de la dextre eut un aneau faict en forme spirale, on quel

1. *Le Banquet* de Platon a déjà été évoqué dans la préface. Le mythe de l'Androgyne originel, composé comme une boule à quatre membres et coupé en deux par les dieux jaloux, y est raconté par Aristophane. L'emblème évoqué existe bel et bien : il signifie en effet la Charité chrétienne qui unit. La phrase qui est la devise de l'emblème est tirée de saint Paul.

2. Série d'allusions à un savoir occulte : soit à l'Egypte, soit à la

En guise d'emblème au chapeau, il avait, sur une plaque d'or pesant soixante-huit marcs, une figure d'émail bien travaillé, où était peint un corps humain ayant deux têtes, tournées l'une vers l'autre, quatre bras, quatre pieds et deux culs, tel que Platon, dans *Le Banquet*, dit qu'était la nature humaine à son origine mythique ; autour était écrit en lettres grecques :

L'AMOUR NE RECHERCHE PAS SON PROPRE AVANTAGE

Autour du cou il avait une chaîne d'or pesant vingt-cinq mille soixante-trois marcs d'or, faite de gros maillons entre lesquels étaient sertis de gros jaspes verts, gravés et sculptés de dragons tous environnés de rayons et d'étincelles, comme les portait jadis le roi Nechepsos ; elle descendait jusqu'au creux du diaphragme, ce dont il se trouva bien toute sa vie, comme le savent les médecins grecs.

Pour ses gants on utilisa seize peaux de lutin et trois de loups-garous pour les border ; on les lui fit ainsi sur l'ordonnance des Cabalistes de Saint-Louand.

Comme bagues (son père voulait qu'il en portât pour rappeler son ancienne noblesse) il avait à l'index de la main gauche une escarboucle grosse comme un œuf d'autruche, bien joliment enchâssée de l'or le plus fin. À l'annulaire, il avait un anneau fait des quatre métaux ajustés de la plus merveilleuse façon, sans que l'acier altérât l'or ni que l'argent ternît le cuivre. Le tout fut fait par le capitaine Chappuys et Alcofribas, son bon commis. À l'annulaire de la main droite il avait un anneau en spirale, où étaient enchâssés un rubis-balai

Grèce, soit aux superstitions (loups-garous), soit à la Kabbale (philosophie secrète des juifs) : l'humanisme s'inspire de savoirs religieux d'autant plus valorisés qu'ils sont archaïques. Mais à Saint-Louand, il y a une abbaye de Bénédictins !

3. Alcofribas : c'est le nom du chroniqueur, qui décidément sait tout faire.

estoyent enchassez un balay en perfection, un diament en poincte, et une esmeraude de Physon, de pris inestimable ; car Hans Carvel [1], grand lapidaire du roy de Melinde, les estimoit à la valeur de soixante neufz millions huict cens nonante et quatre mille moutons à la grand'laine ; autant l'estimerent les Fourques [2] d'Auxbourg.

1. Hans Carvel réapparaît dans le *Tiers Livre*, chapitre XXVIII, dans une anecdote obscène qui en fait bien un spécialiste des anneaux.

2. Les Fugger sont les plus célèbres banquiers d'Europe, créanciers de toutes les monarchies, et dont l'or a puissamment aidé Charles Quint à être élu empereur.

parfait, un diamant en pointe et une émeraude du Physon, d'un prix inestimable ; car Hans Carvel, grand joaillier du roi de Melinde, les estimait à la valeur de soixante-neuf millions huit cent quatre-vingt-quatorze mille moutons de haute laine ; c'est aussi ce que les estimèrent les Fugger d'Augsbourg.

CHAPITRE VIII

Des couleurs et livrée de Gargantua

Les couleurs de Gargantua feurent blanc et bleu, comme cy dessus avez peu lire ; et par icelles vouloit son pere qu'on entendist que ce luy estoit une joye celeste. Car le blanc luy signifioyt joye, plaisir, delices et resjouyssance, et le bleu, choses celestes [1].

J'entends bien que, lisans ces motz, vous mocquez du vieil beuveur et reputez l'exposition des couleurs par trop indague et abhorrente, et dictes que blanc signifie foy, et bleu fermeté. Mais, sans vous mouvoir, courroucer, eschaufer ny alterer (car le temps est dangereux), respondez moy, si bon vous semble. D'aultre contraincte ne useray envers vous, ny aultres, quelz qu'ilz soyent. Seulement vous diray un mot de la bouteille.

Qui vous meut ? Qui vous poinct ? Qui vous dict que blanc signifie foy, et bleu fermeté ? Un (dictez vous) livre trepelu, qui se vend par les bisouars et porteballes, on tiltre : *Le blason des couleurs*. Qui l'a faict ? Quiconques il soyt, en ce a esté prudent qu'il n'y a poinct mis son nom. Mais, au reste, je ne sçay quoy premier en luy je doibve admirer, ou son oultrecuydance ou sa besterie :

1. Ces deux chapitres sont l'objet de nombreuses controverses : de qui Rabelais se moque-t-il ? Il est clair qu'il conteste un livre de Héraldique (*Le Blason des couleurs*, du XVe siècle et souvent réimprimé), et qu'il conteste les calembours qui font tous intervenir des objets triviaux. Mais pour autant milite-t-il contre l'usage des devises

CHAPITRE VIII

Des couleurs et livrée de Gargantua

Les couleurs de Gargantua étaient le blanc et le bleu, comme vous avez pu le lire ; par là, son père voulait qu'on comprît qu'avoir un fils lui était une joie céleste. Car pour lui, le blanc signifiait joie, plaisir, délices et réjouissance, et le bleu les choses célestes.

Je sens bien que, en lisant ces mots, vous vous moquez du vieil ivrogne, et considérez que cette façon d'interpréter les couleurs est par trop grossière et aberrante ; vous dites, vous, que le blanc signifie la foi et le bleu la fermeté d'âme. Mais, sans vous émouvoir, courroucer, échauffer ou altérer (car le temps est dangereux), répondez-moi, s'il vous plaît. Je n'userai d'aucune contrainte envers vous, ni d'autres moyens quels qu'ils soient. Je ne vous dirai qu'un mot de la bouteille.

Qui vous pousse ? Qui vous pique ? Qui vous dit que blanc signifie foi et bleu fermeté d'âme ? C'est, dites-vous, un livre misérable, qui se vend chez les colporteurs et les portefaix, intitulé : *Le Blason des couleurs.* Qui l'a écrit ? Quel qu'il soit, il a été prudent de ne pas le signer. Au reste, je ne sais ce que je dois d'abord admirer en lui, son outrecuidance ou sa sottise :

et des calembours symboliques ? Les uns et les autres sont à la mode, mais aussi de bonne science dans les conceptions du langage à la Renaissance. Voir C.G. Dubois, *Les Mythes du langage au XVI*[e] *siècle*, Ducros, 1970.

son oultrecuydance, qui, sans raison, sans cause et sans apparence, a ausé prescrire de son autorité privée quelles choses seroient denotées par les couleurs, ce que est l'usance des tirans qui voulent leur arbitre tenir lieu de raison, non des saiges et sçavens qui par raisons manifestes contentent les lecteurs ;

sa besterie, qui a existimé que, sans aultres demonstrations et argumens valables, le monde reigleroyt ses divises par ses impositions badaudes.

De faict (comme dict le proverbe : « A cul brenous tousjours abonde merde »), il a trouvé quelque reste de niays du temps des haultz bonnetz [1], lesquelz ont eu foy à ses escriptz, et scelon yceulx ont taillé leurs apophthegmes et dictez, en ont enchevestré leurs muletz, vestu leurs pages, escartelé leurs chausses, brodé leurs guandz, frangé leurs lictz, painct leurs enseignes, composé chansons, et (que pis est) faict impostures et lasches tours clandestinement entre les pudicques matrones.

En pareilles tenebres sont comprins ces glorieux de court lesquelz, voulens en leurs divises signifier *espoir* [2], font protrayre *une sphere*, des *pennes* d'oiseaux pour *penes*, de l'*ancholie* pour *melancholie, la lune bicorne* pour *vivre en croissant*, un *bancq rompu* pour *bancque roupte, non* et un *alcret* pour *non durhabit,* que sont homonymies tant ineptes, tant fades, tant rusticques et barbares, que l'on doibvroyt atacher une queue de renard au collet et faire un masque d'une bouze de vache [3] à un chascun d'iceulx qui en voudroyt dorenavant user en France.

Par mesmes raisons (si raisons les doibz nommer et non resveries) feroys je paindre un *penier*, denotant

1. Les hauts bonnets sont passés de mode depuis Louis XI, des vestiges.

2. Les calembours sont difficiles à traduire et reposent bien sûr sur des prononciations anciennes (ex. : *oi* prononcé é ; le *sph* prononcé sp), ou des glissements plurilingues : l'armure comme dur habit... Certaines équivalences sont attestées dans les emblèmes et non ridicules en soi (plumes, lune, etc.). La seconde série bouffonne

son outrecuidance, d'avoir sans raison, sans motif et sans vraisemblance, osé décréter de sa propre autorité quelles choses seraient signifiées par les couleurs ; c'est là la pratique des tyrans qui veulent que leur volonté tienne lieu de raison, et non des docteurs et savants qui exposent des arguments pour satisfaire le lecteur ;

sa sottise, d'avoir pensé que, sans autre démonstration ou arguments valables, les gens définiraient leurs emblèmes en fonction de ses ineptes décrets.

En fait (comme dit le proverbe : « À cul embrenné toujours abonde la merde »), il a bien trouvé quelques niais survivants du temps des hauts bonnets pour ajouter foi à ses écrits ; qui ont taillé d'après eux leurs aphorismes et dictons, en ont caparaçonné leurs mules, vêtu leurs pages, écartelé leurs chausses, brodé leurs gants, frangé leurs lits, peint leurs armoiries, composé des chansons et, pire que tout, commis clandestinement des impostures et de lâches tours parmi les pudiques matrones.

C'est en de semblables ténèbres que se rangent ces glorieux de Cour qui, voulant sur leurs emblèmes signifier *espoir,* font peindre *une sphère,* des *pennes* d'oiseau pour signifier leur *peine,* de l'*ancolie* pour *mélancolie,* un *croissant de lune* pour *vivre en croissant,* un *banc rompu* pour une *banqueroute, non* et une *armure* pour un *fragile habit* : homonynies si ineptes, si fades, si vulgaires et barbares qu'on devrait attacher une queue de renard au collet et mettre une bouse de vache en guise de masque à quiconque voudrait dorénavant les utiliser en France.

Avec de telles raisons (si je dois nommer cela des raisons et non des divagations), je ferais peindre un

ne repose plus sur l'homophonie complète, mais sur la polysémie (official : ça sert, et c'est un titulaire d'office ecclésiastique) ou l'homophonie partielle et des prononciations locales (*est/t, ch/s, ien/an*). *Moutarde* et *moult tarde* est très souvent cité.

3. Queue de renard et bouse de vache sont des attributs des fols, et des franches plaisanteries de Carnaval.

qu'on me faict *pener*. Et un *pot à moustarde*, que c'est mon cueur à qui *moult tarde*. Et un *pot à pisser*, c'est un *official*. Et le *fond de mes chausses*, c'est un *vaisseau de petz*. Et ma *braguette*, c'est le *greffe des arrestz*. Et un *estront de chien*, c'est un *tronc de ceans*, où gist l'amour de ma mye.

Bien aultrement faisoient en temps jadys les saiges de Egypte, quant ilz escripvoient par letres qu'ilz appelloyent hieroglyphicques [1], lesquelles nul n'entendoyt qui n'entendist et un chascun entendoyt qui entendist la vertus, proprieté et nature des choses par ycelles figurées. Desquelles Orus Apollon a en Grec composé deux livres, et Polyphile on *Songe d'Amours* en a dadventage exposé. En France vous en avez quelque transon en la devise de Monsieur l'Admiral [2] laquelle premier porta Octavien Auguste.

Mais plus oultre ne fera voile mon esquif entre ces gouffres et guez mal plaisans : je retourne faire scalle au port dont suys yssu. Bien ay je espoir d'en escripre quelque jour plus amplement, et monstrer, tant par raisons philosophicques que par autoritez repceues et approvées de toute ancienneté, quelles et quantes coleurs sont en nature, et quoy par une chascune peut estre designé, si le Prince le veult et commende, cil qui en commendant, ensemble donne et povoir et sçavoir.

1. Le volume des Hiéroglyphes d'Horapollo (VIᵉ siècle) est édité en 1505 à Venise. L'admiration des humanistes pour eux tient à la coïncidence d'un dessin, d'un mot et d'une notion dans ce type d'écriture. L'ouvrage de Francesco Colonna, *Le Songe de Polyphile* (1499) est un récit initiatique orné de gravures fort commentées, dont l'influence se retrouve à propos de Thélème.

2. L'emblème de l'amiral Chabot est un dauphin autour d'une ancre, avec la devise *Festina tarde (Hâte-toi lentement)*, qui a servi certes à Auguste, mais aussi à François Iᵉʳ lorsqu'il était dauphin. (Voir A.-M. Lecoq, *François Iᵉʳ imaginaire*, Macula, 1987). Il figure dans le *Polyphile*, les *Emblèmes* d'Alciat (1534) traduits en 1536 pour Chabot, et la devise est commentée par Érasme *(Adages)*.

panier pour signifier que l'on me fait *peiner*. Et un *pot à moutarde,* c'est mon cœur à qui *moult tarde*. Et un *pot de chambre,* c'est un *juge de la chambre*. Et le *fond de mes chausses,* c'est un *havre de paix*. Et ma *braguette,* c'est le *lieu où s'exerce la raideur de la loi*. Et un *étron de chien,* c'est un *tronc de séant* où gît l'amour de ma mie.

Jadis les sages de l'Égypte en usaient tout autrement, quand ils écrivaient les lettres qu'ils appelaient hiéroglyphes : personne ne pouvait les lire sans comprendre — et tous lisaient et comprenaient — la vertu, la propriété et la nature des choses qu'elles représentaient. Là-dessus, Horus Apollon a composé deux livres en grec, et Polyphile, au *Songe d'Amour,* en a disserté plus longuement. En France, vous en avez un exemple dans l'emblème de Monsieur l'Amiral, qui fut d'abord celui d'Octavien Auguste.

Mais je ne vais pas davantage naviguer au milieu de ces abîmes et gués déplaisants ; je retourne faire escale à mon port d'attache. J'ai pourtant l'espoir d'en disserter un jour plus amplement et de montrer, en m'appuyant à la fois sur des raisons philosophiques et sur des autorités reçues et approuvées de toute antiquité, l'existence et le nombre des couleurs dans la nature, et ce que chacune désigne, si le Prince le désire et l'ordonne, lui qui, par ses ordres, donne à la fois le pouvoir et le savoir.

CHAPITRE IX

De ce qu'est signifié par les coleurs blanc et bleu

Le blanc doncques signifie joye, soulas et liesse, et non à tord le signifie, mais à bon droict et juste tiltre ; ce que pourrez verifier si, arriere mises vos affections, voulez entendre ce que presentement je vous exposeray.

Aristotele dict que, supposent deux choses contraires en leur espece, comme bien et mal, vertus et vice, froit et chauld, blanc et noir, volupté et douleur, dueil et tristesse[1], et ainsi des aultres, si vous les coublez en telle faczon q'un contraire d'une espece conviegne raisonnablement à l'un contraire d'une aultre, il est consequent que l'aultre contraire compete avecques l'aultre residu. Exemple : *vertus* et *vice* sont contraires en une espece : aussy sont *bien* et *mal*. Si l'un des contraires de la premiere espece convient à l'un de la seconde, comme *vertus* et *bien*, — car il est sceur que vertus est bonne, — ainsi feront les deux residuz, qui sont *mal* et *vice*, car vice est maulvays.

Ceste reigle logicale entendue, prenez ces deux contraires : *joye* et *tristesse*, puys ces deux : *blanc* et

1. *Dueil et tristesse* fausse la liste : 1542 rectifie en tristesse et joye. La question des significations symboliques s'aggrave — d'une querelle de logiciens pour savoir si ces oppositions sont bien de même nature ; — d'une querelle de philologues sur la traduction de l'Évangile (*blancs*

CHAPITRE IX

De ce qui est signifié par le blanc et le bleu

Le blanc signifie donc joie, plaisir et liesse ; et non pas à tort, mais à bon droit et juste titre, comme vous pourrez le vérifier si, renonçant à vos passions partisanes, vous voulez bien entendre ce que je vais vous exposer maintenant.

Aristote dit que, en prenant des séries de deux choses contraires par leur nature, comme le bien et le mal, la vertu et le vice, le froid et le chaud, le blanc et le noir, le plaisir et la douleur, le deuil et la tristesse, si on les assemble de façon qu'un des termes opposés soit logiquement uni à un des termes d'une autre opposition, il s'ensuit que le terme contraire s'unit au second terme de l'autre opposition. Exemple : *vertu* et *vice* sont contraires par nature : de même *bien* et *mal.* Si l'un des contraires de la première opposition s'unit à l'un de la seconde, comme *vertu* et *bien* — car il est sûr que la vertu est bonne —, seront unis aussi les deux autres termes, *mal* et *vice,* car le vice est mauvais.

Cette règle logique étant bien comprise, prenez ces deux contraires : *joie* et *tristesse*, puis ces deux autres :

comme neige, version latine, ou *blanc comme la lumière*, version grecque ?) et bien sûr de physiciens, car qu'est-ce que la lumière ?

Les exemples de Rabelais appartiennent à des séries d'associations de valeurs et de faits historiques souvent commentées.

noir, car ilz sont contraires physicalement. Si ainsi doncques est que *noir* signifie *dueil*, à bon droict *blanc* signifiera *joye*.

Et n'est poinct ceste signifiance par imposition humaine institué, mais repceue par consentement de tout le monde, que les philosophes nomment *jus gentium*, droict universel, valable par toutes contrées.

Come assez sçavez que tous peuples, toutes nations (je excepte les antiques Syracousans et quelques Argives qui avoient l'ame de travers), toutes langues, voulens exteriorement demonstrer leur tristesse, portent habit de noir, et tout dueil est faict par noir. Lequel consentement universel n'est faict que nature n'en donne quelque argument et raison, laquelle un chascun peut soubdain par soy comprendre sans aultrement estre instruict de persone, — laquelle nous appellons droict naturel.

Par le blanc, à mesmes induction de nature, tout le monde a entendu joye, liesse, soulas, plaisir et delectation.

On temps passé, les Thraces et Cretes signoyent les jours bien fortunez et joyeux de pierres blanches, les tristes et defortunez de noires.

La nuyct n'est elle pas funeste, triste et melancholieuse ? Elle est noyre et obscure par privation. La clarté n'esjouist elle pas toute nature ? Elle est blanche plus que chose que soyt. A quoy prouver je vous pourroys renvoyer au livre de Laurens Valle contre Bartole ; mays le tesmoignage evangelicque vous contentera : *Matth. 17*, est dict que, à la Transfiguration de Nostre Seigneur, *vestimenta eius facta sunt alba sicut lux*, ses vestements feurent faictz blancs comme la lumiere ; par laquelle blancheur lumineuse donnoyt entendre à ses troys apostres l'idée et figure des joyes eternelles. Car par la clarté sont tous humains esjouyz, comme vous avez le dict d'une vieille que n'avoyt dens en gueulle, encores disoit elle : *Bona lux*. Et Thobie *(cap. v)* quant il eut perdu la veue, lors que Raphael le salua, respondit il pas : « Quelle joye pourray je avoir, moy qui

blanc et *noir,* contraires en termes de physique. S'il est vrai que *noir* signifie *deuil,* c'est à juste titre que *blanc* signifiera *joie.*

Et cette signification n'est pas le produit d'une décision humaine, mais admise du consentement de tous, ce que les philosophes nomment *jus gentium,* droit universel, valable en tout pays.

Vous savez bien que tous les peuples, toutes les races (j'excepte les anciens Syracusains et quelques Grecs qui avaient l'esprit de travers), toutes les nations, pour manifester leur tristesse, portent un vêtement noir et que tout deuil se fait en noir. Un tel consensus universel ne peut se faire que parce que la nature en fournit quelque argument et raison, que chacun peut comprendre immédiatement et intimement sans besoin de professeur — ce que nous appelons le droit naturel.

Par le blanc, par la même induction naturelle, tout le monde a compris joie, liesse, contentement, plaisir et délectation.

Aux temps anciens, les Thraces et les Crétois marquaient les jours heureux et joyeux d'une pierre blanche, les jours tristes et malheureux d'une pierre noire.

La nuit n'est-elle pas funeste, triste et mélancolique ? Elle est noire et obscure par privation. La clarté ne réjouit-elle pas toute la nature ? Elle est blanche plus qu'aucune chose au monde. Pour le prouver je pourrais vous renvoyer au livre de Lorenzo Valla contre Bartole ; mais il vous suffira du témoignage de l'Evangile : En Matthieu, 17, il est dit que, à la Transfiguration de Notre Seigneur, *vestimenta eius facta sunt alba sicut lux,* « ses vêtements devinrent blancs comme la lumière » ; par cette blancheur lumineuse il faisait comprendre à ses trois apôtres la notion et l'image des joies éternelles. Car tous les humains se réjouissent de la clarté, ainsi que le montre la déclaration d'une vieille qui n'avait plus dent en gueule et disait pourtant : *La lumière est bonne.* Et Tobie (chap. V), après avoir perdu la vue, lorsque Raphaël le salua, ne répondit-il pas : « Quelle

poinct ne voy la lumiere du ciel ? » En telle couleur tesmoignerent les anges la joye de tout l'univers à la Resurrection du Saulveur *(Jo. xx)* et à son Ascension *(Act. j)*. De semblable parure veist sainct Jean Evangeliste *(Apocal. 4* et *7)* les fideles vestuz en la celeste et beatifiée Hierusalem.

Lisez les histoyres antiques, tant Grecques que Romaines. Vous trouverez que la ville de Albe (premier patron de Rome) feut et construicte et appellée à l'invention d'une truye blanche.

Vous trouverez que, si à aulcun, apres avoir eu des ennemis victoyre, estoyt decreté qu'il entrast à* Rome en estat triumphant, il y entroyt sur un char tiré par chevaulx blancs ; autant celluy qui y entroyt en ovation ; car par signe ny couleur ne povoyent plus certainement exprimer la joye de leur venue que par la blancheur.

Vous trouverez que Pericles, duc des Atheniens, voulut celle part de ses gensdarmes, esquelz par sort estoyent advenues les febves blanches, passer toute la journée en joye, soulas et repos, ce pendent que ceulx de l'aultre part batailleroient. Mille aultres exemples et lieux à ce propos vous pourroys je exposer, mais ce n'est ycy le lieu.

Moyennant laquelle intelligence povez resouldre un probleme, lequel Alexandre Aphrodise a reputé insoluble : pourquoy le leon, qui de son seul cry et rugissement espovante tous animaulx, seulement crainct et revere le coq blanc [1] ? Car (ainsi que dict Proclus, *lib. De Sacrificio et Magia*) c'est par ce que la presence de la vertus du soleil, qui est l'organe et promptuaire de toute lumiere terrestre et syderale, plus est symbolisante et competente au coq blanc, tant pour ycelle couleur que pour sa proprieté et ordre specificque, que au leon.

1. Coq et lion : exemple de « miracle » animal souvent commenté et qui passe pour « scientifiquement prouvé » : le lion a peur du coq comme l'éléphant a peur des souris. L'idée de choisir un coq blanc, spécifiquement, est toute moderne, mais d'un grand sens en France-Gaule, dont le coq (Gallus) est l'emblème national, et per-

joie pourrai-je avoir, moi qui ne vois point la lumière du ciel ? » C'est vêtus de blanc que les anges témoignèrent de la joie de tout l'univers à la Résurrection du Sauveur *(Actes des Apôtres, 1)* ; c'est ainsi parés que saint Jean l'Évangéliste *(Apocalypse 4 et 7)* vit les fidèles dans la bienheureuse Jérusalem céleste.

Lisez les histoires anciennes, tant grecques que romaines. Vous y trouverez que la ville d'Albe (premier modèle de Rome) fut construite et appelée ainsi en raison de la découverte d'une truie blanche.

Vous y lirez que si quelqu'un, après avoir remporté des victoires sur l'ennemi, était autorisé par décret à entrer dans Rome en triomphateur, il y entrait sur un char tiré par des chevaux blancs ; de même pour celui qui avait droit à l'ovation ; car aucun symbole ni couleur ne pouvait plus évidemment exprimer la joie de leur venue que la blancheur.

Vous lirez que Périclès, duc des Athéniens, voulut que ceux de ses soldats qui avaient tiré au sort une fève blanche passent toute la journée en joie, plaisir et repos, pendant que les autres combattaient. Je pourrais vous citer mille autres exemples et références à ce sujet, mais ce n'est pas ici le lieu.

C'est en comprenant cela que vous pouvez résoudre un problème qu'Alexandre d'Aphrodisias a réputé insoluble : pourquoi le lion, dont le seul cri et rugissement épouvante tous les animaux, craint-il et respecte-t-il seulement le coq blanc ? C'est que (comme le dit Proclus, dans son livre *Du Sacrifice et de la magie*) la présence de la vertu du soleil, qui est l'organe et le réceptacle de toute lumière terrestre et stellaire, est plus symboliquement associée au coq blanc, tant par cette couleur que par ses propriétés spécifiques, qu'au lion. Il ajoute

met des jeux de mots plurilingues, *galli*, coqs ; *Galli*, Gaulois ; *gala*, lait, étymologie qui s'appuie sur le terme de *Galates*, désignant un peuple gaulois passé en Asie Mineure. Le coq blanc, oiseau de Mercure, est aussi un des emblèmes de François Ier, contre le lion impérial.

Plus dict que en forme leonine ont esté diables souvent veuz, lesquelz à la presence d'un coq blanc soubdainement sont disparuz.

Ce est la cause pourquoy *Gali* (ce sont les Françoys, ainsi appellez par ce que blancs sont naturellement comme laict, que les Grecz nomme *gala*) volentiers portent plumes blanches sus leurs bonnetz. Car par nature ilz sont joyeux, candides, gratieux et bien amez, et pour leur symbole et enseigne ont la fleur plus que nulle aultre blanche : c'est le Lys.

Si demendez comment par couleur blanche nature nous induict entendre joye et liesse, je vous responds que l'analogie et conformité est telle. Car — comme le blanc exteriorement disgrege et espart la veue, dissolvent manifestement les esperitz visifz [1] (selon l'opinion de Aristote en ses *Problemes* et des perspectifz), et le voyez par experience quant vous passez les montz couvers de neige, en sorte que vous plaignez de ne povoir bien reguarder, ainsi que Xenophon escript estre advenu à ses gens, et comme Galen expose amplement, *libr. x, De usu partium* — tout ainsi le cueur par joye excellente est interiorement espart et patist manifeste resolution des esperitz vitaulx ; laquelle tant peut estre acreue que le cueur demoureroit spolié de son entretien, et par consequent seroit la vie estaincte [2], comme demonstre ledict Galen, *li. v, De locis affectis*, et *li. ij, De symptomaton causis*, et come estre au temps passé advenu tesmoignent Marc Tulle, *li. j, Questio. Tuscul.*, Verrius, Aristotele, Tite Live, apres la bataille de Cannes, Pline, *lib. 7. c. 32* et *53*, A. Gellius, *li. 3. c. 15*, et aultres, à Diagoras Rodius, Chilo, Sophocles, Dionysius, tyran de Sicile, Philippides, Philemon, Polycrata, Philistion, M. Juventius et aultres qui moururent

1. Les esprits sont des influx vitaux actifs, qui sont émis par les corps (par exemple, par l'œil : esprits visuels qui vont à la rencontre des autres corps, puis reviennent apporter l'information à l'esprit).

qu'on a souvent vu des diables en forme de lion qui ont soudainement disparu en présence d'un coq blanc.

C'est pour cela que les Gaulois (les Français, ainsi appelés parce qu'ils sont naturellement blancs comme le lait, que les Grecs nomment *gala*) portent volontiers des plumes blanches sur leurs bonnets. Car ils sont par nature joyeux, francs, gracieux et bien aimés, et ils ont pour symbole et emblème la fleur plus blanche que toute autre : le lys.

Si vous me demandez comment par la couleur blanche la nature nous amène à comprendre joie et liesse, je vous réponds qu'il y a analogie et ressemblance. Le blanc disperse et divise la vue, dissolvant manifestement les esprits visuels (selon l'opinion d'Aristote dans ses *Problèmes* et selon les ouvrages sur la perspective) ; on le voit par expérience lorsqu'on passe les montagnes enneigées, où l'on se plaint de ne pouvoir bien regarder, ainsi que Xénophon dit qu'il arriva à ses gens, et comme l'expose longuement Galien, au dixième livre du *De l'usage des parties.* De la même façon le cœur, au comble de la joie, est intérieurement éparpillé et subit une manifeste dissolution des esprits vitaux, qui peut être tellement accentuée que le cœur demeurerait privé de ce qui l'entretient, et donc la vie s'éteindrait, comme le démontre ledit Galien, au livre V du *Des lieux affectés* et au livre II du *Des causes des symptômes ;* et cela est arrivé aux temps anciens, selon le témoignage de Marc Tulle Cicéron, livre I des *Tusculanes,* de Verrius, Aristote, Tite-Live, après la bataille de Cannes, de Pline, livre VII, chapitres 32 et 53, Aulu-Gelle, livre III, chapitre 15, et d'autres, à Diagoras Rodius, Chilon, Sophocle, Denys, le tyran de Sicile, Philippides, Phi-

2. La liste des gens morts de joie fait partie d'une érudition traditionnelle collectionneuse d'anecdotes sérielles selon des thèmes. Rabelais suit ses classiques, y compris médicaux.

de joye ; et comme dict Avicenne (*in 2 canone* et *lib. De viribus cordis*) du zaphran, lequel tant esjouist le cueur qu'il le despouille de vie, si on en prend en dose excessifve, par resolution et dilatation superflue.

J'entre plus avant en ceste matiere que ne establissoys au commencement. Ycy doncques calleray mes voilles, remettant le reste au livre en ce consommé du tout. Et diray en un mot que le bleu signifie certainement le ciel et choses celestes, par mesmes symboles que le blanc signifioit joye et plaisir.

lemon, Polycrata, Philistion, M. Juventius et d'autres, qui moururent de joie ; Avicenne (au second livre du *Canon* et au livre *Des forces du cœur*) en dit autant du safran, qui réjouit tant le cœur que, pris en dose excessive, il le prive de vie par dissolution et dilatation débordante.

Je vais plus loin en cette matière que je ne me l'étais d'abord proposé. Ici donc je cargue mes voiles, remettant le reste au livre qui s'y consacre entièrement. Et je dirai d'un mot que le bleu signifie certainement le ciel et les choses célestes, selon les mêmes symboles qui font que le blanc signifie joie et plaisir.

CHAPITRE X

De l'adolescence de Gargantua

Gargantua, depuys les troys jusques à cinq ans, feut nourry et institué en toute discipline convenente, par le commandement de son pere, et celluy temps passa comme les petitz enfans du pais : c'est assavoir à boyre, manger et dormir ; à manger, dormir et boyre ; à dormir, boyre et manger.

Tousjours se vaultroyt par les fanges [1], se mascaroyt le nez, se chaffourroyt le visage. Et aculoyt ses souliers, et baisloit souvent aux mousches, et couroyt voulentiers apres les parpaillons, desquelz son pere tenoyt l'empire. Il pissoyt suz ses souliers, il chyoit en sa chemise, il morvoyt dedans sa soupe, et patrouilloit par tout. Les petitz chiens de son pere mengeoyent en son escuelle ; luy de mesmes mengeoit avecques eulx. Il leurs mordoyt les aureilles, ilz luy graphignoyent le nez ; il leurs souffloyt au cul, ilz luy leschoyent les badigoinces.

Et sabez quey, hillotz ? Que mau de pipe bous byre ! Ce petit paillard tousjours tastonnoyt ses gouvernantes, cen dessus dessoubz, cen devant derriere, — harry bourriquet ! — et desjà commenczoyt exercer sa braguette, laquelle un chascun jour ses gouvernantes ornoyent de beaux boucqués, de beaux rubans, de belles

1. Début de chapitre modifié pour l'édition de 1542, en forte augmentation : voir Dossier (p. 472). La description du jeune enfant non civilisé, pas encore soumis aux censures et limites de la vie adulte

CHAPITRE X

De l'adolescence de Gargantua

De trois à cinq ans, Gargantua fut nourri et formé à la discipline convenant à son âge, sur l'ordre de son père ; il passa tout ce temps comme les petits enfants du pays, c'est-à-dire à boire, manger et dormir ; à manger, dormir et boire ; à dormir, boire et manger.

Sans cesse il se vautrait dans les ordures, se noircissait le nez, se barbouillait le visage. Il rompait ses souliers, bayait souvent aux mouches, et courait volontiers après les papillons, dont son père était roi. Il pissait sur ses souliers, chiait dans sa chemise, morvait dans sa soupe, et pataugeait partout. Les petits chiens de son père mangeaient dans son écuelle, de même il mangeait avec eux. Il leur mordait les oreilles, ils lui griffaient le nez ; il leur soufflait dans le cul, ils lui léchaient les babines.

Et vous savez quoi, mes gars ? Que la saoulerie vous chamboule ! Ce petit paillard n'arrêtait pas de peloter ses gouvernantes, sens dessus dessous, sens devant derrière, — hue cocotte ! — et il commençait déjà d'exercer sa braguette, que chaque jour elles ornaient de beaux bouquets, de beaux rubans, de belles fleurs,

s'effectue ici par l'évocation de comportements « animaux », dans la version augmentée par des jeux à partir d'expressions toutes faites ou proverbes que l'enfant met sens dessus dessous.

fleurs, de beaux flocquars, et passoyent leur temps à la fayre revenir entre leurs mains comme la paste dedans la met. Puys s'esclaffoyent de ryre quant elle levoyt les aureilles, comme si le jeu leur eust pleu.

L'une la nommoit ma petite dille, l'aultre ma pine, l'aultre ma branche de coural, l'aultre mon bondon, mon bouchon, mon vibrequin, mon possouer, ma teriere, ma petite andouille vermeille, ma petite couille bredouille.

« Elle est à moy, disoyt l'une.

— C'est la mienne, disoyt l'aultre.

— Moy (disoyt l'aultre), n'y auray je rien ? Par ma fay*, je la couperay doncques.

— Ha, couper ! (disoyt l'aultre). Vous luy feriez mal, Madame. Coupez vous la chose aux enfans ? »

Et, pour s'esbatre comme les petitz enfans de nostre pays, luy feirent un beau virollet des aesles d'un moulin à vent de Myrebalays.

de belles guirlandes ; et elles passaient leur temps à la faire monter entre leurs mains comme la pâte dans le pétrin. Et elles s'esclaffaient quand elle levait les oreilles, comme si le jeu leur eût plu.

L'une la nommait mon petit fausset, une autre ma pine, une autre ma branche de corail, une autre ma bonde, l'autre mon bouchon, mon vilebrequin, ma tringle, ma tarière, ma petite andouille vermeille, ma petite couille bredouille.

« Elle est à moi, disait l'une.

— C'est la mienne, disait une autre.

— Mais, disait une autre, n'en aurai-je donc rien ? Par ma foi, je la couperai donc.

— Ha, couper ! disait l'autre. Vous lui feriez mal, Madame. Coupez-vous la chose aux enfants ? »

Et, pour qu'il s'ébatte comme les petits enfants de notre pays, elles lui firent un beau moulinet des ailes d'un moulin à vent de Mirebalais.

CHAPITRE XI

Des chevaulx factices de Gargantua

Puis, affin que toute sa vie feust bon chevaulcheur [1], l'on luy feist un beau grand cheval de boys, lequel il faisoyt penader, saulter, voltiger, ruer et dancer tout ensemble, aller le pas, le trot, l'entrepas, le gualot, les ambles, le hobin, le traquenard, le camelin et l'onagrier. Et luy faisoyt changer de poil (comme font les moines de courtibaux selon les festes), de bailbrun, d'alezan, de gris pommellé, de poil de rat, de cerf, de rouen, de vache, de zencle, de pecile, de pye, de leuce.

Et luy mesmes d'une grousse traine feist un aultre cheval pour la chasse, et un aultre d'un fust de pressouer à tous les jours, et d'un grand chaisne une mulle avecques la housse pour la chambre. Encores en eut il dix ou douze à relays et sept pour la poste. Et tous mettoit coucher auprès de soy.

Un jour le seigneur de Painensac visita son pere en gros train et apparat, on quel jour l'estoyent semblablement venuz veoyr le duc de Francrepas pas et le compte de Mouillevent. Par ma foy, le logis feut un peu estroict pour tant de gens, et singulierement les estables ; dont le maistre d'hostel et fourrier dudict seigneur de Painensac, pour sçavoir si ailleurs en la maison estoyent estables vacques, s'adresserent à Gargantua,

1. Chevaucher des chevaux entre autres, mais on amorce aussi l'éducation parodique du chevalier.

CHAPITRE XI

Des chevaux factices de Gargantua

Puis, afin qu'il fût toute sa vie bon cavalier, on lui fit un beau cheval de bois qu'il faisait parader, sauter, voltiger, ruer et danser en même temps, aller au pas, au trot, à l'entrepas, au galop, à l'amble, au trot allongé, au trot anglais, au pas de hongre, au pas de chameau ou d'onagre. Et il lui faisait changer de robe (comme les moines de chasuble selon les fêtes), bai brun, alezan, gris pommelé, poil de rat, poil de cerf, rouan, tacheté, bigarré, pie ou blanc.

Lui-même il fit d'une grosse poutre un autre cheval pour la chasse, un autre d'un fût de pressoir pour tous les jours, et d'un grand chêne une mule avec sa housse pour rester chez soi. Et il en eut encore dix à douze pour les relais et sept pour la poste. Et il les mettait tous à coucher près de lui.

Un jour le seigneur de Painensac vint rendre visite à son père en grand équipage ; ce même jour étaient aussi venus le duc de Francrepas et le comte de Mouillevent. Ma foi, le logis était un peu étroit pour tant de gens, et particulièrement les écuries ; aussi le maître d'hôtel et le fourrier du seigneur de Painensac, pour savoir s'il y avait ailleurs dans la maison des écuries vides, s'adressèrent à Gargantua, jeune garçonnet, en

jeune garsonnet, luy demandans secrettement où estoyent les estables des grands chevaulx, pensans que voulentiers les enfans decellent tout.

Lors il les mena par les grands degrez du chasteau, passant par la seconde salle, en une grande gualerie par laquelle entrerent en une grosse tour, et, eulx montans par d'aultres degrez, dist le fourrier au maistre d'hostel :

« Cest enfant nous abuse, car les estables ne sont jamais au hault de la maison.

— C'est (dist le maistre d'hostel) mal entendu à vous, car je sçay des lieux, à Lyon, à La Basmette, à Chaisnon et alleurs, où les estables sont au plus hault du logis ; ainsi, peult estre que darriere y a yssue au montouer. Mais je le demanderay plus asseurement. »

Lors demanda à Gargantua :

« Mon petit mignon, où nous menez vous ?

— A l'estable (dist il) de mes grands chevaulx. Nous y sommes tantoust, montons seulement ces eschallons. »

Puis, les passant par une aultre grande salle, les mena en sa chambre, et, retyrant la porte :

« Voycy (dist il) les estables que demandez ; voylà mon genet, voylà mon guildin, mon lavedan, mon tracquenard. »

Et, les chargeant d'un gros livier :

« Je vous donne (dist il) ce Phryzon ; je l'ay eu de Francfort, mais il sera vostre ; il est bon petit chevallet et de grand peine. Avecques un tiercelet d'autour, demye douzaine d'hespanolz et deux levriers, vous voylà roy des perdrys et lievres pour tout cest hyver.

— Par sainct Jean ! (dirent ilz) nous en sommes bien ! A ceste heure avons nous le moine. »

Devinez ycy du quel des deux ils avoyent plus matiere, ou de soy cacher pour leur honte, ou de ryre pour le passetemps.

Eulx en ce pas descendens tous confus, il demanda :

« Voulez vous une aubeliere ?

— Qu'est ce ? disent ilz.

lui demandant discrètement où étaient les écuries des grands chevaux, dans l'idée que les enfants révèlent tout volontiers.

Alors il les conduisit par les grands escaliers du château, passant par la seconde salle, dans une grande galerie, par où ils entrèrent dans une grosse tour ; et tandis qu'ils montaient d'autres escaliers, le fourrier dit au maître d'hôtel :

« Cet enfant se moque de nous, les écuries ne sont jamais en haut de la maison.

— Vous faites erreur, dit le maître d'hôtel, je connais des endroits, à Lyon, à La Baumette, à Chinon et ailleurs, où les écuries sont au sommet du logis ; ainsi peut-être y a-t-il derrière une sortie au sommet. Mais je veux en avoir le cœur net. »

Alors il demanda à Gargantua :

« Mon petit mignon, où nous menez-vous ?

— À l'écurie de mes grands chevaux, dit-il. Nous y sommes bientôt, montons seulement ces marches.

Puis, les faisant passer par une autre grande salle, il les mena à sa chambre et, poussant la porte :

« Voici, dit-il, les écuries que vous demandez ; voilà mon genet, voilà mon pur-sang anglais, mon tarbais, mon hongre. »

Et, leur mettant dans les bras un gros levier :

« Je vous donne, dit-il, ce Frison ; je l'ai eu de Francfort, mais il sera à vous ; c'est un bon petit cheval vaillant à la tâche. Avec un autour tiercelet, une demi-douzaine d'épagneuls et deux lévriers, vous voilà roi des perdrix et des lièvres pour tout cet hiver.

— Par saint Jean ! dirent-ils, nous sommes bien lotis ! Nous voilà bien attrapés. »

Devinez ce qu'ils avaient de mieux à faire, se cacher de honte, ou rire de la plaisanterie.

Cependant qu'ils descendaient tout confus, il leur demanda :

« Voulez-vous une aubelière ?

— Qu'est-ce donc ? dirent-ils.

— Ce sont (respondit il) cinq estroncz pour vous faire une museliere.

— Pour ce jour d'huy (dist le maistre d'hostel), si nous sommes roustiz, jà au feu ne bruslerons, car nous sommes lardez à poinct, en mon advis. O petit mignon, tu nous as baillé foin en corne [1] : je te voirray quelque jour pape.

— Je l'entendz (dist il) ainsi. Mais lors vous serez papillon, et ce gentil papeguay sera un papelard tout faict.

— Voyre, voyre, dist le fourrier.

— Mais (dist Gargantua) divinez combien y a de poincts d'agueille en la chemise de ma mere.

— Seize, dist le fourrier.

— Vous (dist Gargantua) ne dictez pas l'Evangile : car il y en a sens davant et sens darriere, et les comptastez trop mal. [2].

— Quant ? dist le fourrier.

— Alors (dist Gargantua) qu'on feist de vostre nez une dille pour tirer un muy de merde, et de vostre guorge un entonnouoir pour la mettre en aultre vaisseau, car les fondz estoyent esventez.

— Cordieu ! (dist le maistre d'hostel) nous avons trouvé un causeur. Monsieur le jaseur, Dieu vous guard de mal, tant vous avez la bouche fraische ! »

Ainsi descendens à grand haste, soubz l'arceau des degrez laisserent tomber le gros livier qu'il leurs avoit chargé, dont dist Gargantua : « Que diantre vous estez maulvais chevaucheurs ! Vostre courtault vous fault au besoing. Se il vous failloit aller d'icy à Cahusac, que aymeriez vous mieulx, ou chevaulcher un oyson, ou mener une truye en laisse ?

— J'aymerois mieulx boyre, » dist le fourrier.

Et, ce disant, entrerent en la sale basse où estoit toute la briguade, et, contans ceste nouvelle histoyre les feirent rire comme un tas de mousches.

1. Mettre foin aux cornes, selon les *Adages* d'Érasme, c'est rendre moins dangereux, ce qui serait ici rabattre le caquet.

— C'est cinq étrons, répondit-il, pour vous faire une muselière.

— Pour aujourd'hui, dit le maître d'hôtel, si nous sommes cuits, au moins nous ne brûlerons pas au feu, car nous sommes lardés à point, m'est avis. Ô mon petit mignon, tu nous as bien eus. Je te verrai bien pape un de ces jours.

— C'est bien ainsi que je l'entends, dit-il. Mais alors vous serez papillon, et ce gentil papegay sera un papelard tout fait.

— Sans doute, dit le fourrier.

— Mais, dit Gargantua, devinez combien il y a de points d'aiguille sur la chemise de ma mère.

— Seize, dit le fourrier.

— Vous ne dites pas vrai, dit Gargantua ; il y en a sens devant et sens derrière, vous les avez bien mal comptés.

— Quand ? dit le fourrier.

— Alors, dit Gargantua, qu'on fit de votre nez un fausset pour tirer un muid de merde, et de votre gorge un entonnoir pour la mettre dans un autre récipient, car les fonds étaient éventés.

— Cordieu ! dit le maître d'hôtel, nous avons trouvé un causeur. Monsieur le jaseur, Dieu vous garde, tant vous avez la bouche fraîche ! »

Descendant en toute hâte, sous l'arc des escaliers ils laissèrent tomber le gros levier dont il les avait chargés ; Gargantua dit alors : « Quels cavaliers du diable vous faites ! Votre canasson vous manque quand vous en avez besoin. S'il vous fallait aller d'ici à Cahusac, que préféreriez-vous, chevaucher un oison ou mener une truie en laisse ?

— J'aimerais mieux boire », dit le fourrier.

Sur ces mots, ils entrèrent dans la salle basse où était toute la compagnie et, par le récit de cette nouvelle aventure, les firent rire comme un essaim de mouches.

2. Sens/cent/senteur : équivoque phonique, voire gestuelle.

CHAPITRE XII

Comment Grantgousier congneut l'esperit merveilleux de Gargantua à l'invention d'un torchecul

Sus la fin de la quinte année Grantgousier, retournant de la defaicte des Canarriens, visita son filz Gargantua. Là feut resjouy comme un tel pere povoit estre voyant un sien tel enfant ; et, le baisant et accollant, l'interrogeoyt de petitz propos pueriles en diverses sortes. Et beut d'autant avecques luy et ses gouvernantes, esquelles par grand soing demandoit, entre aultres cas, si elles l'avoyent tenu blanc et nect. A ce Gargantua feist responce qu'il y avoit donné tel ordre qu'en tout le pays n'estoyt guarson plus nect que luy.

« Comment cela ? dist Grantgousier.

— J'ay (respondit Gargantua) par longue et curieuse experience inventé un moyen de me torcher le cul, le plus royal, le plus seigneurial, le plus excellent, le plus expedient que jamais feut veu.

— Quel ? dist Grantgousier.

— Comme vous le raconteray (dist Gargantua) presentement.

» Je me torchay une foys d'un cachelet de velours de voz damoiselles, et le trouvay bon, car la mollice de la soye me causoyt au fondement une volupté bien grande ;

» une aultre foys d'un chapron d'ycelles, et feut de mesmes ;

CHAPITRE XII

Comment Grandgousier reconnut la merveilleuse intelligence de Gargantua à l'invention d'un torchecul

À la fin de la cinquième année, Grandgousier, de retour de sa victoire sur les Canariens, vint voir son fils Gargantua. Il était réjoui comme peut être l'être un tel père qui se voit un si bel enfant ; et, au milieu des baisers et des embrassades, il lui posait toutes sortes de petites questions pour enfants. Et il buvait aussi avec lui et ses gouvernantes, auxquelles il demandait avec sollicitude si, entre autres choses, elles l'avaient tenu propre et net. Gargantua répondit qu'il y avait mis si bon ordre que dans tout le pays il n'y avait pas de garçon plus propre que lui.

« Comment cela ? dit Grandgousier.

— C'est que j'ai, à force d'expérimentation, inventé le moyen de me torcher le cul le plus royal, le plus seigneurial, le plus excellent, le plus approprié qu'on ait jamais vu.

— Lequel ? dit Grandgousier.

— C'est ce que je vais vous raconter, dit Gargantua.

« Je me torchai une fois d'un foulard de velours de vos demoiselles, et m'en trouvai bien, car la mollesse de la soie me procurait au fondement une bien grande volupté ;

« une autre fois d'un de leurs chaperons, et il en fut de même ;

» une aultre foys d'un cachecoul ;

» une aultre foys des aureilles de satin cramoysi, mais la doreure d'un tas de spheres de merde qui y estoyent m'escorcherent tout le darriere : que le feu sainct Antoyne arde le boyau cullier de l'orfebvre qui les feist et de la damoiselle que les portoyt !

» Ce mal passa me torchant d'un bonnet de paige, bien emplumé à la Souice.

» Puis, fiantant darriere un buisson, trouvay un chat de Mars ; d'icelluy me torchay, mais ses gryphes me exulcererent tout le perinée.

» De ce me gueryz au lendemain, me torchant des guands de ma mere, bien parfumez de maujoin[1].

» Puis me torchay de saulge, de fenoil, de aneth, de marjolaine, de roses, de fueilles de courles, de choulx, de bettes, de pampre, de guymaulves, de verbasce (qui est escarlatte de cul), de lactues, de fueilles de espinards, — le tout me feist grand bien à ma jambe, — de mercuriale, de persiguiere, de orties, de consoulde ; mais j'en eu la cacquesangue de Lombard, dont feu guary me torchant de ma braguette.

» Puis me torchay aux linceux, à la couverture, aux rideaux, d'un coissin, d'un tapiz, d'un verd, d'une mappe, d'un couvrechief, d'un mouschenez, d'un peignouoir. En tout je trouvay de plaisir plus que ne ont les roigneux quant on les estrille.

— Voyre, mais (dist Grantgousier) lequel torchecul trouvas tu meilleur ?

— Je y estoys (dist Gargantua) et bien tout en sçaurez le *tu autem*. Je me torchay de foin, de paille, de bauduffe, de bourre, de laine, de papier. Mais

> Tousjours laisse aux couillons esmorche
> Qui son hord cul de papier torche.

1. Le benjoin est un parfum précieux ; avantageusement, ce bienjoint est remplacé ici par le parfum précieux de ce mal-joint qu'est le sexe féminin.

« une autre fois d'une écharpe ;

« une autre fois d'une coiffe de satin cramoisi, mais un tas de petites boules dorées qui y étaient accrochées m'écorchèrent tout le derrière ; que le feu saint Antoine brûle le boyau culier de l'orfèvre qui les fit et de la demoiselle qui les portait !

« Ce mal passa en me torchant d'un bonnet de page, bien emplumé comme celui des Suisses.

« Puis, en chiant derrière un buisson, je trouvai un chat de Mars ; je m'en torchai, mais ses griffes me déchirèrent tout le périnée.

« Je m'en guéris le lendemain en me torchant avec les gants de ma mère, bien parfumés de maujoin.

« Puis je me torchai de sauge, de fenouil, d'aneth, de marjolaine, de roses, de feuilles de courges, de choux, de bettes, de vigne, de guimauve, de bouillon blanc (qui a le cul écarlate), de laitue, de feuilles d'épinards — tout cela me fit une belle jambe —, de mercuriale, de persil, d'orties, de consoude ; mais j'en chiai du sang comme un Lombard, ce dont je me guéris en me torchant avec ma braguette.

« Puis je me torchai avec les draps, la couverture, les rideaux, un coussin, un tapis, un tapis de jeux, une nappe, un chapeau, un mouchoir, un peignoir. Et j'y trouvai plus de plaisir que les galeux quand on les étrille.

— Sans doute, dit Grandgousier, mais lequel trouvas-tu le meilleur ?

— J'y viens, dit Gargantua, et vous en saurez le fin mot. Je me torchai de foin, de paille, d'étoupe, de bourre, de laine, de papier. Mais

> Toujours laisse aux couilles une amorce
> Qui son sale cul de papier torche.

— Quoy ? (dist Grantgousier) mon petit couillon, as tu prins au pot, veu que tu rime desjà ?

— Ouy dea (respondit Gargantua), mon roy, je rime tant et plus, et en rimant souvent m'enrime [1]. Escoutez que dict nostre retraict aux fianteurs :

Chiart,
Foirart,
Petart,
Brenous,
Ton lard
Chapart
S'espart
Sus nous.
Hordous,
Merdous,
Esgous,
Le feu de sainct Antoine te ard
Sy tous
Tes trous
Esclous
Tu ne torche avant ton depart !

» En voulez vous dadventaige ?

— Ouy dea, » dist Grantgousier.

Adoncq dist Gargantua :

« En chiant l'aultre hyer senty
La guabelle que à mon cul doibs ;
L'odeur feult aultre que cuydois :
J'en feuz du tout empuanty.

O ! si quelq'un eust consenty
M'amener une que attendoys
En chiant !

1. Les poèmes de Gargantua sont de pure manière poétique de Marot, qui est de ses amis. « En rimant m'enrhume/M'enrime » vient de l'*Épître au Roi*, le premier poème imite son épigramme contre

— Quoi ? dit Grandgousier, mon petit couillon, tu as donc bien bu que tu rimes déjà ?

— Certes oui, mon roi, je rime tant et plus, et en rimant je m'enrhume souvent. Écoutez ce que disent nos latrines aux fienteurs :

Chiard,
Foirard,
Pétard,
Breneux,
Ton lard
Fuyard
S'égare
Sur nous.
Dégueu,
Merdeux,
Goutteux,
Le feu de saint Antoine t'embrase
Si tous
Tes trous
Bien clos
Tu ne torches avant ton départ !

« En voulez-vous encore ?

— Certes oui », dit Grandgousier.

Alors Gargantua dit :

« En chiant hier j'ai senti
L'impôt qu'à mon cul je devais ;
À l'odeur je ne m'attendais :
Et j'en fus tout empuanti.

Ô ! si quelqu'un eût consenti
À mener celle que j'attendais
En chiant !

Linote (voir Dossier, p. 458). Le rondeau est une forme délaissée par Marot après 1529, soit une certaine forme d'archaïsme. Rabelais est souvent nommé au XVIe siècle parmi les poètes.

Car je luy eusse assimenty
Son trou d'urine à mon lourdoys.
Ce pendant eust avecq ses doigtz
Mon trou de merde guarenty
En chiant !

» Or dictez maintenant que je n'y sçay rien ! Par la mer Dé [1], je ne les ay faict mie, mais les oyant reciter à dame grand que voyez cy, les ay retenu en la gibbessiere de ma memoyre.

— Retournons (dist Grantgousier) à nostre propos.

— Quel ? (dist Gargantua) Chier ?

— Non (dist Grantgousier), mais torcher le cul.

— Mais (dist Gargantua) voulez vous payer un bussat de vin Breton si je vous foys quinault en ce propos ?

— Ouy vrayement, dist Grantgousier.

— Il n'est (dist Gargantua) poinct besoing de torcher le cul, sinon qu'il y ayt ordure. Ordure n'y peut estre si on n'a chié. Chier doncques nous fault davant que le cul torcher.

— O (dist Grantgousier) que tu as bon sens, petit guarsonnet ! Ces premiers jours je te feray passer docteur en Sorbonne, par Dieu ! car tu as de raison plus que d'aage. Or poursuiz ce propos torcheculatif, je t'en prie. Et, par ma barbe ! pour un bussart tu auras soixante pippes, j'entends de ce bon vin Breton, lequel poinct ne croist en Bretaigne, mais en ce bon pays de Verron.

— Je me torchay apres (dist Gargantua) d'un couvrechief, d'un aureiller, d'une pantoufle, d'une gibbessiere, d'un panier — mais ô le malplaisant torchecul ! — puis d'un chappeau. Et notez que des chappeaux, les uns sont ras, les aultres à poil, les aultres velouttez, les aultres taffetassez, les aultres satinizez. Le meilleur de tous est celluy de poil, car il faict tresbonne abstersion de la matiere fecale.

» Puis me torchay d'une poulle, d'un coq, d'un poulet, de la peau d'un veau, d'un lievre, d'un pigeon,

1. Jeu sur la prononciation populaire de Mère de Dieu.

Je lui aurais accommodé
Son trou d'urine à la rustique.
Et avec ses doigts elle aurait
Mon trou de merde garanti
En chiant !

« Alors dites maintenant que je ne sais rien ! Par Dieu, je ne les ai pas faits, mais je les ai entendu réciter par une grande dame d'ici, et je les ai retenus dans la gibecière de ma mémoire.

— Revenons, dit Grandgousier, à notre propos.

— Quoi donc ? dit Gargantua. Chier ?

— Non, dit Grandgousier, mais torcher le cul.

— Alors, dit Gargantua, me paierez-vous une barrique de vin de Bretagne si je vous colle à ce sujet ?

— Bien sûr, dit Grandgousier.

— Il n'y a pas besoin de se torcher le cul s'il n'y a point d'ordure. Il ne peut y avoir d'ordure si on n'a pas chié. Il faut donc chier avant de se torcher le cul.

— Ô, dit Grandgousier, que tu as de bon sens, mon petit garçon ! D'ici peu, je te ferai passer docteur en Sorbonne, par Dieu ! car tu as plus de raison que d'ans. Mais poursuis ces propos torcheculatifs, je t'en prie. Et par ma barbe ! au lieu d'une barrique, tu auras soixante pipes de ce bon vin de Bretagne, qui ne vient d'ailleurs pas de Bretagne mais du bon pays de Verron.

— Après je me torchai, dit Gargantua, d'un bonnet de nuit, d'un oreiller, d'une pantoufle, d'une gibecière, d'un panier — ô le déplaisant torchecul ! — puis d'un chapeau. Notez au passage que parmi les chapeaux, les uns sont de feutre, d'autres de fourrure, d'autres de velours, d'autres de taffetas, d'autres de satin. Le meilleur de tous est celui de fourrure, car il enlève très bien la matière fécale.

« Puis je me torchai avec une poule, un coq, un poulet, avec la peau d'un veau, un lièvre, un pigeon, d'un cormaran, d'un sac d'advocat, d'une barbute, d'une coyphe, d'un leurre.

» Mais, concluent, je dys et mantiens qu'il n'y a tel torchecul que d'un oyzon bien dumeté, pourveu qu'on luy tieigne la teste entre les jambes. Et m'en croyez suz mon honeur. Car vous sentez au trou du cul une volupté mirificque, tant par la doulceur d'icelluy dumet que par la chaleur temperée de l'oizon, laquelle facillement est communicquée au boyau cullier et aultres intestines, jusques à venir à la region du cueur et du cerveau. Et ne pensez poinct que la beatitude des Heroes et semidieux, qui sont par les Champs Elysiens, soit en leur asphodele, ou ambrosie, ou nectar, comme disent ces vieilles ycy. Elle est — selon mon opinion — en ce qu'il se torchent le cul d'un oyzon.

un cormoran, un sac d'avocat, un capuchon, une coiffe, un leurre.

« Mais, pour conclure, j'affirme et soutiens qu'il n'existe pas de meilleur torchecul qu'un oison bien duveteux, pourvu qu'on lui tienne la tête entre les jambes. Croyez-m'en sur mon honneur. Car vous sentez au trou du cul une merveilleuse volupté, aussi bien par la douceur du duvet que par la douce chaleur de l'oison, qui se communique facilement au boyau culier et aux intestins et de là remonte vers le cœur et le cerveau. Et n'imaginez pas que la béatitude des héros et demi-dieux, qui vivent aux Champs-Élysées, leur vienne de l'asphodèle, de l'ambroisie ou du nectar, comme disent les vieilles par ici. Elle vient, à mon avis, de ce qu'ils se torchent le cul d'un oison. »

CHAPITRE XIII

Comment Gargantua feut institué par un theologien en letres latines

Ces propous entenduz, le bon homme Grantgouzier fut ravy en admiration, considerant le hault sens et merveilleux entendement de son filz Gargantua. Et dist à ses gouvernantes : « Philippe, roy de Macedone, congneut le bon sens de son filz Alexandre[1] à manier dextrement un cheval. Car ledict cheval estoit si terrible et efrené que nul ne ouzoyt monter dessus, par ce que à tous ses chevaucheurs il bailloit la saccade, à l'un rompant le coul, à l'aultre les jambes, à l'aultre la cervelle, à l'aultre les mandibules. Ce que considerant Alexandre en l'hippodrome (qui estoit le lieu où l'on pourmenoit et voultigeoit les chevaulx), advisa que la fureur du cheval ne venoit que de frayeur qu'il prenoit à son umbre. Dont, montant dessus, le feist courir encontre le soleil, si que l'umbre tumboit par darriere, et par ce moien rendit le cheval doulx à son vouloir. A quoy congneut son pere le divin entendement qui en luy estoit, et le feist tresbien endoctriner par Aristotele, qui pour lors estoit estimé suz tous philosophes de Grece.

» Mais je vous diz qu'en ce seul propous que j'ay presentement davant vous tenu à mon filz Gargantua, je congnois que son entendement participe de quelque

1. Épisode emprunté à l'éducation d'Alexandre d'après Plutarque. Alexandre est le modèle idéal du prince. La nature de l'exploit diffère cependant assez pour que la critique voie dans le passage torchecul

CHAPITRE XIII

Comment Gargantua fut formé par un théologien aux lettres latines

En entendant ces paroles, le bonhomme Grandgousier fut éperdu d'admiration devant la hauteur de vues et la merveilleuse intelligence de son fils Gargantua. Il dit à ses gouvernantes : « Philippe, roi de Macédoine, reconnut les bonnes dispositions de son fils Alexandre à son adresse à dompter un cheval. Il était si terrible et sauvage que personne n'osait le monter, parce qu'il désarçonnait tous ses cavaliers par ses ruades, rompant le cou à l'un, à un autre les jambes, à un troisième la cervelle, à l'autre les mâchoires. En examinant la situation, Alexandre, qui était à l'Hippodrome (endroit où l'on promenait et faisait évoluer les chevaux), remarqua que la fureur du cheval ne venait que de la peur qu'il avait de son ombre. Aussi, montant dessus, il le fit courir face au soleil, de façon que l'ombre tombât par-derrière, et il rendit ainsi le cheval docile à sa volonté. C'est à cela que son père reconnut son intelligence divine, et il le fit très bien instruire par Aristote, qui était alors estimé plus que tout autre philosophe de Grèce.

« Et je vous dis qu'à la seule conversation que j'ai eue devant vous avec mon fils Gargantua, je reconnais que son intelligence participe de quelque divinité, tant

— poésie — signe du génie une satire violente des intellectuels, ou dans l'enchaînement torchecul — éducation par des théologiens une satire violente des théologiens.

divinité, tant je le voy agu, subtil, profond et serain. Et ne foys doubte aulcun, qu'il ne parvieigne quelques foys à un degré souverain de sapience, s'il est bien institué. Par ainsi, je veulx le bailler à quelque homme sçavant pour l'endoctriner selon sa capacité ; et n'y veulx rien espargner. »

De faict, l'on luy enseigna un grand docteur en theologie nommé Maistre Thubal Holoferne [1], qui luy aprint sa charte si bien qu'il la disoit par cueur au rebours ; et y fut cinq ans et troys moys. Puis luy leut le *Donat*, le *Facet*, le *Theodolet* et Alanus *in Parabolis* ; et y feut treze ans et six moys [2].

Mais notez que ce pendent il luy aprenoit à escripre Gotticquement [3], et escripvoit tous ses livres. Car l'art d'impression n'estoit poinct encores en usaige.

Et portoit ordinairement un gros escriptoire pesant plus de sept mille quintaulx, du quel le gualimart estoit aussi gros et grand que les gros pilliers de Enay [4], et le cornet y pendoit à grosses chaisnes de fer à la capacité d'un tonneau de marchandise.

Puis luy leugt *De modis significandi* [5], avecques les commens de Hurtebize, de Fasquin, de Tropditeulx, de Gualehault, de Jehan le Veau, de Billonio, Brelinguandus, et un tas d'aultres ; et y feut plus de dix huyt ans et unze moys. Et le sceut si bien que, au coupelaud, il le rendoit par cueur à revers, et prouvoit sus ses doigtz à sa mere que *de modis significandi non erat scientia*.

1. Composé de noms hébreux, Tubal (comme Tubal Cain, inventeur de l'art de forger et de la musique), et Holopherne, ennemi d'Israël décapité par Judith et type du persécuteur à exterminer.

2. Tous ces livres sont des sources très anciennes de l'éducation médiévale, dans le désordre et avec des titres abrégés qui les rendent plus « simples » : dans l'ordre, grammaire latine élémentaire, traité de civilité, réfutation de la mythologie, morale illustrée par des exemples.

3. L'écriture « gothique » convient à cet enseignement rétrograde, qui semble ignorer l'évolution. Les lettres gothiques servent d'ailleurs

je la vois aiguë, subtile, profonde et sereine. Et je ne doute pas qu'il parvienne un jour au suprême degré de la sagesse, s'il est bien formé. Aussi je veux le confier à un homme de grand savoir pour l'instruire selon ses capacités ; et je ne veux rien négliger pour cela. »

À cet effet, on lui indiqua un grand docteur en théologie nommé Maître Thubal Holoferne, qui lui apprit si bien son alphabet qu'il pouvait le réciter par cœur à l'envers ; il y mit cinq ans trois mois. Puis il lut le *Donat,* le *Facet,* le *Théodolet* et les *Paraboles* d'Alain de Lille ; il y resta treize ans six mois.

Notez que pendant ce temps il lui apprenait à écrire en lettres gothiques, et qu'il écrivait tous ses livres. Car l'imprimerie n'était pas encore utilisée.

Il portait habituellement une grosse écritoire de plus de sept mille quintaux, dont le plumier était aussi gros et grand que les gros piliers de Saint-Martin-d'Ainay ; l'encrier, pendu à de grosses chaînes en fer, avait la capacité d'un tonneau.

Puis Holoferne lui lut le *Des manières de signifier,* avec les commentaires de Heurtebise, Faquin, Tropditeulx, Galehaut, Jean le Veau, Billonion, Brelinguandus, et un tas d'autres ; il y resta plus de dix-huit ans onze mois. Et il le connaissait si bien que, mis à l'épreuve, il le récitait par cœur à l'envers ; et il prouvait à sa mère, en comptant sur ses doigts, qu'*il n'y avait pas de science des manières de signifier*.

encore en imprimerie, c'est même ainsi que sont édités les livrets populaires, dont nos deux romans de Rabelais dans leur forme originale.

4. Vieille église de Lyon.

5. Traité de logique, mais aussi en rapport avec la discussion générale sur les signes et leur sens. Les nombreux commentateurs empêchent que le lecteur accède au sens propre du texte (s'il en a un...) et font obstacle. Leurs noms sont diversement diffamatoires : Contrevent, Faquin, Surplus, Veau, Monnaie sans valeur, Con... Seul Galehaut fait exception : nom de géant des récits arturiens.

Puis luy leut le *Compost*[1], où il feut bien seize ans et deux moys, lors que son dict precepteur mourut — et fut l'an mil quatre cens et vingt — de la verolle qui luy vint.

Apres en eut un aultre vieulx tousseux, nommé Maistre Jobelin Bridé[2], qui luy leugt Hugutio, Hebrard *Grecisme*, le *Doctrinal*, les *Pars*, le *Quid est*, le *Supplementum*, Marmotret, *De moribus in mensa servandis*, Seneca *De quatuor virtutibus cardinalibus*, Passavantus *cum commento*, et *Dormi secure* pour les festes, et quelques aultres de semblable farine[3], à la lecture desquelz il devint aussi saige qu'onques puis ne fourneasmez nous.

1. *Le Grand Compost des Bergers*, almanach populaire composé de gravures presque sans texte.

2. Jobard l'idiot et Bridé, comme un oison bridé, bête féerique et imaginaire, cf. Prologue et torchecul. Nom de niais.

3. Manuels du second niveau et écrits après le XIIe siècle. Dans l'ordre : civilité, deux grammaires, trois manuels non identifiables, commentaire sur les psaumes (le nom de l'auteur, réel, est à rapprocher comme dans le *Pantagruel* des marmots, singes, et des marmonnements), « Savoir se tenir à table », deux traités de morale, et un « Dors tranquille » qui était destiné à rassurer les curés la veille des sermons en leur fournissant des canevas tout faits. La plupart de ces livres ont les honneurs des traités d'éducation humanistes comme exemplaires de sottises.

Puis il lui lut le *Compost,* sur lequel il resta bien seize ans deux mois ; c'est alors que son précepteur décéda — c'était en 1420 — d'une vérole qu'il attrapa.

Après lui vint un autre vieux tousseux, nommé Maître Jobelin Bridé, qui lui lut Hugutio, le *Grecismus* d'Hébrard, le *Doctrinal,* les *Partie de,* le *Quel est,* le *Supplement,* Marmotret, le *Des manières à observer à table,* le *Des quatre vertus cardinales* de Sénèque, Passavant *avec commentaire* et le *Dors tranquille* pour les fêtes, et quelques autres de même farine ; à leur lecture il devint aussi sage qu'on en a jamais mitonné depuis.

CHAPITRE XIIII

Comment Gargantua fut mys soubz aultres pedaguoges

A tant son pere aperceut que vrayment il estudioyt tresbien et y mettoyt tout son temps, toutesfoys qu'en rien ne prouffitoyt, et que pys est, qu'il en devenoyt fou, niays, tout reveux et rassoté.

Dequoy se complaignant à Don Philippe des Marays, Viceroy de Papelygosse, entendit que mieulx luy vauldroit rien n'apprendre que telz livres soubz telz precepteurs aprendre. Car leur sçavoir n'estoyt que besterye et leur sapience n'estoyt que moufles, abastardisant les bons et nobles esperitz et corrumpent toute fleur de jeunesse.

« Et qu'ainsy soyt, prenez (dist il) quelq'un de ces jeunes gens du temps present, qui ayt seulement estudié deux ans. On cas qu'il ne ayt meilleur jugement, meilleurs parolles, meilleur propos que vostre filz, et meilleur entretien et honnesteté entre le monde, reputez moy à jamais un taillebacon de la Brene. » Ce que à Grantgosier pleut tresbien, et commenda qu'ainsi feust faict.

Au soir, en soupant, ledict des Marays introduict un sien jeune paige de Villegongys, nommé Eudemon [1], tant bien testonné, tant bien tyré, tant bien espousseté, tant honneste en son maintien, que mieulx resembloyt quelque petit angelot q'un homme. Puis dist à Grantgosier :

1. Le bien-inspiré.

CHAPITRE XIV

Comment Gargantua fut confié à d'autres pédagogues

À force, son père s'aperçut que, s'il étudiait très bien et y passait tout son temps, il n'en profitait absolument pas et, qui pis est, qu'il en devenait fou, niais, tout ahuri et radoteur.

Comme il s'en plaignait à Don Philippe des Marais, vice-roi de Papeligosse, il s'entendit répondre qu'il vaudrait mieux qu'il n'apprenne rien plutôt que d'apprendre de tels livres sous de tels précepteurs ; car leur savoir n'était que sottise, et leur science que niaiseries, abâtardissant les esprits bons et droits et corrompant la plus belle jeunesse.

« Pour preuve, prenez, dit-il, un de ces jeunes gens d'aujourd'hui, qui ait étudié ne serait-ce que deux ans. S'il n'a pas meilleur jugement, meilleur langage, meilleur discours que votre fils, s'il n'est pas plus civil et plus poli, considérez-moi à jamais comme un tranchelard de la Brenne. » Ce discours plut fort à Grandgousier, qui ordonna qu'on fît ainsi.

Le soir, au souper, Des Marais introduisit un de ses jeunes pages de Villegongis, nommé Eudémon, si bien coiffé, si bien mis, si propre, d'un maintien si élégant qu'il ressemblait plus à un angelot qu'à un homme. Il dit à Grandgousier :

« Voyez vous ce jeune enfant ? Il n'a pas encor seize ans ; voyons, si bon vous semble, quelle difference y a entre le sçavoir de vos resveurs mateologiens[1] du temps jadis et les jeunes gens de maintenant. »

L'essay pleut à Grantgosier, et commenda que le page propouzast. Alors Eudemon, demendant congié de ce faire audict viceroy son maistre, le bonnet au poing, la face ouverte, la bouche vermeille, les yeulx asseurez et le regard assys suz Gargantua avecques modestie juvenile, se tint suz ses pieds, et commencza le louer et glorifier premierement de sa vertus et bonnes meurs, secondement de son sçavoir, tiercement de sa noblesse, quartement de sa beaulté corporelle, et, pour le quint, doulcement l'exhortoyt à reverer son pere en toute observance, lequel tant s'estudioyt à bien le faire instruyre, à la fin le prioit à ce qu'il le voulsist retenir pour le moindre de ses serviteurs. Car aultre don pour le present ne requeroyt des cieulx, sinon qu'il luy feust faict grace de luy complaire en quelque service agreable. Et le tout feut par ycelluy proferé avecques gestes tant propres, pronunciation tant distincte, voix tant eloquente et languaige tant aorné et bien latin, que mieulx resembloyt un Gracchus, un Ciceron ou un Emylius du temps passé q'un jouvenceau de ce siecle[2].

Mais toute la contenence de Gargantua fut qu'il se print à pleurer comme une vache et se cachoyt le visaige de son bonnet. Et ne fut possible de tyrer de luy une parolle non plus q'un pet d'un asne mort.

Dont son pere fut tant courroussé qu'il voulut occire Maistre Jobelin. Mais le dict Des Marais l'en guarda par belles remonstrances qu'il luy feist, en maniere que fut son ire moderée. Puis commenda qu'il feust payé de ses guaiges et qu'on le feist bien chopiner theologalement ; ce faict, qu'il allast à tous les diables.

1. Forme composée sur théologiens et le mot grec *mataios*, bavard. Calembour fréquent chez les humanistes.

2. Le discours d'Eudémon est programmé selon le plan d'un

« Voyez-vous ce jouvenceau ? Il n'a pas encore seize ans ; examinons, si vous voulez bien, quelle différence il y a entre le savoir de vos fumeux baratineurs de théologiens du temps jadis et les jeunes gens d'aujourd'hui. »

L'idée plut à Grandgousier, qui ordonna au page de s'exprimer. Alors Eudémon, après avoir demandé la permission au vice-roi son maître, bien droit sur ses jambes, le bonnet à la main, le visage avenant, la bouche vermeille, les yeux assurés et le regard posé sur Gargantua avec une modestie juvénile, commença à le louer et le glorifier : d'abord pour sa vertu et ses bonnes mœurs, puis pour son savoir, troisièmement pour sa noblesse, quatrièmement pour sa beauté physique ; cinquièmement il l'exhortait doucement à vénérer son père en toute obéissance, lui qui prenait tellement soin de le faire bien instruire ; et enfin il le priait de bien vouloir le tenir pour le plus humble de ses serviteurs. Car il ne demandait pour l'heure rien d'autre au ciel que la grâce de lui être agréable par ses services. Et le tout fut dit avec des gestes si bien appropriés, d'une expression si claire, d'une voix si éloquente et d'un langage si bien orné et de si bon latin qu'on eût dit plutôt un Gracchus, un Cicéron ou un Émilius du temps jadis qu'un jouvenceau de notre siècle.

Mais pour toute réponse, Gargantua se mit à pleurer comme une vache en se cachant le visage de son bonnet. Et on ne put pas plus lui tirer un mot qu'un pet d'un âne mort.

Son père s'en irrita si fort qu'il voulait occire Maître Jobelin. Des Marais l'en dissuada par de beaux arguments, de sorte qu'il s'apaisa. Il ordonna qu'on payât ses gages au précepteur, qu'on le fît bien biberonner théologalement et qu'après il allât à tous les diables.

panégyrique, et on y voit les parties de rhétorique inévitables, y compris la prononciation et le geste, ainsi que l'insistance sur la perfection du latin authentique.

« Au moins (disoyt il) pour le jour d'huy ne coustera il gueres à son hoste, si d'adventure il mouroyt ainsi, sou comme un Angloys. »

Maistre Jobelin party de la maison, consulta Grantgousier avecques le Viceroy quel precepteur l'on luy pourroyt bailler, et feut advisé entre eulx que à cest office seroyt mis Ponocrates, pedaguoge de Eudemon, et que tous ensemble iroient à Paris, pour congnoistre quel estoyt l'estude des jouvenceaux de France pour ycelluy temps.

« Au moins, disait-il, pour aujourd'hui il ne coûtera guère à son hôte, si d'aventure il meurt ainsi, saoul comme un Anglais. »

Maître Jobelin parti, Grandgousier se concerta avec le vice-roi sur le choix du précepteur qu'on pourrait donner à Gargantua ; ils décidèrent que cet office serait confié à Ponocrates, professeur d'Eudémon, et que tous ensemble iraient à Paris, pour saisir quel était l'enseignement des jeunes gens de France en ce temps-ci.

CHAPITRE XV

Comment Gargantua fut envoyé à Paris, et de l'enorme jument que le porta, et comment elle deffist les mousches bovines de la Beauce

En ceste mesmes saison, Fayoles, quart roy de Numidie, envoya du pays de Africque à Grantgousier une jument [1] la plus enorme et la plus grande que feut oncques veue, et la plus monstrueuse — comme assez sçavez que Africque aporte tousjours quelque chose de nouveau [2]. Car elle estoyt grande comme six oriflans, et avoyt les pieds fenduz en doigtz comme le cheval de Jules Cesar, les aureilles ainsi pendentes comme les chevres de Languedoc, et une petite corne au cul. Au reste, avoyt poil d'alezan toustade, entreillizé de grises pommellettes. Mays suz tout avoyt la queue horrible. Car elle estoyt, poy plus poy moins, grosse comme la pile sainct Mars, auprès de Langest, et ainsi quarrée, avecques les brancars ny plus ny moins ennicrochez que sont les espicz on bled.

Si de ce vous esmerveillez, esmerveillez vous daventaige de la queue des beliers de Scythie, que pesoyt plus de trente livres, et des moutons de Surie, es quelz fault (si Tenaud [3] dict vray) affuster une charrette au cul

1. La grande jument est un personnage venu des *Grandes Chroniques*, et le déboisement de la Beauce un exploit traditionnel de Gargantua.

2. Assertion inévitable depuis Pline, ce qui permet d'attribuer à l'Afrique tous les prodiges possibles.

CHAPITRE XV

Comment Gargantua fut envoyé à Paris de l'énorme jument qui le porta et comment elle défit les mouches à bœuf de la Beauce

À cette même époque, Fayolles, quatrième roi de Numidie, envoya d'Afrique à Grandgousier la jument la plus énorme et haute qu'on ait jamais vue, et la plus extraordinaire — vous savez bien que l'Afrique apporte toujours du nouveau. Elle était grande comme six éléphants, elle avait les sabots fendus comme le cheval de Jules César, les oreilles pendantes comme celles des chèvres du Languedoc, et une petite corne au cul. Par ailleurs, elle avait une robe alezan brûlé entremêlée de mouchetures grises. Mais surtout sa queue était terrifiante. Elle était à peu près aussi grosse que la vieille tour de Saint-Mars, près de Langeais, et aussi carrée avec les crins aussi hérissés que des barbes d'épis de blé.

Si cela vous émerveille, émerveillez-vous plus encore de la queue des béliers de Scythie, qui pesait plus de trente livres, et des moutons de Syrie, auxquels il faut (si Thenaud dit vrai) atteler une charrette au cul pour

3. Le religieux Jean Thenaud a dédié son *Voyage et itinéraire d'outre-mer* (en Egypte et en Palestine) au roi François Ier ; c'est un Poitevin lui aussi, et zélé apologiste du roi. Les merveilles racontées par les voyageurs sont depuis longtemps l'objet d'une suspicion goguenarde.

pour la porter, tant elle est longe et pesante. Vous ne l'avez pas telle, vous aultres paillards de plat pays.

Et fut amenée par mer, en troys carracques et un brigantin[1], jusques au port de Olone en Thalmondoys.

Lors que Grantgousier la veit : « Voycy (dist il) bien le cas pour porter mon filz à Paris. Or cza, de par Dieu, tout yra bien. Il sera grand clerc on temps advenir. Si n'estoient messieurs les bestes, nous vivrions comme clercs[2]. »

Au lendemain, apres boyre (comme entendez), prindrent chemin Gargantua, son precepteur Ponocrates, et ses gens, ensemble eulx Eudemon, le jeune page. Et par ce que c'estoyt en temps serain et bien attrempé, son pere luy feist faire des botes fauves ; Babin[3] les nomme brodequins.

Ainsi joyeusement passerent leur grant chemin, et tousjours grand chere, jusques au dessus de Orleans. On quel lieu estoyt une horrible forest de la longueur de trente et cinq lieues, et de largeur dix et sept, ou environ. Icelle estoyt horriblement fertile et copieuse en mousches bovines et freslons, en sorte que c'estoyt une vraye briguanderye pour les paovres jumens, asnes et chevaulx. Mais la jument de Gargantua vengea honestement tous les oultrages en ycelle perpetrées sus les bestes de son espece par un tour du quel ne se doubtoient mie. Car, soubdain qu'ils feurent entrez en la dicte forest et que les freslons luy eurent livré l'assault, elle desguaina sa queue et si bien s'escarmouschant les esmouscha qu'elle en abatyt tout le boys. A tords, à travers, deczà, delà, par cy, par là, de long, de large, dessuz, dessoubz, abatoyt boys comme un fauscheur faict d'herbes, en sorte que depuis n'y eut ne boys ne freslons, mais feut tout le pays reduict en campaigne.

Quoy voyant, Gargantua y print plaisir bien grand sans aultrement s'en vanter. Et dist à ses gens : « Je

1. Trois vaisseaux de commerce de grand format et une petite galère de combat pour tenir les quatre pattes ?

la porter, tant elle est longue et pesante. Ce qui n'est pas votre cas, vous autres paillards de plat pays.

Elle fut amenée par mer, sur trois carraques et un brigantin, jusqu'aux Sables-d'Olonne.

Lorsque Grandgousier la vit : « Voilà bien, dit-il, le moyen de porter mon fils à Paris. Or çà, par Dieu, tout ira bien. Il sera grand clerc en son temps. S'il n'y avait messieurs les bêtes, nous vivrions comme des clercs. »

Le lendemain, après boire (comme vous le pensez bien), partirent Gargantua, son précepteur Ponocrates et ses gens, et aussi Eudémon, le jeune page. Et parce que la saison était clémente et bien tempérée, son père lui fit faire des bottes fauves, que Babin appelle brodequins.

Ils suivirent gaiement leur chemin, faisant toujours bonne chère, jusqu'au nord d'Orléans. Il y avait là une terrible forêt d'environ trente-cinq lieues de long et dix-sept de large. Elle était si terriblement infestée de taons et de frelons que c'était un véritable guet-apens pour les pauvres juments, ânes et chevaux. Mais la jument de Gargantua vengea bravement tous les outrages perpétrés contre les animaux de sa race par un tour dont les insectes ne se doutaient pas : dès qu'ils furent entrés dans la forêt et que les frelons lui eurent donné l'assaut, elle dégaina sa queue et s'escrima si bien en les chassant qu'elle en abattit tout le bois. À tort et à travers, de-çà, de-là, par-ci, par-là, en long, en large, dessus, dessous, elle abattait les bois comme un faucheur de l'herbe, de sorte que depuis il n'y a plus ni bois ni frelons ; tout le pays fut réduit à une campagne nue.

À cette vue, Gargantua prit grand plaisir sans en tirer autrement vanité. Il dit à ses gens : « Je trouve

2. Dicton inversé.
3. « Effet de réel » : il y avait des Babin cordonniers à Chinon.

trouve beau ce », dont fut depuis appellé ce pays la Beauce.

Finablement arriverent à Paris, on quel lieu se refraischyt deux ou troys jours, faisant chere lye avecques ses gens, et s'enquestant quelz gens sçavens estoient pour lors en la ville, et quel vin on y beuvoyt.

beau ça », c'est pourquoi depuis on appelle ce pays la Beauce.

Finalement ils arrivèrent à Paris ; il s'y reposa deux ou trois jours, faisant bonne chère avec ses gens, et s'enquérant des savants qui étaient alors en la ville, et du vin qu'on y buvait.

CHAPITRE XVI

Comment Gargantua paya sa bien venue es Parisiens, et comment il print les grosses cloches de l'eglise Nostre Dame

Quelques jours apres qu'ilz se feurent refraichiz, il visita la ville, et fut veu de tout le monde en grande admiration. Car le peuple de Paris est tant sot, tant badault et tant inepte de nature, q'un basteleur, un porteur de rogatons, un mulet avecques ses cymbales, un vielleux on mylieu d'un carrefour, assemblera plus de gens que ne feroyt un bon prescheur evangelicque[1].

Et tant molestement le poursuyvirent qu'il feut contrainct soy reposer suz les tours de l'eglise Nostre Dame. On quel lieu estant, et voyant tant de gens à l'entour de soy, dist clerement :

« Je croy que ces marroufles volent que je leur paye icy ma bien venue et mon *proficiat*. C'est raison. Je leur voys donner le vin. Mais ce ne sera que par rys. »

Lors, en soubryant, destacha sa belle braguette, et, tirant sa mentule en l'air, les compissa sy aigrement qu'il en noya deux cens soixante mille quatre cens dix et huyt — sans les femmes et petitz enfans.

Quelque nombre d'yceulx evada ce pisseffort à legiereté des pieds. Et, quand furent au plus hault de l'Université, suans, toussans, crachans et hors d'haleine, commencerent à renier et jurer :

1. Critique de Paris, ville agitée, et de ses prétentions, mais aussi de sa résistance à la propagation de la foi évangélique.

CHAPITRE XVI

Comment Gargantua paya son don de bienvenue aux Parisiens et comment il prit les grosses cloches de l'église Notre-Dame

Après quelques jours de repos, il visita la ville, et fut partout l'objet d'une grande admiration. Car le peuple de Paris est par nature si sot, si badaud et si inepte qu'un bateleur, un porteur de reliquailles, un mulet avec ses grelots, un violoneux au milieu d'un carrefour réunira plus de gens que ne le ferait un bon prédicateur évangélique.

Les gens le poursuivirent si fâcheusement qu'il fut contraint de se reposer sur les tours de l'église Notre-Dame. Là, voyant tant de gens alentour, il dit nettement :

« Je crois que ces maroufles veulent que je leur paie ici mon don de bienvenue. C'est juste. Je vais leur payer à boire. Mais ce ne sera que par ris. »

Alors, en souriant, il déboutonna sa belle braguette et, tirant son membre à l'air, leur pissa dessus si violemment qu'il en noya deux cent soixante mille quatre cent dix-huit sans compter les femmes et les petits enfants.

Quelques-uns d'entre eux échappèrent à ce déluge de pisse en fuyant à toutes jambes. Arrivés sur la colline de l'Université, suant, toussant, crachant, hors d'haleine, ils commencèrent à blasphémer et jurer :

« Les plagues Dieu[1] !
— Je renye Dieu !
— Frandiene ! vez tu ben ?
— La mer Dé !
— Po cab de bious !
— Das dich Gots leyden schend !
— Pote de Christo !
— Ventre sainct Quenet !
— Vertus guoy !
— Par sainct Fiacre de Brye !
— Sainct Treignant !
— Je foys veu à sainct Thibaud !
— Pasques Dieu !
— Le bon jour Dieu !
— Le diable m'emport !
— Foy de gentilhome !
— Par sainct Andouille !
— Par sainct Guodegrin qui feut martyrizé de pomes cuyttes !
— Par sainct Foutin l'apostre !
— Par sainct Vit !
— Par saincte Mamye !
— Nous sommes baignez par rys ! » — dont feut depuis la ville nommée *Paris*, laquelle au paravant on appelloyt *Leucece*, comme dict Strabo, *lib. 4*, c'est à dire, en grec, Blanchette, pour les blanches cuysses des dames dudict lieu. Et, par autant que à ceste nouvelle imposition du nom tous les assistans jurerent chascun les saincts de sa paroisse, les Parisiens, qui sont faictz de toutes gens et toutes pieces, sont par nature et bons jureurs et bons juristes, et quelque peu oultrecuydez. Dont estime Joaninus de Barranco, *libro De copiositate reverentiarum*, que sont dictz *Parrhesiens* en Grecisme, c'est à dire fiers en parler[2].

1. Série de jurons en langues variées, puisque Paris, ville universitaire, est un carrefour de civilisations. Il est bien entendu interdit de jurer par le nom divin, c'est un blasphème ; il n'est pas interdit d'en appeler aux saints, mais, aux yeux d'un évangéliste,

« Par le sangdieu !
— Jarnidieu !
— Vaindieu ! tu vas bien ?
— Merdedieu !
— Capededious !
— Que Dieu ait pitié !
— Pouvoir du Christ !
— Ventre saint Connard !
— Vertudieu !
— Par saint Fiacre de Brie !
— Par saint Trignant !
— Je me voue à saint Thibaud !
— Pâques Dieu !
— Jour de Dieu !
— Le diable m'emporte !
— Foi de gentilhomme !
— Par saint Andouille !
— Par saint Godégran, martyrisé de pommes cuites !
— Par saint Foutin l'apôtre !
— Par saint Vit !
— Par sainte Commère !
— Nous sommes arrosés par ris ! » — d'où le nom de Paris donné depuis cette date à la ville, qu'on appelait auparavant Leucece (Lutèce), comme dit Strabon au livre IV, c'est-à-dire, en grec, Blanchette, en raison des blanches cuisses des dames du pays. Et parce que à cette nouvelle nomination tous les assistants jurèrent chacun sur les saints de sa paroisse, les Parisiens, qui sont composés de gens de toute espèce, sont par nature bons jureurs et bons juristes, et quelque peu outrecuidants. C'est pourquoi, d'après Joaninus de Barranco, dans son livre *De l'abondance des déférences,* ils sont nommés en grec *Parrhesiens,* c'est-à-dire beaux parleurs.

c'est superstition, d'autant que les saints invoqués ici sont bien peu religieux.

2. Étymologies fréquemment alléguées par les historiens de Paris. Mais Barranco est inconnu comme son livre.

Ce faict, consydera les grosses cloches qu'estoient esdictes tours, et les feist sonner bien harmonieusement. Ce que faisant, luy vint en pensée qu'elles serviroient bien de campanes au coul de sa jument, laquelle il vouloyt renvoyer à son pere toute chargée de fromaiges de Brye et de harans frays. De faict, les emporta en son logys [1].

Ce pendant vint un commendeur jambonnier [2] de sainct Antoine pour faire sa queste suille, lequel, pour se faire entendre de loing et faire trembler le lard on charnier, les voulut emporter furtivement. Mais par honesteté les laissa, non par ce qu'elles estoient trop chauldes, mais par ce qu'elles estoient quelque peu trop pesantes à la portée. Cil ne feut pas celluy de Bourg, car il est trop de mes amys.

Toute la ville feut esmeue en sedition, comme vous sçavez que à ce ilz sont tant faciles que les nations estranges s'esbahissent de la patience — ou (pour mieulx dire) de la stupidité — des Roys de France, lesquelz aultrement par bonne justice ne les refrenent, veuz les inconveniens qui en sortent de jour en jour. Pleust à Dieu que je sceusse l'officine en laquelle sont forgez ces schismes et monopoles, pour veoir si je n'y feroys pas de beaulx placquars de merde !

Croyez que le lieu on quel convint le peuple tout solfré et habaliné feut Sorbone, où lors estoit, maintenant n'est plus, l'oracle de Lucece. Là feut proposé le cas et remonstré l'inconvenient des cloches transportées. Apres avoir bien ergoté *pro et contra*, feut conclud en *Baralipton* [3] que l'on envoiroyt le plus vieulx et suffisant de la Faculté theologale vers Gargantua pour luy remonstrer l'horrible inconvenient de la perte d'ycelles cloches. Et nonobstant la remonstrance d'aulcuns de

1. Exploit traditionnel de Gargantua.
2. Saint Antoine est toujours accompagné d'un cochon dans l'iconographie populaire ; les religieux de l'ordre de saint Antoine, ordre mendiant, reçoivent les dons en nature, d'où ce surnom.

Cela fait, Gargantua considéra les grosses cloches dans les tours, et les fit sonner bien harmonieusement. Il lui vint alors à l'idée qu'elles serviraient bien de clochettes au cou de sa jument, qu'il voulait renvoyer à son père toute chargée de fromages de Brie et de harengs frais. Et de fait, il les emporta chez lui.

Là-dessus survint un commandeur de l'ordre du jambon de saint Antoine pour faire sa quête porcine ; pour se faire entendre de loin et faire trembler le lard au saloir, il voulut les emporter discrètement. Mais il les laissa bien honnêtement, non parce qu'elles étaient trop chaudes, mais parce qu'elles étaient un peu trop lourdes pour ses forces. Ce n'était pas celui de Bourg, car il est trop de mes amis.

Toute la ville entra en sédition, ce à quoi, vous le savez bien, les Parisiens sont si disposés que les pays étrangers s'ébahissent de la patience — ou (pour mieux dire) de la stupidité — des rois de France qui ne les répriment par voie de justice, vu les inconvénients qui en résultent jour après jour. Plût à Dieu que je connaisse l'officine où se trament ces factions et complots, pour voir si je n'y ferais pas de beaux placards de merde !

Sachez que le lieu où se réunit le peuple, tout agité et convulsé, fut la Sorbonne, où était alors, mais n'est plus maintenant, l'oracle de Lutèce. Là on exposa la situation et on montra l'inconvénient de l'enlèvement des cloches. Après avoir bien ergoté *pour et contre,* on conclut par un beau syllogisme que l'on enverrait le plus âgé et le plus compétent de la faculté de théologie vers Gargantua, pour lui montrer l'horrible inconvénient de la perte de ces cloches. Et malgré la remarque de certains uni-

Rabelais est l'ami d'Antoine du Saix, « commandeur jambonnier » à Bourg-en-Bresse, auteur d'œuvres facétieuses et pieuses.

3. La Sorbonne raisonne suivant les figures de la logique d'Aristote, encore un signe de son caractère rétrograde et peu efficace, vu la cause.

l'Université qui alleguoient que ceste charge mieulx competoyt à un orateur que à un theologien, feut à cest affaire esleu nostre maistre Janotus de Bragmardo[1].

1. Janotus, nom du sot ; un braquemart est une épée... de braguette. Notre maître est le titre normal du docteur en théologie.

versitaires qui alléguaient que cette mission eût mieux convenu à un orateur qu'à un théologien, on choisit pour cette affaire notre maître Janotus de Braquemardo.

CHAPITRE XVII

Comment Janotus de Bragmardo feut envoyé pour recouvrir de Gargantua les grosses cloches

Maistre Janotus, tondu à la Cesarine, et vestu de son lyripipion theologal, et bien antidoté l'estomach de coudignac de four et eau beniste de cave, se transporta au logys de Gargantua, touchant davant soy troys vedeaulx à rouge muzeau [1], et trainnant apres cinq ou six maistres inertes crottez à profit de mesnaige.

A l'entrée les rencontra Ponocrates, et eut frayeur en soy, les voyant ainsi desguisez, et pensoyt que feussent quelques masques hors du sens. Puis s'enquesta à quelq'un des dictz maistres inertes de la bande, que queroyt ceste mommerye. Il luy feut respondu qu'ilz demandoient les cloches leurs estre rendues.

Soubdain ce propos entendu, Ponocrates alla dire les nouvelles à Gargantua, affin qu'il feust prest de la responce et deliberast sur le champ ce que estoyt de fayre. Gargantua, admonesté du cas, appella à part Ponocrates son precepteur, Philotime son maistre d'hostel, Gymnaste son escuyer, et Eudemon, et sommairement confera avecques eulx suz ce que estoyt tant à fayre que à respondre. Tous feurent d'advis que on les

1. Jeu de mots sur bedeaux (vedeaux avec l'accent gascon) et veaux, les museaux, la couleur du nez de buveurs et les masques de carnaval ; on les mène en les « touchant » de l'aiguillon comme des bêtes.

CHAPITRE XVII

Comment Janotus de Braquemardo fut envoyé pour récupérer les grosses cloches auprès de Gargantua

Maître Janotus, tondu à la romaine, vêtu de sa longue robe théologale, l'estomac bien protégé de bon pain et d'eau bénite de cave, se transporta au logis de Gargantua, poussant devant lui trois bedeaux à museaux de veau bien rouges, et traînant cinq ou six maîtres ex-art bien crottés par souci d'économie.

Ponocrates les rencontra dans l'entrée ; il eut peur à les voir ainsi déguisés, et pensa que c'étaient des travestis privés de raison. Puis il demanda à l'un des maîtres ex-art ce que signifiait cette mascarade. Il lui fut répondu qu'ils demandaient qu'on leur rendît les cloches.

Aussitôt, Ponocrates alla prévenir Gargantua, pour qu'il fût prêt à répondre et délibérât sur-le-champ de ce qu'il convenait de faire. Gargantua, informé de la situation, appela près de lui Ponocrates son précepteur, son maître d'hôtel Philotime, son écuyer Gymnaste, et Eudémon, et se concerta rapidement avec eux sur ce qu'il convenait de faire et de répondre. Tous furent d'avis qu'on menât la bande au cellier et qu'on les y

In artes, titre normal des maîtres ès arts, est transcrit en francisant sa prononciation, d'où l'équivoque sur leur stupidité.

menast au retraict du goubelet et là on les feist boyre theologalement, et affin que ce tousseux n'entrast en vaine gloire pour à sa requeste avoir rendu les cloches, l'on mandast, ce pendent qu'il chopineroyt, querir le Prevost de la ville, le Recteur de la Faculté, et le Vicaire de l'eglise, es quelz, davant que le theologien eust proposé sa commission, l'on delivreroyt les cloches. Apres ce, yceulx presens, l'on oyroyt sa belle harangue. Ce que feut faict ; et les susdictz arrivez, le theologien feut en plene salle introduict et commencza comme s'ensuyt en toussant :

fît boire théologalement ; et, pour que ce tousseux ne tirât pas gloriole qu'on ait rendu les cloches à sa requête, on irait chercher, pendant qu'il chopinerait, le Prévôt de la ville, le Recteur de la Faculté et le Vicaire de l'église : c'est à eux, avant que le théologien eût délivré son mandat, que l'on rendrait les cloches. Après, en leur présence, on écouterait sa belle harangue. Ce qui fut fait ; et, les autorités arrivées, on introduisit le théologien dans la grande salle, où, en toussant, il commença ainsi :

CHAPITRE XVIII

La harangue de Maistre Janotus de Bragmardo faicte à Gargantua pour recouvrer les cloches

« Ehen, hen, hen ! *Mna dies*, Monsieur, *mna dies. Et vobis*, Messieurs. Ce ne seroyt que bon que nous rendissiez nos cloches, car elles nous font bien besoing. Hen, hen, hasch ! Nous en avions bien aultresfoys refusé de bon argent de ceulx de Londres en Cahors, sy avions nous de ceulx de Bourdeaulx en Brye, qui les vouloient achapter pour la substantificque qualité de la complexion elementare que est intronificquée en la terrestreité de leur nature quidditative pour extraneizer les halotz et les turbines suz nos vignes, vrayement non pas nostres, mays d'icy auprès. Car si nous perdons le piot, nous perdons tout, et sens et loy[1].

» Si vous nous les rendez à ma requeste, je y guaingneray six pans de saulcices et une bonne paire de chausses que me feront grand bien à mes jambes, ou ilz ne me tiendront pas promesse. Ho ! par Dieu, *Domine*, une paire de chausses sont bonnes, et *vir sapiens non abhorrebit eam*. Advisez, *Domine* ; il y a dixhuyt jours que je suis à matagraboliser ceste belle harangue : *Reddite que sunt Cesaris Cesari, et que sunt Dei Deo*.

1. L'ensemble du discours mêle le latin mal prononcé, le latin à mauvaise syntaxe, le latin d'Église correct cité mal à propos et le simili-latin dit de cuisine à propos du repas, avec du français latinisé évoquant la science scolastique du XVe siècle, et des vulgarités qui

CHAPITRE XVIII

La harangue que Maître Janotus de Braquemardo adressa à Garguantua pour récupérer les cloches

« Ahem, hem, hem ! bien l'bonjour, Monsieur, bien l'bonjour ! Et à vous aussi, Messieurs. Ce ne serait que justice que vous nous rendissiez les cloches, car elles nous font bien défaut. Hem, hem, hasch ! Dans le temps, nous en avons refusé du bon argent à ceux de Londres en Cahors, et aussi à ceux de Bordeaux en Brie, qui voulaient les acheter en raison de la qualité substantifique de la constitution élémentaire qui siège en la matérialité de leur nature intrinsèque pour expulser les halos et les tourbillons de dessus nos vignes — à vrai dire pas les nôtres mais celles près d'ici. Car si nous perdons le vin, nous perdons tout, et sens et loi.

« Si vous nous les rendez à ma requête, j'y gagnerai six pans de saucisses et une bonne paire de chausses qui feront grand bien à mes jambes, sauf si on ne tient pas ce qu'on m'a promis. Ho ! par Dieu, seigneur, c'est bonne chose qu'une paire de chausses, et *le Sage ne s'en détourne pas*. Songez-y, Seigneur ; cela fait dix-huit jours que je me tripatouille la cervelle sur cette belle harangue : *Rendez à César ce qui est à César et à Dieu ce qui est à Dieu.*

ne valent guère mieux. Plusieurs lapsus révélateurs, des proverbes inversés rendent l'ensemble peu logique même là où les signes de l'argumentation sont conservés.

» Par ma foy, *Domine*, si voulez souper avecques moy — par le cor Dieu ! — *in camera charitatis, nos faciemus bonum cherubin*[1]. *Ego occidi unum porcum, et ego habet bonus vinum*. Mays de bon vin l'on ne peult faire maulvays latin.

» Or sus, *de parte Dei, date nobis clochas nostras.* Tenez, je vous donne de par la Faculté un *Sermones de Utino* que, *utinam*, vous nous baillez nos cloches. *Vultis etiam pardonos ? per diem, vos habebitis et nihil poyabitis.*

» O Monsieur *Domine, clochidonna minor nobis* ! Dea, *est bonum urbis*. Tout le monde s'en sert. Si vostre jument s'en trouve bien, aussi faict nostre Faculté, *que comparata est jumentis insipientibus et similis facta est eis, psalmo nescio quo*... si l'avoys je bien quotté en mon paperat. Hen, hen, ehen, hasch !

» Cza ! je vous prouve que me les doibvez bailler. *Ego sic argumentor* :

» *Omnis clocha clochabilis, in clocherio clochando, clochans clochativo clochare facit clochabiliter clochantes. Parisius habet clochas. Ergo gluc.*

» Ha, ha, ha ! C'est parlé cela ! Il est *in tertio prime*, en *Darii* ou ailleurs. Par mon ame, j'ay veu le temps que je faisoys diables de arguer. Mays de present je ne fais plus que resver. Et ne me fault plus dorenavant que bon vin, bon lict, le doux au feu, le ventre à table et escuelle bien profonde.

» Hay, *Domine*, je vous pry, *in nomine Patris et Filii et Spiritus Sancti, Amen*, que vous rendez nos cloches, et Dieu vous guard de mal, et Nostre Dame de Santé, *qui vivit et regnat per omnia secula seculorum, Amen*. Hen, hasch, ehasch, grrenhenhasch !

Verumenim vero, quando quidem, dubio procul, edepol, quoniam, ita certe, meus Deus fidius, une ville

1. *Cherubin* (prononcer à la française) est un ange, et pas une forme d'accusatif latin ; Janotus rajoute des désinences sur *bonne*

« Par ma foi, Seigneur, si vous voulez souper avec moi — cordieu ! —, dans la chambre de charité nous ferons chère angélique. J'ai déjà tué un cochon, et j'avons du bon vin. Et avec du bon vin on ne peut faire du mauvais latin.

« Or donc, de la pardieu, donnez-nous nos cloches. Tenez, je vous donne de par la Faculté un des Sermons d'Utino pourvu que vous nous rendiez nos cloches. Vous voulez aussi des indulgences ? Jourdieu, vous en aurez et vous n'aurez rien à payer.

« Ô monsieur seigneur, faites-nous un petit clochedon ! C'est le bien de la ville. Tout le monde s'en sert. Si votre jument s'en trouve bien, notre Faculté aussi, qui a été comparée à *un troupeau de mulets ignorants et rendue semblable à eux*, au psaume je ne sais plus combien... et pourtant je l'avais bien noté sur mon parchemin. Hem, Hem, ahem, hasch !

« Çà , je vous prouve que vous devez me les rendre. Et voici comment j'argumente :

« Toute cloche clochable clochant dans le clocher, en clochant fait clocher par le clochatif ceux qui clochent clochablement. Le Parisien a des cloches. Donc : et toc !

« Ha, ha, ha ! C'est parlé, cela ! C'est un syllogisme de troisième main, en *Darii* ou d'ailleurs. Sur mon âme, j'ai connu un temps où je faisais merveille dans l'argumentation ; mais à présent je ne fais plus que rêver ; il ne me faut plus désormais que du bon vin, un bon lit, le dos à la cheminée, le ventre à table et l'écuelle bien profonde.

« Pitié, Seigneur, je vous prie, *au nom du Père et du Fils et du Saint-Esprit, Amen*, de nous rendre nos cloches, et Dieu vous protège du mal, et Notre-Dame de Santé, *qui vit et règne pour les siècles des siècles, Amen*. Hem, hasch, ehasch, grrenhenhasch !

« Car en vérité, c'est vrai, en tout état de cause, sans aucun doute, ma foi, puisque, c'est si sûr que j'en

chère, ce qui lui tient lieu de déclinaison, comme pour la conjugaison dans *ego habet*.

sans cloches est comme un aveuigle sans baston, un asne sans cropiere, et une vacche sans cymbales. Jusques à ce que nous les aiez rendues, nous ne cesserons de crier apres vous comme un aveuigle qui a perdu son baston, de braisler comme un asne sans cropiere, et de bramer comme une vacche sans cymbales.

» Un quidam latinisateur, demourant près de l'Hostel Dieu, dist une foys, allegant l'autorité d'un Taponnus, — je faulx : c'estoyt Pontanus, poete seculier, — qu'il desyroit qu'elle feussent de plume et le batail feust d'une queue de renard, pource qu'elles luy engendroient la chronicque aux tripes du cerveau quant il composoyt ses vers carminiformes. Mais, nac petetin petetac, ticque, torche, lorgne, il feut declaré hereticque. Nous les faisons comme de cire. Et plus n'en dict le deposant. *Valete et plaudite. Calepinus recensui*[1]. »

1. La formule finale est particulièrement composite : formule normale de fin de plaidoyer + fin des comédies de Térence + lapsus mêlant le nom de Calepinus, auteur du premier dictionnaire latin « moderne », au nom du récitant de Térence, Calliopus, lui-même nommé d'après Calliope, Muse de l'Éloquence...

prends Dieu à témoin, une ville sans cloches est comme un aveugle sans bâton, un âne sans croupière, une vache sans grelots. Jusqu'à ce que vous nous les ayez rendues, nous ne cesserons de crier après vous comme un aveugle, qui a perdu son bâton, de braire comme un âne sans croupière, de mugir comme une vache sans grelots.

« Un quidam latinisant, qui habitait près de l'Hôtel-Dieu, déclara un jour, en alléguant l'autorité d'un certain Taponus — non, je me trompe : c'était Pontanus, poète laïc —, qu'il aurait voulu que les cloches fussent faites de plume et le battant d'une queue de renard, parce qu'elles lui donnaient la courante aux tripes du cerveau quand il composait ses vers de mirliton. Mais, nac petetin petetac, bing, crac, boum, on le déclara hérétique — nous en faisons des chandelles. C'est la fin de ma péroraison. Vous pouvez applaudir. J'ai parlé comme un n'ivre. »

CHAPITRE XIX

Comment le theologien emporta son drap, et comment il eut procès contre les Sorbonistes

Le theologien n'eut poinct si toust achevé que Ponocrates et Eudemon s'esclafferent de rire tant profondement que en riant cuyderent rendre l'ame à Dieu [1], ny plus [ny] moins que Crassus, voyant un asne couillart qui mangeoyt des chardons, et comme Philemon, voyant un asne qui mangeoyt des figues qu'on avoyt apresté pour le disner, mourut de force de rire. Ensemble eulx commencza de rire Maistre Janotus, à qui mieulx mieulx, tant que les larmes leurs venoient es yeulx par la vehemente concution de la substance du cerveau, à laquelle feurent exprimées ces humiditez lachrymales, et transcoullées par les nerfz opticques.

Ces rys du tout sedez, consulta Gargantua avecques ses gens sur ce qu'estoyt de faire. Là feut Ponocrates d'advis qu'on feist reboyre ce bel orateur. Et, veu qu'il leurs avoit donné de passetemps et plus faict rire que n'eust Songecreux [2], qu'on luy baillast les dix pans de saulcice mentionnez en la joyeuse harangue, avecques une paire de chausses, troys cens de gros boys de

1. Après la liste des morts de joie du chapitre X, la liste des morts de rire (ou de tous types de morts) fait partie des récits exemplaires mémorisés traditionnellement. Le fait d'alléguer deux exemples où un âne joue un rôle n'est pas un hasard.

CHAPITRE XIX

Comment le théologien emporta son drap et comment il entra en procès contre les Sorbonnards

À peine le théologien eut-il achevé que Ponocrates et Eudémon éclatèrent de rire si violemment qu'à force de rire ils crurent bien rendre leur âme à Dieu, tout comme Crassus, à la vue d'un baudet qui mangeait des chardons, et comme Philémon, à la vue d'un âne qui mangeait des figues qu'on avait préparées pour le dîner, moururent à force de rire. Maître Janotus se mit à rire aussi, et ils s'esclaffèrent à qui mieux mieux au point que les larmes leur venaient aux yeux, en raison du violent ébranlement de la matière cervicale dont sortirent ces humidités lacrymales, qui s'écoulaient ensuite par les nerfs optiques.

Une fois les rires calmés, Gargantua se concerta avec ses gens sur ce qu'il convenait de faire. Ponocrates fut d'avis qu'on fît reboire ce bel orateur. Et puisqu'il les avait bien divertis et fait rire plus que n'aurait su le faire Songecreux, on lui donnerait les dix pans de saucisse mentionnés dans la joyeuse harangue, avec une paire de chausses, trois stères de bois de chauffage, vingt-

2. Songecreux : personnage imaginaire « auteur » de discours facétieux qui doivent tout à Jean du Pont-Alais, encore un Bazochien.

moulle, vingt et cinq muiz de vin, un lict à triple couche de plume anserine, et une escuelle bien capable et profonde, lesquelles disoit estre à sa vieillesse necessaires.

Le tout feut faict ainsi que avoit esté deliberé, excepté que Gargantua, doubtant qu'on ne trouvast à l'heure chausses commodes pour ses jambes, luy feist livrer sept aulnes de drap noir, et troys de blanchet pour la doubleure. Le boys feut porté par les guaingnedeniers ; les maistres es ars porterent les saulcices et escuelle ; Maistre Janot voulut porter le drap.

Un desdictz maistres, nommé Maistre Jousse Bandouille, luy remonstroit que ce n'estoit honeste ny decent l'estat theologal, et qu'il le baillast à quelq'un d'entre eulx.

« Ha ! (dist Janotus) Baudet, Baudet, tu ne concluds poinct *in modo et figura*. Voy là de quoy servent les suppositions et *Parva logicalia*. *Pannus pro quo supponit* ?

— *Confuse* (dist Bandouille) *et distributive*.

— Je ne te demande pas (dist Janotus), Baudet, *quomodo supponit*, mais *pro quo*. C'est, Baudet, *pro tibiis meis*. Et pource le porteray je *egomet, sicut suppositum portat adpositum* [1]. »

Ainsi l'emporta en tapinoys, comme feist Patelin son drap.

Le bon feut quand le tousseux, glorieusement, en plein acte de Sorbone, requist ses chausses et saulcices. Car peremptoirement luy feurent deniéez, par autant qu'il les avoit eu de Gargantua, selon les informations sur ce faictes. Il leurs remonstra que ce avoit esté de *gratis* et de sa liberalité, par laquelle ilz n'estoient mie absoubz de leurs promesses. Ce nonobstant, luy feut respondu qu'il se contentast de raison, et que aultre bribe n'en auroit.

1. Arguments philosophiques (la substance porte l'accident) et grammaticaux (le sujet porte l'attribut) utilisés de façon confuse. C'est un autre sujet de plaisanterie rituelle des grammairiens que d'uti-

cinq muids de vin, un lit à triple matelas de duvet, et une écuelle bien large et profonde : tout ce qu'il disait nécessaire à son grand âge.

Tout cela fut fait comme prévu, sauf que Gargantua, doutant qu'on pût trouver sur l'heure des chausses qui lui aillent, lui fit livrer sept aunes de drap noir, et trois de laine blanche pour la doublure. Le bois fut porté par des portefaix ; les maîtres ès arts portèrent les saucisses et l'écuelle ; Maître Janot voulut porter le drap.

Un des maîtres, nommé Maître Josse Bandouille, lui fit observer que ce n'était ni décent ni convenable à l'état théologal, et qu'il confiât le paquet à l'un d'entre eux.

« Ha ! dit Janotus, Baudet, tu ne conclus point selon les règles de l'art. Voilà à quoi servent les Prémisses et les *Petits Éléments de Logique.* Un pan d'étoffe, à qui se rapporte-t-il ?

— En général à tout le monde, dit Bandouille, et à tout un chacun.

— Je ne te demande pas, Baudet, dit Janotus, la nature du rapport, mais sa destination. Eh bien, Baudet, c'est à destination de mes tibias. Et c'est pour ça que je le rapporterai moi-même en personne, tout comme le principal porte l'accessoire. »

Ainsi il emporta son drap en tapinois, comme le fit Pathelin.

Mais le meilleur eut lieu lorsque le tousseux, fièrement, en pleine séance de Sorbonne, réclama ses chausses et ses saucisses. On les lui refusa catégoriquement, puisqu'il les avait reçues de Gargantua, d'après les informations qu'on avait. Il eut beau leur démontrer que c'était là un don gracieux fait par pure générosité, qui ne les tenait pas quittes de leurs promesses, on lui répondit pourtant de se contenter de bonne raison, et qu'il n'aurait pas une miette de plus.

liser le vocabulaire technique pour lui faire dire soit des banalités, soit des obscénités.

« Raison ? (dist Janotus). Nous n'en usons poinct ceans. Traistres malheureux, vous ne valez rien. La terre ne porte poinct gens plus meschans que vous estes, je le sçay bien. Ne clochez pas davant les boyteux : j'ay exercé la meschanceté avecques vous. Par la rate Dieu ! je advertiray le Roy des enormes abus que sont forgez ceans et par vos mains et menéez, et que je soye ladre s'il ne vous faict tous vifz brusler comme bougres, traistres, heretiques et seducteurs, ennemys de Dieu et de vertus ! »

A ces motz, prindrent articles contre luy. Luy, de l'aultre costé, les feist adjourner. Somme, le procès feut retenu par la Court, et y est encores. Les Sorbonicoles sur ce poinct feirent veu de ne soy descroter ; Maistre Janot, avecques ses adherens, feist veu de ne se mouscher, jusques à ce qu'en feust dict par arrest deffinitif.

Par ces veuz sont jusques à present demourez et croteux et morveux, car la Court n'a encores bien grabelé toutes les pieces. L'arrest sera donné es prochaines Calendes grecques : c'est à dire, jamays ; comme vous sçavez qu'ilz font plus que nature et contre leurs articles propres. Les articles de Paris chantent que Dieu seul peult fayre choses infinies. Nature rien ne faict immortel, car elle mect fin et periode à toutes choses par elle produictes : car *omnia orta cadunt*, etc. Mays ces avalleurs de frimars font les procès davant eulx pendens, et infiniz et immortelz. Ce que faisans, ont donné lieu et verifié le dict de Chilon, Lacedemonien, consacré en Delphes, disant Misere estre compaigne de Procès [1], et gens playdoiens miserables, car plus tost ont fin de leur vie que* leur droict pretendu.

1. Des trois adages du temple de Delphes, les plus connus sont : « Connais-toi toi-même » et « Ne désire rien de trop ».

« Raison ? dit Janotus. On n'en a rien à faire ici. Misérables traîtres, vous ne valez rien. La terre ne porte pas de plus méchantes gens que vous, je le sais bien. Ne claudiquez pas devant les boiteux : j'ai exercé la méchanceté avec vous. Par la rate de Dieu ! je préviendrai le roi des énormes abus qui se commettent ici par vos manœuvres et menées, et que la lèpre me prenne s'il ne vous fait tous brûler vifs comme sodomites, traîtres, hérétiques et trompeurs, ennemis de Dieu et de la vertu ! »

À ces mots, les docteurs déposèrent plainte contre lui. Lui, de son côté, les cita à comparaître. Finalement, le procès fut inscrit au rôle de la Cour, et il y est encore. Les Sorbonicoles, à ce sujet, firent vœu de ne plus se laver, Maître Janot ainsi que ses fidèles de ne plus se moucher, tant que la sentence n'aurait pas été définitivement prononcée.

Selon ces vœux ils sont restés jusqu'aujourd'hui crottés et morveux, car la Cour n'a pas encore passé au crible toutes les pièces. L'arrêt sera rendu aux prochaines calendes grecques, c'est-à-dire jamais ; car vous savez que les juges font mieux que la loi naturelle, et contre leurs propres préceptes. Les préceptes de Paris serinent que seul Dieu peut accomplir des choses infinies. Et la nature ne fait rien d'immortel, elle met une fin et un arrêt à tout ce qu'elle produit : car tout ce qui naît meurt, etc. Mais ces avaleurs de frimas font que les procès en suspens sont à la fois infinis et immortels. En agissant ainsi, ils donnent raison aux mots du Lacédémonien Chilon, inscrits à Delphes, qui disent que Misère est la compagne de Procès, et que les plaideurs sont des malheureux, car ils arrivent plus tôt au terme de leur vie qu'au droit qu'ils réclament.

CHAPITRE XX

L'estude et diete de Gargantua scelon la discipline de ses precepteurs Sorbonagres

Les premiers jours ainsi passez et les cloches remises en leur lieu, les citoiens de Paris, par recongnoissance de ceste honnesteté, se offrirent d'entretenir et nourrir sa jument tant qu'il luy plairoit — ce que Gargantua print bien à gré — et l'envoyerent vivre en la forest de Biere.

Ce faict, voulut de tout son sens estudier à la discretion de Ponocrates. Mais icelluy, pour le commencement, ordonna qu'il feroyt à sa maniere acoustumée, affin d'entendre par quel moien, en sy long temps, ses antiques precepteurs l'avoient rendu tant fat, niays et ignorant.

Il dispensoyt doncques son temps en telle faczon que ordinairement il s'esveiloit entre huyct et neuf heures, feust il jour ou non ; ainsi l'avoient ordonné ses regens theologiques, alleguans ce que dict David : *Vanum est vobis ante lucem surgere*.

Puis se guambayoit, penadoyt et paillardoit par my le lict quelque temps pour mieulx esbaudir ses esperitz animaulx ; et se habiloit selon la saison, mays voulentiers portoyt il une grande et longue robbe de grosse frize fourrée de renards ; apres, se peignoyt du peigne de Almain [1], c'estoyt des quatre doigtz et le poulce,

1. Almain est un des docteurs de l'Université de Paris, commentateur des *Sentences*. Almain/la main, c'est du primitif...

CHAPITRE XX

L'étude et la façon de vivre de Gargantua selon l'enseignement de ses précepteurs Sorbonagres

Les premiers jours ainsi passés et les cloches remises en l'état, les citoyens de Paris, en reconnaissance de politesse, s'offrirent à soigner et nourrir sa jument autant qu'il lui plairait — ce dont Gargantua leur sut gré — et ils l'envoyèrent vivre dans la forêt de Fontainebleau.

Cela fait, il voulut mettre tout son zèle à étudier sous la directive de Ponocrates. Mais celui-ci, au début, ordonna qu'il agisse comme de coutume, pour comprendre comment, au bout de tant d'années, ses anciens précepteurs l'avaient rendu si sot, niais et ignorant.

Il passait donc son temps ainsi : il s'éveillait habituellement entre huit et neuf heures, qu'il fît jour ou non ; ainsi en avaient décidé ses régents théologiens, alléguant les mots de David : *C'est vanité de vous lever avant la lumière* (Ps. 126).

Alors il s'étirait, s'ébattait et se vautrait sur son lit un certain temps pour mieux détendre ses esprits animaux ; il s'habillait en fonction du temps, mais il portait volontiers une grande et longue robe de grosse laine fourrée de renard ; après, il se peignait du peigne d'Almain, c'est-à-dire des quatre doigts et du pouce, car ses precepteurs disoient que soy aultrement peigner, laver et nettoyer estoit perdre temps en ce monde.

Puis fiantoit, pissoyt, rendoyt sa gorge, rottoyt, esternuoit et se morvoyt en archidiacre, et desjeunoyt pour abatre la rouzée et maulvays aer : belles tripes frites, belles carbonnades, beaux jambons, belles cabirotades et force soupes de prime.

Ponocrates luy remonstroit que tant soubdain ne debvoit repaistre au partir du lict sans avoir premierement faict quelque exercice. Gargantua respondit :

« Quoy ! N'ay je pas faict bel exercice ? Je me suis vaultré six ou sept tours par my le lict davant que me lever. Est ce pas assez ? Le pape Alexandre ainsi faisoit, par le conseil de son medicin Juif, et vesquit jusques à la mort en despit des envieux. Mes premiers maistres me y ont acoustumé, disans que le desjeuner faisoit bonne memoire ; pourtant y beuvoient les premiers. Je m'en trouve fort bien et n'en disne que mieulx. Et me disoit Maistre Tubal (qui feut premier de sa licence à Paris) que ce n'est pas tout l'adventaige de courir bien toust, mais bien de partir de bonne heure : aussi n'est ce la santé totale de nostre humanité boyre à tas, à tas, à tas, comme canes, mais ouy bien de boire matin ; *unde versus* :

Lever matin n'est pas bon heur ;
Boire matin est le meilleur. »

Apres avoir bien à poinct desjeuné, alloit à l'ecclise, et luy portoit on dedans un grand penier un gros breviaire empantouflé, pesant, tant en gresse que en fremoirs et parchemin, poy plus poy moins, unze quintaulx. Là oyoit vingt et six ou trente messes. Et ce pendent venoit son diseur d'heures en place empaletocqué comme une duppe, et tresbien antidoté son alaine à force syropt vignolat. Avecques icelluy marmonnoit toutes ces kyrielles, et tant curieusement les espluschoit qu'il n'en tomboit un seul grain en terre.

Au partir de l'ecclise, on luy amenoit sur une traine à beufz un faratz de patenostres de sainct Claude, aussi

car ses précepteurs disaient que toute autre façon de se peigner, laver et nettoyer était une perte de temps.

Puis il chiait, pissait, crachait, rotait, éternuait et se mouchait abondamment ; puis, pour abattre la rosée et le mauvais air, il déjeunait : belles tripes frites, belles carbonades, beaux jambons, belles grillades et force tartines.

Ponocrates lui faisant remarquer qu'il ne devait pas se goinfrer ainsi au saut du lit sans avoir d'abord pris de l'exercice, Gargantua répondit :

« Quoi ! N'ai-je pas pris de l'exercice ? Je me suis retourné six ou sept fois dans mon lit avant de me lever. N'est-ce pas assez ? C'est ce que faisait le pape Alexandre, sur le conseil de son médecin juif, et il a vécu jusqu'à sa mort en dépit des envieux. Mes premiers maîtres m'y ont habitué, disant que bon déjeuner donne bonne mémoire ; c'est pourquoi ils y buvaient les premiers. Je m'en trouve fort bien et n'en dîne que mieux. Et Maître Tubal (qui fut le premier de sa licence à Paris) me disait que "rien ne sert de courir, il faut partir à point" : ainsi ce qui fait la parfaite santé de la nature humaine n'est pas de boire quand et quand comme les canards, mais bien de boire tôt matin ; *d'où le proverbe* :

Lever matin n'est pas bonheur ;
Boire matin est le meilleur. »

Après avoir bien déjeuné, il allait à l'église, où on lui apportait dans un grand panier un gros bréviaire bien emmitouflé pesant, tant en graisse qu'en fermoirs et parchemin, à peu près onze quintaux. Là il entendait vingt-six ou trente messes. Pendant ce temps arrivait son diseur d'heures en titre, encapuchonné comme une huppe, l'haleine désinfectée à force de sirop de vignoble. En sa compagnie il marmonnait des kyrielles de chapelets en les épluchant si soigneusement qu'il n'en tombait jamais un seul grain par terre.

Au sortir de l'église, on lui amenait sur un chariot à bœufs un tas de patenôtres de saint Claude, aussi grosses chascune qu'est le moulle d'un bonnet, et, se pourmenant par les cloistres, galeries ou jardin, en disoit plus que seize hermites [1].

Puis estudioyt quelque meschante demye heure, les yeulx assis dessus son livre ; mais (comme dict le Comicque [2]) son ame estoit en la cuysine.

Pissant doncq plein official, se asseoyt à table. Et, par ce qu'il estoit naturellement phlegmaticque, commençoit son repas par quelques douzaines de jambons, de langues de beuf fumées, de boutargues, d'andouilles, et telz aultres avant coureurs de vin.

Ce pendent quatre de ses gens luy gettoient en la bouche, l'un apres l'aultre, continuement, de la moustarde à pleines palerées. Puis beuvoit un horrificque traict de vin blanc pour luy soulaiger les roignons. Apres, mangoit, selon la saison, viandes à son appetit, et lors cessoit de manger quand le ventre luy tiroit.

A boire n'avoit poinct de fin ny de canon. Car il disoit que les metes et bournes de boyre estoient quand, la personne beuvant, le liege de ses pantofles enfloit en hault d'un demy pied.

Puis, tout lourdement grignotant d'un transon de graces, se lavoit les mains de vin frais, s'escuroit les dens avec un pied de porc et devisoit joyeusement avec ses gens. Puis, le verd estendu, l'on desployoit force chartes, force dez, et renfort de tabliers. Là jouoyt [3] :

au fleux,
au cent,
à la prime,
à la vole,
à la pille,
à la triumphe,

1. Satire évangélique usuelle contre ceux qui prient par formalité sans comprendre ce qu'ils disent. Les chapelets aux grains gros comme la tête sont proportionnés à leur utilisateur, mais Saint-Claude est un lieu de pèlerinage du Jura.

2. Térence, relayé par les *Adages* d'Érasme.

grosses que le moule d'un bonnet, et, en se promenant dans les cloîtres, les galeries ou le jardin, il en récitait plus que seize ermites.

Puis il étudiait une malheureuse demi-heure, les yeux posés sur son livre, mais (comme dit Térence) son âme était à la cuisine.

Après avoir pissé un plein pot de chambre, il s'asseyait à table. Et, parce qu'il était de complexion flegmatique, il commençait son repas par quelques douzaines de jambons, de langues de bœuf fumées, de caviar, d'andouilles, et autres avant-coureurs du vin.

Pendant ce temps, quatre de ses gens lui jetaient dans la bouche, à tour de rôle et sans s'arrêter, de la moutarde à pleines pelletées. Puis il buvait un terrifiant coup de vin blanc pour se soulager les reins. Après il mangeait, selon la saison, des mets au gré de son appétit, et ne cessait de manger que lorsque le ventre lui tirait.

En buvant il n'avait ni mesure ni règle. Car il disait que les limites et les bornes du buveur se situaient lorsque le liège de ses pantoufles était gonflé d'un demi-pied.

Puis, avoir pesamment mâchonné une bribe d'actions de grâce, il se lavait les mains de vin frais, se curait les dents avec un pied de porc et devisait joyeusement avec ses gens. Puis, le tapis de jeux étendu, on étalait force cartes, force dés, et toutes sortes de damiers. Là, on jouait :

au flux,
au cent,
à la prime,
à la vole,
à la pille,
au triomphe,

3. La liste des 143 Jeux (encore augmentée dans l'édition de 1542) en comporte beaucoup de non identifiés, malgré le secours du tableau de Breughel, *Jeux d'enfants.* En gros, classe des jeux de cartes (1 à 30), jeux de dés et tables (30 à 50), des devinettes (50) et divers jeux de plein air et acrobaties. Voir J.M. Mehl, *Les jeux au Royaume de France*, Fayard, 1990.

à la picardie,
à l'espinay,
à trente et un,
à la condemnade,
à la carte virade,
au moucontent,
au cocu,
à *qui a si parle*,
à *pille nade, jocque fore*,
à mariage,
au gay,
à l'opinion,
à *qui faict l'un faict l'autre*,
à la sequence,
aux luettes,
au tarau,
à *qui gaigne perd*,
au beliné,
à la ronfle,
au glic,
aux honneurs,
à la mourre,
aux eschetz,
au renard,
aux marrelles,
aux vasches,
à la blanche,
à la chance,
à troys dez,
aux talles,
à la nicnocque,
à lourche,
à la renette,
au barignin,
au trictrac,
à toutes tables,
aux tables rabatues,
au reniguebleu,
au forcé,

à la picardie,
à l'épinet,
au trente-et-un,
à la condamnade,
à la carte retournée,
au mécontent,
au cocu,
à qui en a parlé
à qui rien ne pioche, gagne tout
au mariage,
au gai,
à l'opinion,
à qui fait l'un fait l'autre,
à la séquence,
aux luettes,
au tarot,
à qui perd gagne,
au mouton,
à la ronfle,
au glic,
aux honneurs,
à la mourre,
aux échecs,
au renard,
aux marelles,
aux vaches,
à la blanche,
à la chance,
au quatre-vingt-et-un,
aux osselets,
à la niquenoque,
à l'ourche,
à la rognette,
au barignin,
au trictrac,
à toutes tables,
aux tables rabattues,
au jarnibleu,
au forçat,

aux dames,
à la babou,
à *primus secundus*,
au pied du cousteau,
aux clefz,
au franc du carreau,
à par ou sou,
à croix ou pille,
aux pingres,
à la bille,
à la vergette,
au palet,
au *j'en suis*,
à foucquet,
aux quilles,
au rampeau,
à la boulle plate,
au pallet,
à la courte boulle,
à la griesche,
à la recoquillette,
au cassepot,
au montalent,
à la pyrouete,
aux jonchées,
au court baston,
au pyrevollet,
à clinemussete,
au picquet,
à la seguette,
au chastelet,
à la rengée,
à la foussete,
au ronflart,
à la trompe,
au moyne,
au tenebry,
à l'esbahy,
à la soulle,

aux dames,
à la grimace,
à premier second,
au pied du couteau,
aux clés,
à pile-au-carreau,
à pair ou impair,
à pile ou face,
aux pingres,
au croquet,
à la baguette,
au palet,
au j'en-suis,
à souffle-chandelle,
aux quilles,
au rampeau,
à la boule plate,
au palet,
à la boule courte,
au volant,
à la recoquillette,
au cassepot,
au montalent,
à la pirouette,
aux jonchets,
au court bâton,
au pirevolant,
à cligne-musette,
au piquet,
à la bille poursuivie,
au châtelet,
à la rangette,
à la fossette,
à la toupie,
à la trompe,
au moine,
au tenebri,
à l'ébahi,
à la soule,

à la navette,
à fessart,
au ballay,
à *sainct Cosme, je te viens adorer*,
au chesne forchu,
au chevau fondu,
à la queue au loup,
à pet en gueulle,
à *Guillemin baille my ma lance*,
à la brandelle,
au trezeau,
à la mousche,
à la *migne, migne beuf*,
au propous,
à neuf mains,
au chapifou,
aux ponts cheuz,
à Colin bridé,
à la grolle,
au cocquantin,
à Collin Maillard,
à myrelimoufle,
à mouschart,
au crapault,
à la crosse,
au piston,
au bille boucquet,
au roynes,
aux mestiers,
à *teste à teste bechevel*,
à laver la coiffe Madame,
au belusteau,
à semer l'avoyne,
à briffault,
au molinet,
à *defendo*,
à la virevouste,
à la baculle,
au laboureur,

à la navette,
au fessart,
au balai,
à saint Côme, je viens t'adorer,
au chêne fourchu,
au cheval fondu,
à la queue leu leu,
à pet-en-gueule,
à Guillemin donne-moi ma lance,
à la balançoire,
au trézeau,
à la mouche,
au pied-du-bœuf,
au mot qui court,
à neuf mains,
au chapifou,
aux ponts écroulés,
à Colin bridé,
à la marelle,
au cocquantin,
à colin-maillard,
à mirelimoufle,
au mouchard,
au crapaud,
à la crosse,
au pilon,
au bilboquet,
aux reines,
aux métiers,
à tête-bêche,
à laver la coiffe Madame,
au tamis,
à semer l'avoine,
au glouton,
au moulinet,
à defendo
à la cabriole,
au tape-cul,
au laboureur,

à la cheveche,
aux escoublettes enraigées,
à la beste morte,
à *monte, monte l'eschelette*,
au pourceau mory,
à cul sallé,
au pigeonnet,
au tiers,
à la bourrée,
au sault du buysson,
à croyzer,
à la cutte cache,
à la maille, bourse en cul,
au nic de la bondrée,
au passavant,
à la figue,
aux petarrades,
à pillemoustarde,
aux allouettes,
aux chinquenaudes.

Apres avoir bien joué, et beluté temps, il convenoit boire quelque peu, — c'estoient unze peguadz pour homme, — et, soubdain apres bancqueter, c'estoit sus un beau banc ou en beau plein lict s'estendre et dormir deux ou troys heures, sans mal penser ny mal dire.

Luy esveillé, secouoyt un peu les aureilles. Ce pendent estoit aporté vin frais ; là beuvoit mieulx que jamays.

Ponocrates luy remonstroit que c'estoit maulvaise diete ainsi boyre apres dormir.

« C'est (respondit Gargantua) la vraye vie des Peres. Car de ma nature je dors sallé, et le dormir m'a valu autant de jambon. »

Puis commenceoit estudier quelque peu, et patenostres en avant, pour lesquelles mieulx en forme expedier montoit sus une vielle mulle, laquelle avoit servy neuf Roys. Ainsi marmonant de la bouche et dodelinant de la teste, alloit veoir prendre quelque connil aux filletz.

au hibou,
aux écoublettes enragées,
à la bête morte,
à monte, monte l'échelle,
au pourceau mori,
à cul salé,
à pigeon-vole,
au tiers,
à la bourrée,
au saut de buisson,
à croiser,
à cache-cache
à la maille, bourse-en-cul,
au nid de la buse,
au passavant,
à la figue,
aux pétarades,
à pille-moutarde,
aux alouettes,
aux chiquenaudes.

Après avoir bien joué et passé le temps, il convenait de boire un peu — onze mesures par personne — et, sitôt après boire, sur un banc où au beau milieu du lit, de s'étendre et dormir deux ou trois heures, sans penser à mal ni médire.

À son réveil, il secouait un peu les oreilles. Pendant ce temps on apportait du vin frais ; et là, il buvait plus que jamais.

Ponocrates lui faisait observer que c'était une mauvaise habitude de boire ainsi après dormir.

« C'est, répondait Gargantua, la vraie vie des Pères. Car par complexion je dors salé, et le sommeil me donne aussi soif que le jambon. »

Puis il commençait à étudier un peu, et en avant pour d'autres patenôtres ; pour mieux les expédier proprement, il montait sur une vieille mule qui avait déjà servi neuf rois. Et en marmottant et en dodelinant de la tête il allait voir prendre quelque lapin au piège.

Au retour se transportoit en la cuysine pour sçavoir quel roust estoit en broche.

Et souppoit tresbien, par ma conscience ! et volentiers convioit quelques beuveurs de ses voisins, avec lesquelz, beuvant d'autant, comptoient des vieulx jusques es nouveaulx. Entre autres avoit pour domesticques les seigneurs du Fou, de Gourville, et de Marigny.

Apres souper venoient en place les beaux Evangiles de boys, c'est à dire force tabliers, ou le beau flux *Un, deux, troys*, ou *A toutes restes* pour abregier, ou bien alloient veoir les garses d'entour, et petitz bancquetz par my, collations et arriere-collations. Puis dormoit sans desbrider jusques au lendemain huict heures.

Au retour il se transportait à la cuisine pour voir quel rôti on mettait à la broche.

Et il soupait très bien, ma foi ! conviant volontiers quelques buveurs de ses voisins ; ensemble, en trinquant, ils racontaient les récits de jadis et les nouveautés. Il avait pour familiers notamment les sieurs du Fou, de Gourville et de Marigny.

Après souper on apportait les beaux Évangiles de bois, c'est-à-dire force tables de jeux, comme le Un-deux-trois ou le Risque-tout pour dire vite, ou bien ils allaient voir les garces des environs, avec bons petits banquets, collations et arrière-collations. Puis il dormait d'une seule traite jusqu'au lendemain huit heures.

CHAPITRE XXI

Comment Gargantua feut institué par Ponocrates en telle discipline qu'il ne perdoit heure du jour

Quand Ponocrates congneut la vitieuse maniere de vivre de Gargantua, delibera de aultrement le instituer en letres, mais pour les premiers jours le tolera, considerant que nature ne endure poinct mutations soubdaines sans grande violence.

Pour doncques mieulx son œuvre commencer, supplya un sçavant medicin de celluy temps, nommé Seraphin Calobarsy [1], à ce qu'il considerast si possible estoit remettre Gargantua en meilleure voye. Lequel le purgea canonicquement avec elebore de Anticyre et par ce medicament luy nettoya toute l'alteration et perverse habitude du cerveau. Par ce moyen aussi Ponocrates luy feist oublier tout ce qu'il avoit aprins soubz ses antiques precepteurs, comme faisoit Timothé à ses disciples qui avoient esté instruictz soubz aultres musiciens.

Pour mieulx ce faire, l'introduysoit es compaignies des gens sçavans qui là estoient, à l'emulation desquelz luy creust l'esperit et le desir de estudier aultrement et se faire valoir.

Apres en tel train d'estude le mist qu'il ne perdoit heure quelconques du jour, ains tout son temps consommoit en letres et honeste sçavoir [2].

1. Encore un anagramme de François Rabelais, ici en médecin judéo-grec.

CHAPITRE XXI

Comment Gargantua fut formé par Ponocrates de façon si rigoureuse qu'il ne perdait aucune heure de la journée

Quand Ponocrates eut bien saisi les tares du mode de vie de Gargantua, il décida de le former tout autrement, mais les premiers jours il le toléra, estimant que la nature ne supporte pas sans danger des changements trop brusques.

Aussi, pour mieux commencer son œuvre, il supplia un savant médecin du temps, nommé Séraphin Calobarsy, d'examiner s'il était possible de remettre Gargantua en bonne voie. Celui-ci le purgea selon les règles avec de l'ellébore d'Anticyre et par ce remède lui lava le cerveau de toutes ses habitudes perverties. C'est comme cela aussi que Ponocrates lui fit oublier tout ce qu'il avait appris de ses anciens précepteurs, ainsi que le faisait Timothée à ses disciples qui avaient été formés par d'autres musiciens.

Pour y parvenir, il l'introduisit auprès des savants de la région, au contact desquels il gagna en esprit et en désir d'étudier autrement et de se mettre en valeur.

Ensuite, il lui imposa un tel rythme d'études qu'il ne perdait pas un moment de la journée, mais passait tout son temps à étudier les Lettres et le savoir utile.

2. Sur le régime nouveau, sa vraisemblance ou non, voir notre Dossier, pp. 462-465.

Se esveilloit doncques Gargantua environ quatre heures du matin. Ce pendent qu'on le frotoit, luy estoit leue quelque pagine de la divine Escripture haultement et clerement, avec pronunciation competente à la matiere, et à ce estoit commis un jeune page, natif de Basché, nommé Anagnostes. Selon le propos et argument de ceste leczon souventesfoys se adonnoit à reverer, adorer, prier et supplier le bon Dieu, duquel la lecture monstroit la majesté et jugemens merveilleux.

Puys s'en alloit es lieux secretz fayre excretion des digestions naturelles. Là son precepteur repetoit ce que avoit esté leu, luy exposant les poinctz plus obscurs et difficiles.

Eulx retornans, consideroient l'estat du ciel : si tel estoyt come l'avoient noté au soir precedent, et quelz signes entroit le Soleil, aussi la Lune, pour icelle journée.

Ce faict, estoit habillé, peigné, testonné, acoustré et parfumé, durant lequel temps on luy repetoit les leczons du jour d'avant. Luy mesmes les disoyt par cueur, et y fondoit quelques cas practiques et concernens l'estat humain, lesquelz ils estendoient aucunesfoys jusques deux ou troys heures, mais ordinairement cessoient lors qu'il estoit du tout habillé.

Puis par troys bonnes heures luy estoit faicte lecture.

Ce fait, yssoient hors, tousjours conferens des propoz de la lecture, et se desportoient en Bracque ou es prez, et jouoient à la balle, ou à la paulme, galentement se exercens les corps comme ilz avoient les ames auparavant.

Tout leur jeu n'estoyt qu'en liberté, car ilz laissoient la partie quand leur plaisoyt et cessoient ordinairement lors que suoient par my le corps, ou estoient aultrement las. Adoncq estoient tresbien essuez et frottez, changeoient de chemise et, doulcement se pourmenans, alloient veoir sy le disner estoyt prest. Là attendens, recitoient clerement et eloquentement quelques sentences retenues de la leczon.

Ce pendent Monsieur l'Appetit venoyt, et par bonne oportunité s'asseoient à table.

Gargantua se réveillait donc vers quatre heures du matin. Pendant qu'on l'astiquait, on lui lisait une page de la divine Écriture, à haute et intelligible voix et avec une diction claire ; mission confiée à un jeune page natif de Basché, nommé Anagnostes. En fonction du thème et du sujet de ce passage, il se consacrait à vénérer, adorer, prier et supplier le bon Dieu, dont la lecture montrait la majesté et le jugement merveilleux.

Puis il se retirait aux lieux d'aisances pour se purger de ses excréments naturels. Là son précepteur répétait ce qui avait été lu en lui en expliquant les points les plus obscurs et difficiles.

En revenant, ils considéraient l'état du ciel : s'il se présentait comme ils l'avaient noté le soir précédent, dans quelle partie du zodiaque entraient le soleil et la lune pour la journée.

Cela fait, il était habillé, peigné, coiffé, adorné et parfumé ; pendant ce temps on lui répétait les leçons de la veille. Lui-même les récitait par cœur et en tirait quelques conclusions pratiques sur la condition humaine ; ils y passaient parfois jusqu'à deux ou trois heures, mais d'habitude ils s'arrêtaient lorsqu'il avait fini de s'habiller.

Puis pendant trois bonnes heures on lui faisait la lecture.

Cela fait, ils sortaient, en conversant toujours du sujet de la leçon, et allaient se récréer au Jeu de Paume du Grand Braque ou dans une prairie ; ils jouaient à la balle ou à la paume, s'exerçant le corps aussi lestement qu'ils l'avaient fait auparavant de leur esprit.

Ils jouaient librement, abandonnant la partie quand ils voulaient et s'arrêtant ordinairement quand ils étaient bien en sueur ou fatigués. Alors, bien essuyés et frottés, ils changeaient de chemise et, se promenant tranquillement, ils allaient voir si le déjeuner était prêt. En attendant, ils récitaient clairement, en y mettant le ton, quelques sentences retenues de la leçon.

Cependant, Monsieur l'Appétit venait, et ils s'asseyaient à table au moment opportun.

Voir *Au fil du texte*, p. IX.

Au commencement du repas estoyt leue quelque histoire plaisante des anciennes prouesses, jusques à ce qu'il eust print son vin.

Lors (sy bon sembloyt) on continuoyt la lecture, ou commenceoient à diviser joyeusement ensemble, parlans, pour les premiers moys, de la vertus, proprieté, efficace et nature de tout ce que leur estoyt servy à table : du pain, du vin, de l'eau, du sel, des viandes, poissons, fruictz, herbes, racines, et de l'aprest d'ycelles. Ce que faisant, aprint en peu de temps tous les passaiges à ce competens en Pline, Atheneus, Dioscorides, Galen, Porphyrius, Opianus, Polybius, Heliodorus, Aristotele, Aelianus et aultres. Iceulx propos tenens, faisoient souvent, pour plus estre asseurez, apporter les livres susdictz à table. Et si bien et entierement retint en sa memoire les choses dictes, que pour lors n'estoit medicin qui en sceust à la moytié tant comme il faisoit.

Depuis par apres, devisoient des leczons leues au matin, et, parachevant leur repas par quelque confection de cotoniat, s'escuroit les dens avecques un trou de lentisce, se lavoit les mains et les yeulx de belle eau fraische, et rendoient graces à Dieu par quelques beaux cantiques faictz à la louange de la munificence et benignité divine. Ce faict, on aportoit des chartes, non pour jouer, mais pour y apprendre mille petites gentilesses et inventions nouvelles, lesquelles toutes yssoient de Arithmeticque.

En ce moyen entra en affection de ycelle science numeralle, et tous les jours, apres disner et souper, y passoient temps aussi plaisantement qu'il souloyt es dez ou es chartes. A tant, sceut d'ycelle et theoricque, et practicque, sy bien que Tunstal [1], Angloys, qui en avoit amplement escript, confessa que vrayement, en comparaison de luy, il n'y entendoyt que le hault Alemant.

1. Cuthbert Tunstall, mathématicien, est aussi un ami de Thomas More.

Au début du repas, on lisait quelque histoire plaisante tirée des anciennes légendes, jusqu'à ce qu'il eût bu son vin.

Alors, selon l'envie, on continuait la leçon ou bien ils commençaient à converser joyeusement ensemble ; les premiers temps, ils parlaient des vertus, des propriétés efficaces et de la nature de tout ce qu'on leur servait à table : le pain, le vin, l'eau, le sel, les viandes, les poissons, les fruits, les herbes, les légumes, et la façon dont ils étaient apprêtés. De cette façon, il apprit en peu de temps tous les passages se rapportant à ces sujets chez Pline, Athénée, Dioscoride, Galien, Porphyre, Opien, Polybe, Héliodore, Aristote, Élien et d'autres. En parlant, ils faisaient souvent, pour plus de sûreté, apporter à table les livres en question. Et il retint si bien en mémoire ce qu'on y disait qu'il n'y avait pas alors de médecin qui en sût moitié autant que lui.

Par la suite, ils parlaient des leçons lues le matin ; après avoir achevé le repas d'une confiture de coings, il se curait les dents avec un tronc de giroflier et se lavait les mains et le visage de belle eau fraîche, puis ils rendaient grâce à Dieu par quelque beau cantique à la gloire de la grandeur et de la bonté divines. Cela fait, on apportait des cartes, non pour jouer mais pour y apprendre mille petits tours et inventions nouvelles relevant de l'arithmétique.

Ainsi il se prit de passion pour la science des nombres, et tous les jours, après dîner et souper, ils y passaient leur temps aussi agréablement qu'il le faisait avant avec les dés ou les cartes. À force, il devint si savant en cette discipline, aussi bien théorique que pratique, que l'Anglais Tunstall, qui en avait abondamment disserté, confessa qu'en vérité, par rapport à lui, il n'y entendait que les rudiments.

Et non seulement d'ycelle, mais des aultres sciences mathematicques, comme Geometrie, Astronomie et Musicque ; car, attendans la concoction et digestion de son past, ilz faisoient mille joyeulx instrumens et figures Geometricques, et de mesmes practiquoient les canons Astronomicques.

Apres, se esbaudissoient à chanter musicalement à quatre et cinq parties, ou suz un theme à plaisir de guorge.

Et au reguard des instrumens de musicque, il aprint jouer du luc, de l'espinette, de la harpe, de la flutte de Alemant et à neuf trouz, de la viole et de la sacqueboutte.

Ceste heure ainsi employée, la digestion parachevée, se purgoit des excremens naturelz, puis se remettoit à son estude principale par troys heures ou davantaige, tant à repeter la lecture matutinale que à poursuyvre le livre entreprins, que aussi à escripre et bien traire et former les antiques et Rhomaines lettres.

Ce faict, yssoient hors leur hostel, avecques eulx un jeune gentilhome de Touraine, nommé l'escuyer Gymnaste, lequel luy monstroit l'art de chevalerie.

Changeant doncques de vestemens, monstoit sus un coursier, sus un roussin, sus un genet, sus un cheval legier, et luy donnoyt cent quarrieres, le faisoit voltiger en l'air, franchir le fossé, saulter le palys, court tourner en un cercle, tant à dextre comme à senestre.

Là rompoyt non poinct la lance ; car c'est la plus grande resverye du monde dire : « J'ay rompu dix lances en tournoy ou en bataille » — un charpentier le feroit bien — mais louable gloire est d'une lance avoir rompu dix de ses ennemys. De sa lance doncq asserée, verde et roidde, rompoyt un huys, enfonczoyt un arnoys, aculloyt une arbre, enclavoyt un aneau, enlevoyt une selle d'armes, un aubert, un guantelet. Le tout faisoit armé de pied en cap.

Au reguard de fanfarer et fayre les petitz popismes sus un cheval, nul ne le feist mieulx que luy. Le voltigeur de Ferrare n'estoyt q'un cinge en comparaison.

Et pas seulement de l'arithmétique, mais des autres branches des mathématiques, comme la géométrie, l'astronomie et la musique ; en effet, en attendant l'assimilation et la digestion du repas, ils réalisaient mille joyeux ensembles et figures de géométrie, et de même pratiquaient les règles de l'astronomie.

Après, ils s'amusaient à chanter avec accompagnement de musique à quatre ou cinq parties, ou avec des variations libres sur un thème.

Pour ce qui est des instruments de musique, il apprit à jouer du luth, de l'épinette, de la harpe, de la flûte traversière ou droite, de la viole et du trombone.

L'heure ainsi passée, la digestion achevée, il se purgeait des excréments naturels, puis se remettait à l'étude pendant trois heures ou plus, aussi bien pour répéter la leçon du matin que pour poursuivre le livre entamé ou écrire, tracer et former les anciennes lettres romaines.

Cela fait, ils sortaient du logis avec un jeune gentilhomme de Touraine, l'écuyer Gymnaste, qui lui apprenait l'art de l'équitation.

Après s'être changé, il montait sur un coursier, un roussin, un genet ou un cheval léger, et lui faisait faire cent tours de manège, le faisait pirouetter en l'air, franchir la rivière, sauter la barrière, tourner court en cercle, tant à droite qu'à gauche.

Et là, il ne rompait point de lance ; car c'est la plus grande absurdité du monde de dire : « J'ai rompu dix lances en tournoi ou en bataille » — un charpentier en ferait autant — mais c'est un exploit dont on peut se louer que de rompre d'une lance dix de ses ennemis. De sa lance, donc, bien acérée, vigoureuse et bien raide, il pouvait briser une porte, enfoncer une armure, renverser un arbre, enfiler les anneaux, arracher selle, aubert, gantelet. Et le tout armé de pied en cap.

Pour ce qui est de parader et faire des petits exercices de cheval, personne ne l'égalait. Le maître écuyer de Ferrare n'était qu'un pâle imitateur. En particulier,

Singulierement, estoyt aprins à saulter hastivement d'un cheval sus l'aultre sans prendre terre, — et nommoyt on ces chevaulx desultoyres, — et de chascun cousté, la lance on poing, monter sans estriviere, et sans bride guyder le cheval à son plaisir ; car telles choses servent à discipline militare.

Un aultre jour se exerceoyt à la hasche, laquelle tant bien coulloyt, tant vertement de tous pics reserroyt, tant soupplement avalloyt en taille ronde, qu'il feut passé chevalier d'armes en campaigne et en tous essays.

Puis bransloyt la picque, sacquoyt de l'espée à deux mains, de l'espée bastarde, de l'espagnole, de la dague et du poignart, armé, non armé, au boucler, à la cappe, à la rondelle.

Couroyt le cerf, le chevreuil, l'ours, le daim, le sanglier, le lievre, la perdrys, le faisant, l'otarde. Jouoyt à la grosse balle et la faisoyt bondir en l'air, autant du pied que du poing. Luctoyt, courroyt, saultoyt, non à troys pas un sault, non à clochepied, non au sault d'Alement, — car (disoyt Gymnaste) telz saulx sont inutiles et de nul bien en guerre, — mays d'un sault persoyt un foussé, volloit sus une haye, montoyt six pas encontre une muraille et rempoyt en ceste faczon à une fenestre de la haulteur d'une lance.

Nageoyt en parfonde eau, à l'endroict, à l'envers, de cousté, de tout le corps, des seulz pieds, une main en l'air, en laquelle tenant un livre, transpassoyt toute la riviere de Loyre à Montsoreau [1] sans le mouiller, et tyrant par les dens son manteau, comme faisoyt Jules Cesar. Puis d'une main entroyt par grande force en un basteau ; d'icelluy se gettoyt de rechief en l'eau, la teste la premiere, sondoyt le parfond, creuzoyt les rochiers et goufres de la fosse de Savigny. Puis ycelluy basteau il tournoyt, gouvernoyt, menoyt hastivement, lente-

1. Il traverse la Loire alors qu'il fait ses études à Paris, bévue corrigée à l'édition de 1542.

il avait appris à sauter rapidement d'un cheval sur un autre sans mettre pied à terre — on nomme ces chevaux des « voltigeurs » — et des deux côtés indifféremment, la lance au poing, à monter à cru et à conduire le cheval sans rêne à sa volonté ; car ces exercices sont utiles à la formation militaire.

D'autres jours, il s'exerçait à la hache ; il l'abattait si bien, il la tenait si vigoureusement pour les coups de pointe, il la faisait glisser si souplement pour tailler, qu'il aurait pu passer chevalier d'armes en campagne et dans tous les exercices.

Puis il maniait la pique, frappait de l'épée à deux mains, de l'épée longue, de l'espagnole, de la dague et du poignard, armé, non armé, s'aidant du bouclier, de la cape, du bouclier rond.

Il courait le cerf, le chevreuil, l'ours, le daim, le sanglier, le lièvre, la perdrix, le faisan, l'outarde. Il jouait au ballon en le faisant sauter du pied ou de la main. Il luttait, courait, sautait, non avec trois pas d'élan, ni à cloche-pied, ni en saut d'Allemand — car, disait Gymnaste, de tels sauts sont inutiles et ne servent à rien en guerre —, d'un bond il pouvait franchir un fossé, passer par-dessus une haie, monter en six pas le long d'une muraille et ainsi grimper jusqu'à une fenêtre à une lance au-dessus du sol.

Il nageait en eau profonde, sur le ventre, sur le dos, de côté, en nage complète ou avec les seuls battements de pieds ; brandissant à la main un livre, il traversait la Loire à Montsoreau sans le mouiller, en tenant son manteau entre les dents, comme le faisait Jules César. Puis, en se rétablissant d'une seule main, il montait dans un bateau ; il en replongeait, tête la première, et longeait le fond, explorant les rochers et les trous de la fosse de Savigny. Puis, revenu au bateau, il le faisait tourner, le pilotait, le menant vite ou lentement, au fil

ment, à fil d'eau, contre cours, le retenoyt en plene escluse, d'une main le guidoyt, de l'aultre s'escrymoyt avecq un grand aviron, tendoyt le vele, montoyt au matz par les traictz, couroyt sus les brancquars, adjustoyt la boussole, contreventoyt les boulines, bendoyt le gouvernail.

Issant de l'eau, roydement montoyt encontre la montaigne et devalloyt aussi franchement ; gravoyt es arbres comme un chat, saultoyt de l'une en l'aultre comme un escurieux, abastoyt les gros rameaux comme un aultre Milo. Avec deux poignars asserez et deux poinssons esprovez montoyt au hault d'une maison comme un rat, descendoit puys du hault en bas en telle composition des membres que de la cheute n'estoyt aulcunement grevé.

Jectoyt le dart, la barre, la pierre, la javeline, l'espieu, la halebarde, enfonceoyt l'arc, bandoyt es reins les fortes arbalestes de passe, visoyt de l'harquebouse à l'oeil, affeustoyt le canon, tyroit à la butte, au papagay, du bas en mont, d'amont en val, davant, de costé, et en arriere comme les Parthes.

L'on luy atachoyt un cable en quelque haulte tour, pendent en terre ; par icelluy avecques deux mains montoyt, puys devaloyt sy roidement et sy asseurement que plus ne pourriez parmy un pré bien eguallé.

L'on luy mettoyt une grosse perche apoyée à deux arbres ; à ycelle se pendoyt par les mains, et d'ycelles alloyt et venoyt sans des pieds à rien toucher, que à grande course on ne l'eust peu aconcepvoir.

Et, pour se exercer le thorax et poulmons, crioyt comme tous les diables. Je l'ouy une foys appellant Eudemon, depuis la porte de Bessé jusques à la fontaine de Narsay ; Stentor n'eut oncques telle voix à la bataille de Troye.

Et, pour gualantir les nerfs, l'on luy avoyt faict deux grosses saulmones de plomb, chascune du poys de huys mille sept cens quintaulx, lesquelles il nommoyt alteres. Icelles prenoyt de terre en chascune main et les elevoyt en l'air au dessus de la teste, et les tenoyt ainsy, sans

de l'eau ou à contre-courant, le retenant en plein chenal ; il le gouvernait d'une main et de l'autre s'escrimait sur un grand aviron, il hissait la voile en montant au mât par les haubans, courait sur les vergues, surveillait la boussole, bordait les écoutes, tout en tenant bien ferme le gouvernail.

En sortant de l'eau, il escaladait tout droit la montagne et la dévalait aussi directement ; il grimpait aux arbres comme un chat, sautait de l'un à l'autre comme un écureuil, abattait les grosses branches comme un autre Milon de Crotone. Muni de deux poignards acérés et de deux solides crampons, il montait au sommet d'une maison comme un rat et en descendait d'un bond si souplement qu'il ne se blessa jamais en tombant.

Il jetait le javelot, la poutre, la pierre, la javeline, l'épieu, la hallebarde ; il tendait l'arc, bandait les plus puissantes arbalètes, visait de l'arquebuse, ajustait le canon, tirait à la butte, au papegai, de bas en haut, de haut en bas, par-devant, de côté, et même par-derrière comme les Parthes.

On attachait une corde au sommet d'une tour, pendant par terre : il y montait à la force des bras, puis en dégringolait si rapidement et avec tant de sûreté que vous ne feriez pas mieux dans un pré bien nivelé.

On tendait une perche entre deux gros arbres : il s'y suspendait par les mains et s'y déplaçait si vite, sans que jamais ses pieds touchent terre, qu'on n'aurait pu le rattraper même en courant.

Et, pour s'exercer la cage thoracique et les poumons, il criait comme tous les diables. Je l'ai entendu une fois appeler Eudémon depuis la porte de Bessé jusqu'à la fontaine de Narsay : Stentor n'eut jamais voix si puissante au siège de Troie.

Et, pour fortifier ses muscles, on lui avait confectionné deux grosses masses de plomb, pesant chacune huit mille sept cents quintaux, qu'il appelait haltères. Il en soulevait une de chaque main et les élevait au-dessus de sa tête, les tenant ainsi, sans bouger, trois

soy remuer, troys quars d'heure et davantaige, qui estoyt une force inimitable.

Jouoyt aux barres avecques les plus fors ; et, quand le poinct advenoyt, se tenoit sus ses pieds tant roiddement qu'il se abandonnoyt es plus fors en cas qu'ilz le feissent mouvoir de sa placc, comme jadys faisoyt Milo, à l'imitation du quel aussy tenoyt une pomme de grenade en sa main et la donnoyt à qui luy pourroyt houster.

Le temps ainsi employé, luy frotté, nettoyé et refraischy d'habillemens, tout doulcement s'en retournoyt, et, passans par quelques prez ou aultres lieux herbuz, visitoient les arbres et plantes, les conferens avec les livres des anciens qui en ont escript, comme Theophraste, Dioscorides, Marinus, Pline, Nicander, Macer et Galen, et en emportoient leurs plenes mains au logis, desquelles avoyt la charge un jeune page, nommé Rhizotome, ensemble des marrochons, des pioches, cerfouettes, beches, tranches et aultres instrumens requis à bien arborizer.

Eulx arrivez au logis, ce pendent qu'on aprestoyt le soupper, repetoient quelques passaiges de ce qu'avoyt esté leu et s'asseoient à table.

Notez ycy que son disner estoyt sobre et frugal, car tant seulement mangeoyt pour refrener les haboys de l'estomach ; mays le souper estoyt copieux et large ; car tant en prenoyt que luy estoyt de besoing à soy entretenir et nourrir, ce que est la vraye diete prescripte par l'art de bone et sceure medicine, quoy q'un tas de badaulx medicins, herselez en l'officine des Arabes, conseilent le contraire.

Durant ycelluy repas estoyt continuée la leczon du disner tant que bon sembloyt ; le reste estoyt consommé en bons propous, tous letrez et utiles.

Apres graces rendues, se adonnoient à chanter musicalement, à jouer d'instrumens harmonieux, ou de ces petitz passetemps qu'on faict es chartes, es dez et goubeletz, et là demouroient, faisans grand chere et s'esbaudissans aulcunesfoys jusques à l'heure de dor-

quarts d'heure et plus, ce qui témoignait d'une force incomparable.

Il jouait aux barres avec les plus forts ; et, quand arrivait le choc, il restait debout si fermement qu'il se reconnaissait battu si seulement on le faisait bouger, comme faisait jadis Milon ; à son exemple aussi il tenait à la main une grenade qu'il donnait à celui qui pourrait la lui ôter.

Le temps ainsi passé, bien essuyé, lavé et vêtu d'habits frais, il s'en retournait doucement ; en passant par quelque prairie ou terrain herbeux, ils examinaient les arbres et les plantes, les comparant avec les descriptions des livres des anciens auteurs, comme Théophraste, Dioscoride, Marinus, Pline, Nicander, Macer et Galien, et en emportaient de pleines brassées au logis ; un jeune page, nommé Rhizotome, en avait la charge, en même temps que des houes, pioches, serpettes, bêches, sécateurs et autres instruments pour l'arboriculture.

Arrivés au logis, tandis qu'on apprêtait le souper, ils récitaient quelques passages de ce qui avait été lu, et ils s'asseyaient à table.

Remarquez que si son dîner était sobre et frugal, car il ne mangeait que pour calmer les gargouillis de son estomac, le souper était copieux et abondant ; il en prenait autant que de besoin pour se sustenter et se nourrir, ce qui est le vrai régime prescrit par la bonne et sûre médecine, quoiqu'un tas de sots médecins, rompus à l'école des Arabes, conseillent le contraire.

Pendant le repas, on continuait la leçon du dîner autant qu'il semblait bon ; le reste du temps se passait en bons propos érudits et utiles.

Après les grâces, ils se consacraient à chanter en musique, à jouer d'instruments harmonieux, ou bien à ces petits tours qu'on fait avec les cartes, dés, ou gobelets et ils demeuraient là à faire bonne chère et à s'amuser parfois jusqu'à l'heure du coucher ; quelquefois ils

mir ; quelque foys alloient visiter les compaignies des gens letrez, ou de gens que eussent veu pays estranges.

En pleine nuyct, davant que soy retyrer, alloient on lieu de leur logys le plus descouvert veoir la face du ciel, et là notoient les cometes, sy aulcunes estoient, les figures, situations, aspectz, oppositions et conjonctions des astres.

Puis avecques son precepteur recapituloyt briefvement, à la mode des Pithagoricques, tout ce qu'il avoyt leu, veu, sceu, faict et entendu on decours de toute la journée.

Si prioient Dieu le createur, en l'adorant et ratiffiant leur foy envers luy, et le glorifiant de sa bonté immense, et, luy rendant graces de tout le temps passé, se recommendoient à sa divine bonté pour tout l'advenir.

Ce faict, entroient en leur repous.

allaient rendre visite aux assemblées d'érudits ou de gens ayant parcouru les pays étrangers.

En pleine nuit, avant de se retirer, ils allaient sur la terrasse de la maison voir l'allure du ciel, et ils observaient les comètes, s'il y en avait, les figures, situations, aspects, oppositions et conjonctions des astres.

Puis Gargantua récapitulait rapidement avec son précepteur, à la façon des Pythagoriciens, tout ce qu'il avait lu, vu, appris, fait et entendu au cours de la journée.

Alors ils priaient Dieu le créateur, L'adorant et proclamant leur foi en Lui, Le glorifiant de Son immense bonté, et, Lui rendant grâce pour le temps passé, se recommandaient à Sa divine bonté pour l'avenir.

Cela fait, ils entraient en repos.

CHAPITRE XXII

Comment Gargantua emploioyt le temps quand l'air estoit pluvieux

S'il advenoyt que l'air feust pluvieux et intemperé, tout le temps d'avant disner estoyt employé comme de coustume, excepté qu'il faisoyt allumer un beau et clair feu pour corriger l'intemperie de l'air. Mays apres disner, en lieu des exercitations, ilz demouroient en la maison et estudioient en l'art de painctrie et sculpture, ou revocquoient en usaige l'anticque jeu des tales ainsy qu'en a escript Leonicus et comme y joue nostre bon amy Lascaris[1]. En y jouant recoloient les paissages des auteurs anciens ės quelz est faicte mention ou prinse quelque metaphore sus ycelluy jeu.

Ou alloient veoir comment on tiroyt les metaulx, ou comme on fondoyt l'artillerye ; ou alloient veoir les lapidaires, orfevres et tailleurs de pierreries, ou les alchimistes et monoyeurs, ou les haultelissiers, les tissotiers, les velotiers, les horologiers, miralliers, imprimeurs, organistes, tincturiers et aultres telles sortes d'ouvriers, et, par tout donnans le vin, aprenoient et consideroient l'industrie et invention des mestiers.

Alloient ouir les leczons publicques, les actes solennelz, les repetitions, les declamations, les playdoiez

1. Leonicus a écrit sur le jeu, en 1530 ; Lascaris a été le professeur de grec de Budé et aidé à la constitution de la Bibliothèque royale de Fontainebleau.

CHAPITRE XXII

Comment Gargantua passait sa journée quand le temps était pluvieux

S'il arrivait que le temps fût pluvieux et instable, la période d'avant dîner se passait comme d'habitude, sinon qu'il faisait allumer un beau grand feu pour adoucir la température. Mais après dîner, au lieu des exercices ils restaient à la maison et étudiaient la peinture et la sculpture, ou remettaient en honneur l'ancien jeu d'osselets tel que l'a décrit Leonicus et comme y joue notre bon ami Lascaris. En y jouant, ils rappelaient à leur mémoire les passages des auteurs anciens où il est fait mention ou bien construit quelque métaphore sur ce jeu.

Ou bien ils allaient voir comment on étire les métaux ou comment on fond l'artillerie ; ou ils allaient voir les joailliers, orfèvres et tailleurs de pierreries, ou bien les alchimistes et fondeurs de monnaie, ou les tapissiers, les tisserands, les fabricants de velours, les horlogers, miroitiers, imprimeurs, facteurs d'orgues, teinturiers et autres artisans, et, distribuant largement le vin, étudiaient et observaient l'habileté et l'ingéniosité des métiers.

Ils allaient écouter les conférences publiques, les séances solennelles, les répétitions, les déclamations, les

des gentilz advocatz, les concions des prescheurs evangelicques.

Passoyt par les salles et lieux ordonnez pour l'escrime, et là contre les maistres essayoit de tous bastons, et leurs monstroyt par evidence que autant, voyre plus, en sçavoyt que iceulx.

Et, au lieu de arborizer, visitoient les bouticques des drogueurs, herbiers et apothecaires, et soigneusement consideroyent les fruictz, racines, feueilles, semences, axunges peregrines, ensemble aussy comment on les adulteroyt.

Alloyt veoir les basteleurs, trejectaires et theriacleurs, et consideroyt leurs gestes, leurs ruses, leurs soubressaulx et beau parler, singulierement de ceulx de Chaunys en Picardie, car ilz sont de nature grands jaseurs et beaux bailleurs de ballivernes.

Eulx retournez pour soupper, mangeoient plus sobrement que es aultres jours et viandes plus desiccatives et extenuantes, affin que l'intemperie humide de l'air, communicquée au corps par necessayre confinité, feust par ce moien corrigée, et ne leurs feust incommode par ne soy estre exercitez come avoient de coustume.

Ainsy fut gouverné Gargantua, et continuoyt ce procès de jour en jour, en profitant comme entendez que peut fayre un jeune homme de bon sens en tel exercice ainsi continué, lequel, combien que semblast pour le commencement difficile, en la continuation tant doulx fut, legier et delectable, que mieulx ressembloyt un passetemps de roy que l'estude d'un escholier.

Toutesfoys Ponocrates, pour le sejourner de ceste vehemente intention des esperitz, advisoyt une foys le moys quelque jour bien clair et serain, on quel bougeoient au matin de la ville, et alloient ou à Gentilly, ou à Boloigne, ou à Montrouge, ou au pont Charanton, ou à Vanves, ou à Sainct Clou. Et là passoient toute la journée à fayre la plus grande chere dont ilz se povoient adviser, raillanz, gaudissans, beuvanz d'aultant, jouanz, chantans*, dansanz, se voytrans en quelque

plaidoyers des avocats distingués et les sermons des prédicateurs évangéliques.

En passant dans les salles d'armes, Gargantua s'exerçait contre les maîtres à toutes les armes, et leur montrait par la pratique qu'il en connaissait autant, sinon plus qu'eux.

Et, au lieu d'herboriser, ils visitaient les boutiques des droguistes, herboristes et apothicaires, et étudiaient attentivement les fruits, racines, feuilles, semences, onguents exotiques, et aussi la façon dont on les mélangeait.

Ils allaient voir aussi les bateleurs, jongleurs et charlatans, et ils étudiaient leurs gestes, leurs ruses, leurs contorsions et leur boniment, en particulier ceux de Chauny en Picardie, car ils sont par nature grands phraseurs et beaux débiteurs de balivernes.

De retour pour souper, ils mangeaient plus sobrement que les autres jours et des mets plus secs et maigres, afin que l'humidité de l'air, communiquée au corps par contiguïté nécessaire, fût ainsi corrigée, et qu'ils n'éprouvent aucune incommodité de ne pas s'être dépensés comme d'habitude.

C'est ainsi que fut élevé Gargantua ; il continua ainsi jour après jour, en profitant autant qu'on peut supposer que le peut un jeune homme bien doué et formé dans une telle discipline assidûment pratiquée ; apparemment difficile au début, elle se révéla par la suite si douce, légère et plaisante qu'on eût plutôt dit un divertissement de roi que l'apprentissage d'un étudiant.

Toutefois Ponocrates, pour le distraire de cette tension mentale, choisissait une fois par mois une journée bien claire et douce pour quitter la ville le matin et aller à Gentilly ou à Boulogne, Montrouge, Charenton, à Vanves ou à Saint-Cloud. Et là ils passaient toute la journée à faire la meilleure chère qu'ils puissent imaginer, à rire, à s'amuser, à boire à qui mieux mieux, à jouer, chanter, danser, à se rouler dans quelque belle prairie, à dénicher les oiseaux,

beau pré, denigeans des passereaulx, prenanz des cailles, peschans aux grenoilles et escrevisses.

Mais, encores que ycelle journée feust passée sans livres et lectures, poinct elle n'estoyt passée sans profit. Car en beau pré ilz recoloient par cueur quelques plaisans vers de l'*Agriculture* de Virgile, de Hesiode, du *Rustice* de Politian, descryvoient quelques plaisans epigrammes en latin, puys les mettoient par rondeaux et balades en langue Françoise[1].

En banquetant, du vin aisgué separoient l'eau, comme l'enseigne Cato, *De re rust.*, et Pline, avecques un goubelet de lyerre ; lavoient le vin en plain bassin d'eau, puys le retiroient avec un embut, faisoient aller l'eau d'un verre en aultre[2] ; bastissoient plusieurs petitz engins automates, c'est à dyre, soy movens eulx mesmes.

1. La composition en diverses langues et les exercices de traduction rentrent pleinement dans une pratique bilingue et dans l'« illustration » de la langue française.

2. Expérience de séparation du vin et de l'eau, certifiée possible par la vertu du lierre, mais non vérifiée depuis Pline.

à prendre des cailles ou à pêcher grenouilles et écrevisses.

Mais, encore qu'une telle journée se passât sans livres ni lectures, elle ne se passait pas sans profit. Car, au milieu d'une belle prairie, ils récitaient par cœur quelques beaux vers des *Géorgiques* de Virgile, de Hésiode, du *Rustique* de Politien, ou composaient quelques plaisantes épigrammes en latin qu'ils traduisaient en français sous forme de rondeaux et ballades.

En banquetant, ils séparaient l'eau du vin coupé, comme l'enseignent Caton, *De l'agriculture*, et Pline, avec un entonnoir de lierre ; ils diluaient le vin dans une bassine pleine d'eau, puis le retiraient avec un entonnoir, versaient l'eau d'un verre dans l'autre ; et ils construisaient plusieurs petits automates, c'est-à-dire des engins qui se meuvent tout seuls.

CHAPITRE XXIII[1]

Comment feut meu entre les fouaciers de Lerné et ceulx du pays de Gargantua le grand debat dont furent faictes grosses guerres

En cestuy temps, qui feut la saison de vendanges, on commencement de Automne, les bergiers de la contrée estoient à guarder les vignes et empescher que les estourneaux ne mangeassent les raisins.

En quel temps les fouaciers de Lerné passoient le grand quarroy, menans dix ou douze charges de fouaces à la ville.

Lesdictz bergiers les requirent courtoisement leurs en bailler pour leur argent, au pris du marché. Car notez que c'est viande celeste manger à desjeuner des raisins avecq la fouace[2] fraiche, mesmement des pineaulx, des fiers, des muscadeaux, de la bicane, et des foyrars pour ceulx qui sont constipez de ventre ; car ilz les font dasler long comme un vouge, et souvent, cuydans peter, ilz se conchient, dont sont nommez les cuidez de vendanges.

A leur requeste ne feurent aulcunement enclinez les fouaciers, mais (que pys est) les oultragerent grande-

1. Entrée de la seconde partie du roman : la « guerre picrocholine ; la géographie se restreint au pays chinonais, les noms de lieux authentiques dessinent un minuscule conflit, qu'il est de tradition de rattacher à un procès plaidé par le père de Rabelais contre un de

CHAPITRE XXIII

Comment se déclencha, entre les fouaciers de Lerné et les gens du pays de Gargantua la grande dispute dont on fit de grosses guerres

En ce temps-là — c'était la saison des vendanges, au début de l'automne —, les bergers de la contrée étaient à garder les vignes pour empêcher que les étourneaux ne mangent les raisins.

En même temps les fouaciers de Lerné passaient le grand carrefour, menant dix ou douze charges de fouaces à la ville.

Les bergers leur demandèrent bien poliment de leur en vendre contre bon argent, au prix du marché. Car notez que c'est repas céleste de manger pour déjeuner des raisins avec de la fouace fraîche, surtout des pineaux, des fers, des muscats, de la bicane, et des foirards, recommandés pour les constipés ; car ils en chient long comme le bras et souvent, pensant péter, se conchient, ce pourquoi on les appelle les panseurs de vendanges.

Les fouaciers ne voulurent pas accéder à leur requête ; qui pis est, ils les insultèrent d'abondance, les

ses voisins. Mais il est plus vraisemblable qu'il s'agit bien d'une satire de l'action de Charles Quint.

2. La fouace est une sorte de brioche, toujours fabriquée dans l'ouest de la France.

Voir *Au fil du texte*, p. XI.

ment, en les appellant Tropditeulx, Breschedens, Plaisans rousseaulx, Galliers, Riennevaulx, Rustres, Challans, Hapelopins, Trainnegeinnes, gentilz Floquetz, Copieux, Landores, Malotruz, Dendins, Baugears, Tezez, Gaubregeux, Gogueluz, Clacledens, Boyers d'etrons, Bergiers de merde, et aultres telz epithetes diffamatoyres, adjoustans que poinct à eulx n'apartenoit manger de ces belles fouaces, mais qu'ilz se debvoient contenter de gros pain ballé et de tourte.

Auquel oultraige un d'entr'eulx, nommé Frogier, bien honeste homme de sa personne et notable bacchelier, respondit doulcettement :

« Depuis quand avez vous prins les cornes qu'estez tant rogues devenuz ? Dea, vous nous en soulliez volentiers bailler, et maintenant y refussez ? Ce n'est pas faict de bons voisins, et ainsi ne vous faisons nous, quand vous venez icy achapter nostre beau froment, dont vous faictes vos gasteaux et fouaces. Encores par le marché vous eussions nous donné de nos raisins ; mais, par la mer Dé ! vous en pourriez repentir et aurez quelque jour affaire de nous. Lors nous ferons envers vous à la pareille, et vous en soubveigne ! »

Adoncq Marquet, grand bastonnier[1] de la confrarie des fouaciers, luy dist :

« Vrayement, tu es bien acresté à ce matin ; tu mengeas arsoir trop de mil. Vien czà, vien czà, je te donneray de ma fouace ! »

Lors Forgier en toute simplesse aprochea, tyrant un unzain de son baudrier, pensant que Marquet luy deust deposcher de ses fouaces ; mais il luy bailla de son fouet à travers les jambes si rudement que les nouz y apparoissoient. Puis voulut gaigner à la fuyte ; mais Forgier s'escrya au meurtre et à la force tant qu'il peut, ensemble luy getta un gros tribard qu'il portoit soubz

1. Porte-bannière d'une confrérie religieuse, mais ici le bâton est plus offensif que religieux.

traitant de vermine, brèchedents, plaisants rouquins, coquins, vauriens, bouseux, michetons, pique-assiette, traîneurs de sabre, minets mignons, singes, limaces, malotrus, nigauds, lourdauds, minables, bouffons prétentieux, crève-la-faim, bouviers d'étrons, bergers de merde, et autres épithètes diffamatoires ; ils ajoutèrent qu'ils n'étaient pas dignes de manger de ces belles fouaces, et qu'ils devaient se contenter de gros pain de son et de tourte.

À ces insultes, l'un des bergers, nommé Frogier, un homme bien honnête et connu pour être bon garçon, répondit bien doucement :

« Depuis quand les cornes vous ont-elles poussé, que vous soyez devenus si arrogants ? Pourtant d'habitude vous nous en donniez volontiers, et maintenant vous refusez ? Ce n'est pas agir en bons voisins, et ce n'est pas comme cela que nous vous traitons quand vous venez acheter notre bon froment dont vous faites vos gâteaux et vos fouaces. Et même nous vous aurions donné de nos raisins par-dessus le marché ; mais, par Dieu ! vous pourriez bien vous en repentir, et vous aurez bientôt affaire à nous. Nous vous rendrons la pareille, rappelez-vous ! »

Alors Marquet, grand bâtonnier de la confrérie des fouaciers, lui dit :

« Vraiment te voilà bien dressé sur tes ergots ce matin ; tu as mangé trop de mil hier soir. Viens donc, viens donc, je vais te donner de ma fouace ! »

Frogier s'approcha en toute bonne foi, en tirant quelques sous de sa bourse, croyant que Marquet devait lui déballer de ses fouaces ; mais celui-ci lui donna si violemment de son fouet dans les jambes que les nœuds y restèrent marqués. Puis il voulut s'enfuir ; mais Frogier se mit à crier au meurtre et à la force aussi fort qu'il put ; en même temps il lui jeta un gros bâton qu'il

son escelle, et le attainct par la joincture coronale de la teste, sus l'artere crotaphique, du cousté dextre, en sorte que Marquet tombit de dessus sa jument, mieulx semblant un homme mort que vif.

Ce pendent les mestaiers, qui là auprès challoient les noiz, accoururent avec leurs grandes gaules et fraperent sus ces fouaciers comme sus seigle verd. Les aultres bergiers et bergieres, ouyans le cry de Forgier, y vindrent avec leurs fondes et brassiers, et les suyverent à grands coups de pierres tant menuz qu'il sembloit que ce feust gresle. Finablement les aconpceurent et housterent de leurs fouaces environ quatre ou cinq douzaines ; toutesfoys ilz les payerent au pris acoustumé et leurs donnerent un cent de quecas et troys panerées de francs aubiers. Ce faict, les fouaciers ayderent à monter Marquet, qui estoit villainnement blessé, et s'en retournerent à Lerné sans poursuyvre le chemin de Parillé, menassans fort et ferme les boviers, bergiers et mestaiers de Seuillé et de Synays.

Ce faict, et bergiers et bergieres feirent chere lye avecques ces fouaces et beaulx raisins, et se rigollerent ensemble au son de la belle bouzine, se mocquans de ces beaux fouaciers glorieux, qui avoient trouvé male encontre par faulte de s'estre seignez de la bonne main au matin. Et avec gros raisins chenins estuverent les jambes de Forgier mignonnement, si bien qu'il feut tantost guery.

portait sous le bras, qui l'atteignit à la jointure de l'os frontal, en plein sur l'artère temporale, du côté droit, de sorte que Marquet tomba de son cheval, et qu'on l'eût dit plus mort que vif.

Cependant les métayers des environs, qui étaient à gauler les noix, accoururent avec leurs grandes perches et battirent les fouaciers comme du seigle vert. Les autres bergers et bergères, en entendant le cri de Frogier, arrivèrent avec leurs frondes et leurs lance-pierres, et les poursuivirent à grands coups de pierres qui tombaient si dru qu'on eût dit de la grêle. Finalement ils les rattrapèrent et leur prirent environ quatre ou cinq douzaines de leurs fouaces ; toutefois ils les payèrent au prix habituel et leur donnèrent un cent de noix et trois panerées de bons raisins blancs. Là-dessus, les fouaciers aidèrent à remettre en selle Marquet, qui était vilainement blessé, et s'en retournèrent à Lerné sans poursuivre sur le chemin de Parillé, menaçant haut et fort les bouviers, les bergers et les métayers de Seuillé et de Cinais.

Sur ce, bergers et bergères firent bonne chère avec ces fouaces et ces beaux raisins, et se divertirent au son du biniou, en se moquant de ces prétentieux de fouaciers, qui étaient tombés sur un os faute de s'être signés de la bonne main le matin. Et avec de gros raisins chenins ils lavèrent les jambes de Frogier si délicatement qu'il fut bientôt guéri.

CHAPITRE XXIV

Comment les habitans de Lerné, par le commendement de Picrochole, leur roy, assaillerent au despourveu les bergiers de Gargantua

Les fouaciers retournez à Lerné, soubdain, davant boyre ny manger, se transporterent au Capitoly [1], et là, davant leur roy nommé Picrochole [2], tiers de ce nom, proposerent leur complaincte, monstrans leurs paniers rompuz, leurs robbes dessirées, leurs fouaces destroussées, et singulierement Marquet blessé enormement, disans le tout avoir esté faict par les bergiers et mestaiers de Grandgousier, auprès du grand carroy par delà Seuillé.

Lequel incontinent entra en courroux furieux, et sans plus oultre se interroguer quoy ne comment, feist cryer par son pays ban et arriere ban [3], et que un chascun, sur peine de la hart, convint en armes en la grand place devant le chasteau, à heure de midy.

1. Dans le Sud-Ouest, le *capitoli* est le lieu ou siègent les Capitouls, assemblée municipale, sorte de « chapitre » laïque, d'où leur nom. Bien sûr, utilisé pour désigner le lieu de résidence d'un roi, il fait allusion au Capitole de Rome, emplacement du temple de Jupiter où montent les triomphateurs.

2. Picrochole, dont le nom désigne la « bile amère », est le prototype du tempérament coléreux et irréfléchi. C'est un roi moderne en son genre : il a les mêmes prétentions que l'empereur, une monarchie universelle. Il a tous les défauts des tyrans dénoncés par les humanistes (voir *Le Prince* de Machiavel) : emporté par ses passions

CHAPITRE XXIV

Comment les habitants de Lerné, sur l'ordre de leur roi Picrochole assaillirent à l'improviste les bergers de Gargantua

De retour à Lerné, les fouaciers, avant même de boire et de manger, se rendirent aussitôt au Capitole et là, devant leur roi nommé Picrochole, troisième du nom, ils exposèrent leurs doléances, montrant leurs paniers brisés, leurs habits déchirés, leurs fouaces pillées, et surtout Marquet blessé grièvement, en disant que tout cela avait été fait par les bergers et métayers de Grandgousier, auprès du grand carrefour par-delà Seuillé.

Picrochole aussitôt entra en un furieux courroux, et sans plus s'enquérir du quoi ni du comment, fit proclamer par tout son pays le ban et l'arrière-ban ; tout le monde, sous peine de la potence, devait se réunir en armes sur la grande place devant le château à l'heure de midi.

personnelles, l'esprit de conquête, l'irréalisme et la brutalité qui lui sert d'unique moyen de régner, dévoyé par ses conseillers flatteurs qu'il paie d'avance.

3. Processus normal de mobilisation par proclamation : en l'absence d'armée nationale, celle-ci est constituée de l'addition des troupes des seigneurs locaux, convoqués selon des priorités en ban (armée) et arrière-ban, derrière les « bannières », enseignes des commandants. Les mercenaires, derrière des condottieri, sont les seules troupes entraînées quasi permanentes.

Pour mieux confermer son entreprinse, envoya sonner le tabourin à l'entour de la ville. Luy mesmes, ce pendent qu'on aprestoit son disner, alla faire affuster son artillerie, et desploier son enseigne et oriflant [1], et charger force munitions, tant de harnoys d'armes que de gueulles.

En disnant bailla les commissions [2], et feut par son esdict constitué le seigneur Grippeminaud sus l'avantgarde, en laquelle feurent contez seize mille hacquebutiers, vingt cinq mille avanturiers.

A l'artillerie feut commis le Grand Escuyer Toucquedillon, en laquelle feurent contées neuf cens quatorze grosses pieces de bronze, en canons, doubles canons, baselicz, serpentines, coulevrines, bombardes, foulcons, passevolans, spiroles et aultres pieces [3]. L'arriere guarde fut baillée au duc de Raquedenare. En la bataille se tint le roy et les princes de son royaulme.

Ainsi sommairement acoustrez, davant que se mettre en voye, envoyerent troys cens chevaulx legiers, soubz la conduicte du capitaine Engoulevent, pour descouvrir le pays et sçavoir s'il y avoit nulle embusche par la contrée. Mais avoir diligemment recherché, trouverent tout le pays à l'environ en paix et silence, sans assemblée quelconques.

Ce que entendent, Picrochole commenda q'un chascun marchast soubz son enseigne hastivement.

Adoncques sans ordre et mesure prindrent les champs les uns par my les aultres, guastans et dissipans tout par où ilz passoient, sans espargner ny pouvre, ny riche, ny lieu sacré, ny prophane ; emmenoient beufz, vaches,

1. Il y a bien deux bannières royales : celle personnelle du roi et celle du royaume. L'oriflamme, qu'on ne sort qu'en signe de guerre, est en France conservée à l'abbaye de Saint-Denis.

2. Les commissions sont les commandements militaires auxquels sont « commis » les chefs. L'organisation de l'armée en trois corps est normale : avant-garde mobile souvent de mercenaires, artillerie diversifiée, arrière-garde défensive. La « bataille » est constituée par les chevaliers lourdement armés, qui sont malgré la défaite de Pavie, l'honneur des armées françaises. Normalement les corps d'armée sont

Pour parfaire son entreprise, il fit battre tambour tout autour de la ville. Lui-même, pendant qu'on préparait son dîner, alla faire mettre son artillerie sur affût, déployer son enseigne et son oriflamme, et charger force munitions tant pour la bataille que pour la gueule.

En dînant il distribua les commandements. Par décret, le seigneur Grippeminaud fut placé à la tête de l'avant-garde, qui comptait seize mille arquebusiers et vingt-cinq mille chevau-légers.

L'artillerie fut confiée au Grand Ecuyer Toucquedillon ; on y comptait neuf cent quatorze grosses pièces de bronze, canons, doubles canons, basilics, serpentines, couleuvrines, bombardes, fauconneaux, passevolants, spiroles et autres pièces. L'arrière-garde fut donnée au duc de Raquedenier. Le corps de bataille était mené par le roi et les princes de son royaume.

S'étant sommairement équipés, avant de se mettre en route, ils envoyèrent trois cents chevau-légers sous la conduite du capitaine Engoulevent, pour repérer les lieux et voir s'il n'y avait pas quelque embuscade dans la région. Mais, après une recherche minutieuse, ils virent que le pays alentour était paisible et tranquille, sans le moindre rassemblement.

En l'apprenant, Picrochole ordonna que chacun se mît en marche en hâte sous son enseigne.

Alors, sans ordre ni mesure, ils battirent la campagne pêle-mêle, ruinant et pillant partout où ils passaient, n'épargnant pauvre ni riche, lieu sacré ni profane ; ils emportaient bœufs, vaches, taureaux, veaux, génisses,

conduits par les princes de la famille royale : les noms des principaux commandants de Picrochole disent leurs aptitudes au brigandage, sauf Toucquedillon (fanfaron ?) et Engoulevent (nom d'oiseau, mais aussi avale-vent).

3. L'artillerie est l'une des nouveautés les plus célébrées et les plus critiquées des temps modernes : généralement les humanistes opposent son invention à celle, contemporaine, de l'imprimerie civilisatrice. Voir le traitement réservé aux vaincus, pp. 390-391.

taureaux, veaulx, genisses, brebis, moutons, chevres et boucqs, poulles, chapons, poulletz, oyzons, jards, oyes, porcs, truyes, guorretz ; abastans les noix, vendangeans les vignes, emportans les seps, croullans tous les fruicts des arbres. C'estoit un desordre incomparable de ce qu'ilz faisoient. Et ne trouverent personne quelzconques leur resistast ; mais un chascun se mettoit à leur mercy, les suppliant estre traictez plus humainement, en consideration de ce qu'ilz avoient de tous temps estez bons et amiables voisins, et que jamais envers eulx ne commisrent excès ne oultraige pour ainsi soubdainement estre par iceulx mal vexez, et que Dieu les en puniroit de brief. Es quelles remonstrances rien plus ne respondoient, si non qu'ilz leurs vouloient aprendre à manger de la fouace.

brebis, moutons, chèvres et boucs, poules, chapons, poulets, oisons, jars, oies, porcs, truies, gorets ; ils gaulaient les noix, grappillaient les vignes, emportaient les ceps, abattaient tous les fruits des arbres. C'était un désordre comme on n'en avait jamais vu. Et ils ne trouvèrent personne qui leur résistât ; tous se livraient à leur merci, les suppliant d'être traités plus humainement, eu égard au fait qu'ils avaient été de tout temps de bons et aimables voisins, et qu'ils n'avaient jamais commis envers eux d'excès ou de dommage pour mériter d'être ainsi soudainement molestés ; et Dieu les en punirait bientôt. À toutes ces remontrances, ils ne répondaient rien sauf qu'ils voulaient leur apprendre à manger de la fouace.

CHAPITRE XXV

Comment un moyne de Seuillé saulva le cloz de l'abbaye du sac des ennemys

Tant feirent et tracasserent, en pillant et larronnant, qu'ilz arriverent à Seuillé, et detrousserent hommes et femmes, et prindrent ce qu'ilz peurent : rien ne leurs feut ny trop chaud ny trop pesant. Combien que la peste y feust par la plus grande part des maisons, ilz entroient par tout, et ravissoient tout ce qu'estoyt dedans, et jamais nul n'en print dangier. Qui est cas assez merveilleux : car les curez, vicaires, prescheurs, medicins, chirurgiens et apothecaires qui alloient visiter, penser, guerir, prescher et admonester les malades estoient tous mors de l'infection, et ces diables pilleurs et meurtriers oncques n'y prindrent mal [1]. Dont vient cela, Messieurs ? Pensez y, je vous pry.

Le bourg ainsi pillé, se transporterent en l'abbaye avecques horrible tumulte, mays la trouverent bien reserrée et fermée, dont l'armée principale marcha oultre vers le gué de Vede, exceptez sept enseignes de gens de pied et deux cens lances qui là resterent et rompirent les murailles du cloux affin de guaster toute la vendange.

1. Ce chapitre est ostensiblement imité des exploits héroïques de la chanson de geste, avec force archaïsmes de style pour accentuer cet effet. Mais buts, lieux et moyens sont transposés, ainsi que les

CHAPITRE XXV

Comment un moine de Seuillé sauva l'enclos de l'abbaye du saccage des ennemis

À force de courir partout en pillant et volant, ils arrivèrent à Seuillé, où ils détroussèrent hommes et femmes et prirent tout ce qu'ils purent : rien ne leur était trop chaud ou trop pesant. Bien que la peste ravageât presque toutes les maisons, ils entraient partout, volaient tout ce qu'il y avait ; pourtant jamais aucun n'en fut atteint. Ce qui est un cas bien étonnant : car les curés, vicaires, prêcheurs, médecins, chirurgiens et apothicaires qui allaient visiter, panser, guérir, prêcher et confesser les malades étaient tous morts de l'infection, et ces diables pillards et meurtriers n'en souffrirent aucun mal. D'où vient cela, Messieurs ? Pensez-y, je vous prie.

Le bourg ainsi pillé, ils se rendirent à l'abbaye dans un épouvantable désordre, mais ils la trouvèrent bien protégée et fermée ; aussi l'armée principale poursuivit vers le gué de Vède, laissant là sept enseignes de fantassins et deux cents lances, qui se mirent à démolir les murailles de l'enclos pour ravager les vignes.

interventions de la religion. Dieu est toujours avec ses héros, et les mauvais assaillants appartiennent au démoniaque : cela leur vaut l'immunité, la peste et la guerre sont deux fléaux associés.

Les pouvres diables de moynes ne sçavoient auquel de leurs saincts se vouer [1]. A toutes adventures feirent sonner *ad capitulum capitulantes*. Là feut decreté qu'ilz feroient une belle procession, renforcée de beaux prechans, et letanies *contra hostium insidias*, et beaux responds *pro pace*.

En l'abbaye estoyt pour lors un moyne claustrier, nommé Frere Jan des Entommeures [2], jeune, guallant, frisque, dehayt, bien à dextre, hardy, adventureux, deliberé, hault, maigre, bien fendu de geule, bien advantagé en nez, beau depescheur d'heures, beau debrideur de messes, pour tout dire, un vray moyne si oncques en feut depuys que le monde moyna [3].

Icelluy, entendent le bruyt que faisoyent les ennemys par le clous de leur vigne, sortit hors pour veoir ce qu'ilz faisoient. Et, advisant qu'il vendangoient leur clous, on quel estoyt leur boyte de tout l'an fondée, s'en retourne au cueur de l'eglise, où estoient les aultres moynes, tous estonnez comme fondeurs de cloches, lesquelz voyant chanter *Im, im, im, pe, e, e, e, e, e, tum, um, in, i, ni, i, mi, co, o, o, o, o, o, rum, um* [4] : « C'est (dist il) bien chien chanté ! Vertus Dieu, que ne chantez vous :

Adieu, paniers, vendanges sont faictez ?

» Je me donne au diable s'ils ne sont en nostre clous et tant bien couppent et seps et raisins qu'il n'y aura, par le corps Dieu ! de quatre années que halleboter dedans. Ventre sainct Jacques ! que boyrons nous cependent, nous aultres pauvres diables ? Seigneur Dieu, *da mihi potum* [5] ! »

1. Pauvres diables s'applique avec humour aux moines ; mais l'humour grince si on voit qu'ils se vouent à des quantités de systèmes de protection vains en termes de pratique défensive et superstitieux donc condamnables en termes de religion.

2. Jean des Entommeures = des Entameures = du hachis, ou de la chair à pâté.

3. Le personnage de Frère Jean n'est pas sans ambiguïté : certes, il vaut mieux que les autres et échappe à la superstition ; mais il a les défauts usuellement reprochés aux moines : ignorance, formalisme religieux, beuveries, plaisanteries d'un goût douteux, etc.

Les pauvres diables de moines ne savaient à quel saint se vouer. À tout hasard ils firent sonner le rappel des moines au chapitre. Là on décréta de faire une belle procession, renforcée de beaux sermons et de litanies *contre les assauts des ennemis,* et de beaux répons *pour la paix.*

Dans l'abbaye il y avait alors un moine cloîtré, nommé Frère Jean des Entommeures, jeune, vigoureux, gaillard, joyeux, bien adroit, hardi, entreprenant, décidé, grand, maigre, fort en gueule, le nez avantageux, beau débiteur de prières, bel expédieur de messes ; pour tout dire un vrai moine s'il en fut jamais depuis que le monde moina.

En entendant le vacarme que faisaient les ennemis dans l'enclos de vigne, il sortit pour voir ce qu'ils faisaient. En constatant qu'ils vendangeaient l'enclos dont dépendait leur boisson de toute l'année, il s'en retourne dans le chœur où étaient réunis les autres moines, tout ahuris comme fondeurs de cloches ; en les voyant chanter *Im, im, im, pe, e, e, e, e, e, tum, um, in, i, ni, mi, co, o, o, o, o, o, rum, um* : « C'est, dit-il, bien chié chanté ! Vertudieu, que ne chantez-vous :

Adieu paniers, vendanges sont faites ?

« Je me donne au diable s'ils ne sont dans notre enclos à si bien couper ceps et raisins qu'il n'y restera, cordieu ! rien à grappiller de quatre ans. Ventre saint Jacques ! que boirons-nous alors, nous autres pauvres diables ? Seigneur Dieu, *donne-moi à boire* ! »

Il aurait au moins l'aptitude à faire un laïc « bon compagnon ».

4. Découpage des syllabes du chant dû aux modulations du chant choral et à la peur, qui contraste avec le sens du texte : *Ne craignez pas l'assaut des ennemis.*

5. Les vignes dans l'abbaye n'ont rien de scandaleux en soi : elles sont à l'origine destinées à faire du vin de messe, sang du Christ (cf. jurons de Frère Jean). Il ne quitte pas la religion pour compléter le *Pater*, qui demande le pain quotidien, par la demande d'un *Vin quotidien* en quelque sorte. *Service divin/du vin* est une vieille plaisanterie éculée du milieu franciscain et d'autres.

Lors dist le prieur claustral :

« Que fera cest hyvroigne ycy ? Qu'on me le mene en prison. Troubler ainsi le service divin !

— Mays (dist le moine) le service du vin, faisons tant qu'il ne soyt troublé ; car vous mesmes, Monsieur le Prieur, aymez boyre du meilleur ; sy faict tout homme de bien. Jamays homme noble ne hayst le bon vin. Mays ces responds que chantez ycy ne sont, par Dieu ! pas de saison.

» Pourquoy sont nos heures en temps de moissons et vendanges courtes, et en l'advent et tout l'hyver tant longues ? Feu de bonne memoyre Frere Macé Pelosse, vray zelateur (ou je me donne au diable) de nostre religion, me dist, il m'en soubvient, que la raison estoyt affin qu'en ceste saison nous facions bien serrer et fayre le vin, et qu'en hyver nous le humons.

» Escoutez, Messieurs, vous aultres : qui ayme le vin — le cor Dieu, sy me suyve ! Car, hardiment, que sainct Antoine me arde sy ceulx tastent du pyot qui n'auront secouru la vigne ! Ventre Dieu, les biens de l'Eglise ! Ha, non, non ! Diable ! sainct Thomas l'Angloys voulut bien pour yceux mourir[1] : si je y mouroys, ne seroys je pas sainct de mesmes ? Je n'y mourray jà pourtant, car c'est moy qui le foys es aultres. »

Ce disant, mist bas son grand habit et se saisit du baston de la croix, qui estoyt de cueur de cormier, long comme une lance, rond à plain poing et quelque peu semé de fleurs de lys, toutes presque effacées.

Ainsi sortit en beau sayon, et mist son froc en escharpe. Et de son baston de la croix donna sy brusquement sus les ennemys, qui, sans ordre, ny enseigne, ny trompette, ny taborin, par my le clous vendangoient, — car les porteguydons et port'enseignes avoient mys leurs guidons et enseignes l'orée des meurs, les tabou-

1. Thomas Beckett, évêque de Cantorbéry, exécuté par le roi Henri II d'Angleterre pour s'être opposé à la mainmise du roi sur l'Église et ses biens. Usuellement cependant, parler des biens de

Alors le prieur dit :

« Que fait ici cet ivrogne ? Qu'on me le mène en prison. Troubler ainsi le service divin !

— Mais, dit le moine, le service du vin, faisons en sorte qu'il ne soit pas troublé ; car vous-même, Monsieur le Prieur, vous aimez en boire, et du meilleur, ce que fait tout homme de bien. Jamais honnête homme ne déteste bon vin. Mais ces répons que vous chantez ici ne sont, par Dieu ! pas de saison.

« Pourquoi nos prières, au temps de la moisson ou des vendanges, sont-elles si courtes, et si longues pendant l'avent et durant tout l'hiver ? Feu Frère Macé Pelosse, de pieuse mémoire, vrai zélateur (ou je me donne au diable) de notre religion, me dit un jour — je m'en souviens — que c'était pour qu'en cette saison nous puissions bien récolter et faire le vin, et qu'en hiver nous le buvions.

« Écoutez, vous autres, Messires : qui aime le vin, corps de Dieu, me suive ! Car, j'ose le dire, que le feu saint Antoine me brûle s'ils touchent un godet, ceux qui n'auront pas secouru la vigne ! Ventredieu, les biens de l'Église ! Ha, non, non ! Diable ! Saint Thomas d'Angleterre accepta de mourir pour eux : si j'y mourais, ne serais-je pas saint moi aussi ? Mais je n'y mourrai pas, car c'est moi qui vais tuer les autres. »

Sur ces paroles, il ôta sa grande robe et se saisit du bâton de la croix, qui était en cœur de sorbier, long comme une lance, tenant bien en main et parsemé de fleurs de lys, presque toutes effacées.

Et il sortit ainsi, vêtu de sa casaque, le froc accroché à sa ceinture. Et du bâton de la croix il donna si brusquement sur les ennemis, qui, sans ordre, ni enseigne, ni tambour ni trompette, grappillaient dans l'enclos — car les porte-drapeau et les porte-enseigne avaient posé leurs drapeaux et leurs enseignes le long

l'Église vise plutôt ses richesses terriennes et foncières que ses clos de vigne.

rineurs avoient defoncez leurs tabourins d'un cousté pour les emplir de rasins, les trompettes estoient chargez de moussines, chascun estoyt desrayé, — il chocqua doncques si roydement sus eulx, sans dyre guare, qu'il les renversoyt comme porcs, frapant à tors et à travers, à la vieille escrime.

Es uns escarbouilloyt la cervelle, es aultres rompoyt bras et jambes, es aultres deslochoyt les spondyles du coul, es aultres demoulloyt les reins, avalloyt le nez, poschoyt les yeulx, fendoyt les mandibules, enfonçoyt les dens en la gueule, descroulloyt les omoplates, sphaceloyt les greves, desgondoit les ischies, debezilloit les faucilles [1].

Si quelq'un se vouloyt cascher entre les seps plus espès, à icelluy freussoit toute l'areste du doux et l'esrenoit come un chien.

Si aulcun saulver se vouloyt en fuyant, à ycelluy faisoyt voler la teste en pieces par la commissure lambdoïde.

Sy quelq'un gravoyt en une arbre, pensant y estre en seureté, ycelluy de son baston empaloyt par le fondement.

Si quelq'un de sa vieille congnoissance luy crioyt : « Ha, Frere Jean, mon amy, Frere Jean, je me rend !

— Il t'est (disoyt il) bien force. Mays ensemble tu rendras l'ame à tous les diables ! » Et soubdain luy donnoit dronos.

Et, si persone tant feust esprins de temerité qu'il luy voulust resister en face, là monstroyt il la force de ses muscles. Car il leurs transperçoyt la poictrine par le mediastine et par le cueur. A d'aultres donnant suz la faulte des coustes, leurs subvertissoyt l'estomach, et mouroient soubdainement. Es aultres tant fierement frappoyt par le nombril qu'il leurs faisoyt sortir les tripes. Es aultres parmy les couillons persoyt le boiau

1. Exemplaires de vocabulaire médical restituant les sources grecques du lexique anatomique, et qui témoignent des savoirs spécialisés de Rabelais.

des murs, les tambourineurs avaient défoncé leurs tambours pour les emplir de raisin, les trompettes étaient chargés de ceps, chacun de son côté —, il les chargea donc si rudement, sans crier gare, qu'il les renversait comme des porcs, frappant à tort et à travers, selon l'ancienne escrime.

Aux uns il écrabouillait la cervelle, aux autres il rompait bras et jambes, à d'autres il démettait les vertèbres du cou, à d'autres il disloquait les reins, ravalait le nez, pochait les yeux, fendait les mâchoires, renfonçait les dents dans la gueule, défonçait les omoplates, brisait les jambes, déboîtait les hanches, émiettait les tibias.

Si quelqu'un voulait se cachait au plus épais des ceps, il lui froissait toute l'épine dorsale et l'éreintait comme un chien.

Si un autre voulait se sauver en fuyant, il lui réduisait la tête en miettes à travers la suture lambdoïde.

Si quelque autre grimpait dans un arbre, pensant y être en sûreté, de son bâton il l'empalait par le fondement.

Si quelqu'un de ses connaissances lui criait : « Ha, Frère Jean, mon ami, Frère Jean, je me rends !

— Tu y es, disait-il, bien forcé. Mais tu vas aussi rendre ton âme à tous les diables ! » Et d'un coup il l'étendait.

Et s'il y en avait d'assez téméraires pour lui résister en face, il démontrait là la force de ses muscles. Il leur transperçait la poitrine par le thorax et le cœur. À d'autres, en les frappant au bas des côtes, il retournait l'estomac, ce dont ils mouraient aussitôt. D'autres, il les frappait si férocement au nombril qu'il leur faisait sortir les tripes. À d'autres, à travers les couilles il perçait le boyau culier. Croyez bien que

cullier. Croiez que c'estoyt le plus horrible spectacle qu'on veit oncques.

Les uns cryoient : Saincte Barbe !
les aultres : Sainct Georges !
les aultres : Saincte Nytouche !
les aultres : Nostre Dame de Cunault ! de Laurette ! de Bonnes Nouvelles ! de la Lenou ! de Riviere !
les uns se vouoyent à sainct Jacques ;
les aultres au sainct Suaire de Chambery[1] — mays il brusla troys moys apres, si bien qu'on n'en peut salver un seul brin ;
les aultres à Cadouyn ;
les aultres à sainct Jean d'Angely ;
les aultres à sainct Eutrope de Xainctes, à sainct Mesmes de Chinon, à sainct Martin de Candes, à sainct Clouaud de Sinays, es reliques de Javrezay et mille aultres bons petitz sainctz.

Les uns mouroient sans parler, les aultres cryoient à haulte voix : « Confession ! Confession ! *Confiteor ! Miserere ! In manus !* »

Tant fut grand le crys des navrez que le prieur de l'abbaye avecques tous ses moines sortirent, lesquelz, quand apperceurent ces pauvres gens ainsi ruez par my la vigne et blessez à mort, en confesserent quelques uns. Mays, ce pendent que les prestres se amusoient à confesser, les petitz moinetons coururent au lieu où estoyt Frere Jean, luy demanderent en quoy il vouloyt qu'ilz luy aydassent. A quoy respondit qu'ilz esguorgetassent ceulx qui estoient portez par terre. Adoncques, laissans leurs grandes cappes sus une treille au plus près, commencerent d'esguorgeter et achever ceulx qu'il avoyt desjà meurtryz. Sçavez vous de quelz ferremens ? A beaux gouetz, qui sont petitz demy cousteaux dont les petitz enfans de nostre pays cernent les noix.

1. Encore une liste de saints divers ; parmi eux de belles et bonnes dévotions locales dont la mise en série souligne les aspects superstitieux : listes de « Notre-Dame » spécifiques alors qu'il n'y a qu'une

c'était le plus horrible spectacle qu'on ait jamais vu.

Les uns criaient : Sainte Barbe !
d'autres : Saint Georges !
d'autres : Sainte Nitouche !
d'autres : Notre-Dame de Cunault ! de Lorette ! de Bonnes Nouvelles ! de la Lenou ! de Rivière !
Les uns se vouaient à saint Jacques ;
d'autres au saint Suaire de Chambéry — mais il brûla trois mois plus tard, si bien qu'on n'en put sauver un seul brin ;
d'autres à Cadouin ;
d'autres à saint Jean d'Angély ;
les autres à saint Eutrope de Saintes, à saint Mesme de Chinon, à saint Martin de Candes, à saint Cloud de Cinay, aux reliques de Javarsay, et mille autres bons petits saints.

Les uns mouraient sans confession, les autres criaient à pleine voix : « Confession ! Confession ! *J'avoue mes péchés ! Miséricorde ! Je me remets en tes mains, Seigneur !* »

Si forts étaient les cris des blessés que le prieur de l'abbaye sortit avec tous ses moines ; lorsqu'ils aperçurent tous ces pauvres gens renversés au milieu de la vigne et blessés à mort, ils en confessèrent quelques-uns. Mais pendant que les prêtres s'amusaient à confesser, les petits moinillons coururent là où était Frère Jean et lui demandèrent en quoi il voulait qu'on l'aide. Il répondit d'égorger ceux qui étaient restés par terre. Aussi, laissant leur grande cape sur une treille à proximité, ils commencèrent à égorger et à achever ceux qu'il avait déjà blessés. Savez-vous comment ? Avec de beaux canifs, c'est-à-dire des petits couteaux dont les petits enfants de notre pays décortiquent les noix.

seule Vierge Marie, deux saints suaires (Cadouin s'enorgueillissant toujours d'un Suaire). Le suaire de Chambéry, qu'il croit disparu dans l'incendie de 1532, a été en fait transporté à Turin.

Puys à tout son baston de croix guaingna la breche qu'avoient faict les ennemys. Aulcuns des moinetons emporterent les enseignes et guydons en leurs chambres pour en faire des jartiers. Mays, quand ceulx qui s'estoient confessez vouleurent sortir par ycelle bresche, le moyne les assommoyt de coups, disant :

« Ceulx cy sont confès et repentans, et ont guaigné les pardons : ilz s'en vont en Paradis, aussy droict comme une faucille et comme est le chemin de Faye[1] ! »

Ainsi, par sa prouesse, feurent desconfiz tous ceulx de l'armée qui estoient entrez dans le clous, jusques au nombre de treze mille six cens vingt et deux.

Jamays Maugis[2], hermite, ne se porta sy vaillamment à tout son bourdon contre les Sarrasins, des quelz est escript es gestes des quatre filz Haymon, comme feist le moyne à l'encontre des ennemys avecq le baston de la croix.

1. Faye, village du Chinonais, à prononcer *Fé*, comme foi. Le chemin de la foi mène au paradis, on l'espère tout droit ; les faucilles et le chemin de Faye sont moins assurés.

2. Renvoi aux sources des romans médiévaux : Maugis est le cousin des quatre fils du comte Aymon, en révolte contre Charlemagne et puis en croisade. *Les quatre fils Aymon* sont un des livrets de colportage les plus connus.

Puis, muni de son bâton de croix, il gagna la brèche qu'avaient faite les ennemis. Quelques moinillons emportèrent les enseignes et drapeaux dans leur chambre pour en faire des jarretières. Mais quand ceux qui s'étaient confessés voulurent sortir par cette brèche, le moine les assommait de coups en disant :

« Ceux-ci sont confessés et repentants, ils ont gagné leur pardon : ils s'en vont au Paradis, aussi droit qu'une faucille et que le chemin de Foix. »

Ainsi, par ses exploits, furent déconfits tous ceux de l'armée qui étaient entrés dans l'enclos, au nombre de treize mille six cent vingt-deux.

Jamais l'ermite Maugis, avec son bourdon, ne se porta si vaillamment contre les Sarrasins, dont on raconte l'histoire dans la chanson des quatre fils Aymon, que le moine face aux ennemis avec le bâton de la croix.

CHAPITRE XXVI

Comment Picrochole print d'assault La Roche Clermaud, et le regret et difficulté que feist Grandgousier de entreprendre guerre

Ce pendent que le moyne s'escarmouscha comme avons dict contre ceulx qui avoient entré le clous, Picrochole à grande hastiveté passa le gué de Vede avecques ses gens, et assaillit La Roche Clermaud, on quel lieu ne luy feut faicte resistance queconques, et, par ce qu'il estoyt jà nuyct, delibera en ycelle ville se heberger soy et ses gens, et refraschir de sa cholere pungitive.

Au matin, print d'assault les boullevars et chasteau, et le rempara tresbien, et le proveut de munitions requises, pensant là fayre sa retraicte si d'ailleurs estoyt assailly. Car le lieu estoyt fort et par art et par nature à cause de la situation et assiete.

Or laissons les là et retournons à nostre bon Gargantua, qui est à Paris, bien instant à l'estude de bonnes letres et exercitations athleticques, et le vieulx bon homme Grandgousier, son pere, qui apres souper se chauffe les couiles à un beau, clair et grand feu, et, attendent graisler des chastaignes, escript on foyer avecq un baston buslé d'un bout dont on escharbotte le feu, faisant à sa femme et famille de beaux contes du temps jadys.

Un des bergiers qui guardoient les vignes, nommé Pillot, se transporta devers luy en ycelle heure et raconta entierement les excès et pillaiges que faisoyt Picrochole, roy de Lerné, en ses terres et dommaines, et comment

CHAPITRE XXVI

Comment Picrochole prit d'assaut La Roche-Clermault et le regret et la peine qu'éprouva Grandgousier à entreprendre la guerre

Pendant que le moine s'escrimait, comme nous l'avons dit, contre ceux qui avaient pénétré dans l'enclos, Picrochole passa en grande hâte le gué de Vède avec ses gens, et assaillit La Roche-Clermault, où il ne rencontra aucune forme de résistance ; comme il était déjà nuit, il décida de faire halte avec ses gens dans la ville, et de s'y remettre de la colère qui l'aiguillonnait.

Au matin, il prit d'assaut les courtines et le château ; il le fortifia solidement et le remplit des provisions nécessaires, dans l'idée de s'y retrancher s'il était par ailleurs assailli. Car l'endroit était bien défendu, tant par l'art des ingénieurs que par la nature de sa position et de son site.

Mais laissons-les là et revenons à notre bon Gargantua, qui est à Paris, appliqué à l'étude des bonnes lettres et des exercices physiques ; et au vieux bonhomme Grandgousier son père, qui après souper se chauffe les couilles à un grand beau feu bien clair, et, en écoutant griller des châtaignes, écrit sur le foyer avec un de ces bâtons brûlés à un bout dont on tisonne le feu, tout en contant à sa femme et à ses gens de belles histoires du temps jadis.

Un des bergers qui gardaient les vignes, nommé Pillot, se rendit ce soir-là près de lui ; il lui raconta par le menu les excès et pillages que commettait Picrochole, roi de Lerné, dans ses terres et domaines, et la façon

il avoyt pillé, guasté, sacagé tout le pays, excepté le clous de Seuillé que Frere Jean des Entommeures avoyt saulvé à son honneur, et de present estoyt ledit roy en La Roche Clermaud, où à grande instance se remparoyt, luy et ses gens.

« Holos ! holos ! (dist Grandgousier), qu'est cecy, bonnes gens ? Songé je, ou si vray est ce qu'on me dict ? Picrochole, mon amy ancien de tout temps, de toute race et alliance, me vient il assaillir ? Qui le meut ? Qui le poinct ? Qui le conduict ? Qui l'a ainsi conseillé ? Ho ! ho ! ho ! ho ! ho ! Mon Dieu, mon Saulveur, ayde moy, inspire moy, conseille moy à ce qu'est de faire ! Je proteste, je jure davant toy, — ainsy me soys tu favorable ! — sy jamays à luy desplaisir, ne à ses gens dommage, ne en ses terres je feys pillerie ; mais, bien au contrayre, je l'ay secouru de gens, d'argent, de faveur et de conseil, en tous cas que ay peu congnoistre son adventaige. Qu'il me ayt doncques en ce poinct oultragé, ce ne peut estre que par l'esprit maling. Bon Dieu, tu cognoys mon couraige, car à toy rien ne peut estre celé. Si par cas il estoyt devenu furieux et que, pour luy rehabilliter son cerveau, tu me l'eusse ycy envoyé, donne moy et povoir et sçavoir le rendre au jouc de ton sainct vouloir par bonne discipline.

» Ho ! ho ! ho ! Mes bonnes gens, mes amys et mes feaulx serviteurs, fauldra il que je vous empesche à me y ayder ? La ! ma viellesse ne requeroyt dorenavant que repous, et toute ma vye n'ay rien tant procuré que paix. Mais il fault, je le voy bien, que maintenant de harnoys je charge mes pauvres espaules lasses et foibles, et en ma main tremblante je preigne la lance et la masse pour secourir et guarantir mes pauvres subjectz. La raison le veult ainsi, car de leur labeur je suys entretenu et de leur sueur je suys nourry, moy, mes enfans et ma famille [1].

1. *Famille* désigne comme en latin l'ensemble des enfants, parents et serviteurs, voire des clients. Rabelais souligne le pacte féodal qui lie suzerains et peuple et l'importance du peuple.

dont il avait pillé, ruiné et saccagé tout le pays, sauf l'enclos de Seuillé que Frère Jean des Entommeures avait préservé, à son honneur ; pour l'heure ledit roi était à La Roche-Clermault, où il se fortifiait activement, lui et ses gens.

« Hélas ! hélas ! dit Grandgousier, qu'est-ce donc, bonnes gens ? Est-ce que je rêve ou ce qu'on me dit est-il vrai ? Picrochole, mon ami, à qui je suis lié depuis toujours par le sang et la parenté, me vient-il donc assaillir ? Qu'est-ce qui le pousse ? Qu'est-ce qui le presse ? Qu'est-ce qui le conduit ? Qui l'a ainsi conseillé ? Ho ! ho ! ho ! ho ! ho ! Mon Dieu, mon Sauveur, aide-moi, inspire-moi, conseille-moi sur ce qu'il faut faire ! J'affirme, je jure devant Toi — puisses-Tu m'être favorable ! — que jamais je ne lui ai causé de désagrément, ni de dommages à ses gens, ni n'ai pillé ses terres ; au contraire je l'ai secouru de mes gens, de mon argent, de mon influence et de mes conseils, chaque fois que j'ai pu y voir son bien. Qu'il m'ait donc offensé à ce point ne peut être que le fait de l'esprit malin. Mon Dieu, Tu connais mon cœur, car à Toi on ne peut rien cacher. Si par hasard il était devenu fou et que Tu me l'aies envoyé pour lui remettre le cerveau d'aplomb, donne-moi le pouvoir et la sagesse de le ramener au joug de ta sainte volonté en lui imposant une discipline salutaire.

« Ho ! ho ! ho ! Mes bonnes gens, mes amis et fidèles serviteurs, faudra-t-il que je vous importune pour m'y aider ? Hélas ! Mon grand âge ne demandait désormais que repos, et toute ma vie je n'ai recherché que la paix. Mais il faut, je le vois bien, charger de l'armure mes pauvres épaules lasses et faibles, et prendre dans ma main tremblante la lance et la masse d'armes pour secourir et protéger mes pauvres sujets. La raison le veut, car c'est par leur travail que je suis entretenu et par leur sueur que je suis nourri, moi, mes enfants et ma famille.

» Ce non obstant, je n'entreprandray poinct guerre que je n'aye essayé tous les ars et moyens de paix : là je me resolus. »

Adoncques feist convocquer son conseil et propousa l'affayre tel comme il estoyt, et feut conclut qu'on envoyroyt quelque homme prudent devers Picrochole sçavoir pourquoy ainsi soubdainement il estoyt party de son repous et envahy les terres es quelles n'avoyt droict quiconques. Davantaige qu'on envoyast querir Gargantua et ses gens, affin de maintenir le pays et defendre à ce besoing. Le tout pleut à Grandgousier, et commenda que ainsi feust faict.

Dont sus l'heure envoya le Basque, son laquays, querir à toute diligence Gargantua, et luy escryvit comme s'ensuyt :

« Cependant, je n'entreprendrai point la guerre sans avoir exploré toutes les voies et moyens de la paix ; c'est à cela que je me résous. »

Il fit donc convoquer son conseil et lui exposa comment l'affaire se présentait ; on conclut qu'on enverrait un homme avisé auprès de Picrochole pour savoir pourquoi il avait aussi brusquement perdu son calme et envahi des terres auxquelles il n'avait aucun droit. Et surtout qu'on enverrait chercher Gargantua et ses gens, afin de protéger et défendre le pays en cette nécessité. Tout cela convint à Grandgousier, qui ordonna qu'on fît ainsi.

Aussi, il envoya sur l'heure le Basque, son laquais, chercher en toute hâte Gargantua, et lui écrivit ce qui suit :

CHAPITRE XXVII

Le teneur des letres que Grandgousier escryvoyt à Gargantua

« La ferveur de tes estudes requeroyt que de long temps ne te revocasse de cestuy philosophicque repous, sy la confiance de nos amys et anciens confederez n'eust de present frustré la seureté de ma viellesse. Mays, puis que telle est ceste fatale destinée que par yceulx soye inquieté, es quelz plus je me repousoye, force me est te rappeller au subside des gens et biens qui te sont par droict naturel affiez.

» Car, ainsi comme debiles sont les armes au dehors si le conseil n'est en la maison, aussi vaine est l'estude et le conseil inutile qui en temps oportun par vertus n'est executé et à son effect reduict.

» Ma deliberation n'est poinct de provocquer, mays de apayser ; d'assaillir, mais defendre ; de conquester, mays de guarder mes feaulx subjectz et terres hereditaires [1], es quelles est hostilement entré Picrochole sans cause ny occasion, et de jour en jour porsuyt sa furieuse entreprinse avecques excès non tolerables à persones liberes.

» Je me suis en debvoir mys pour moderer sa cholere tyrannicque, luy offrent tout ce que je pensoys luy

1. Exemple de bonne conduite royale : paix, négociation ; mais aussi affirmations doctrinales et politiques explicites, liées aux précautions pratiques défensives.

CHAPITRE XXVII

La teneur de la lettre que Grandgousier écrivit à Gargantua

« La ferveur de tes études aurait voulu que je ne t'arrache pas de sitôt à ta quiétude philosophique, si la confiance mise en nos amis et anciens alliés n'avait aujourd'hui trompé la sécurité de ma vieillesse. Mais puisque telle est la fatale destinée que je sois inquiété par ceux-là même sur lesquels je me reposais le plus, force m'est de t'appeler au secours des gens et biens qui te sont confiés par droit naturel.

« Car, de même que les armes brandies sont sans effet s'il n'y a pas saine réflexion à l'intérieur, ainsi sont vaine la recherche et inutile la réflexion qui ne sont pas suivies en temps utile d'une exécution résolue et conduite à bien.

« Mon intention n'est pas de provoquer, mais d'apaiser ; pas d'assaillir, mais de défendre ; pas de conquérir, mais de préserver mes fidèles sujets et mes terres patrimoniales, que Picrochole a envahies sans cause ni raison et où, jour après jour, il poursuit sa folle entreprise au milieu d'excès qu'aucune personne bien née ne peut tolérer.

« J'ai tout fait pour modérer sa colère tyrannique en lui offrant tout ce que je pensais pouvoir le satis-

povoir estre en contentement, et par plusieurs foys ay envoyé amiablement devers luy pour entendre en quoy, par qui et comment il se sentoyt oultragé ; mays de luy n'ay eu responce que de voluntaire deffiance et que en mes terres pretendoyt seulement droict de bienseance. Dont j'ay congneu que Dieu eternel l'a laissé au gouvernail de son franc arbitre et propre sens, qui ne peut estre que meschant sy par grace divine n'est continuellement guydé, et, pour le contenir en office et reduyre à congnoissance, me l'a ycy envoyé à molestes enseignes [1].

» Pourtant, mon filz bien amé, le plus toust que fayre pouras, ces letres veues, retourne à diligence secourir, non tant moy (ce que toutesfoys par pitié naturellement tu doibs) que les tiens, lesquelz par raison tu peuz saulver et guarder [2]. L'exploict sera faict à moindre effusion de sang que sera possible ; et, si possible est, par engins plus expediens, cauteles et ruzes de guerre, nous saulverons toutes les ames et les envoyerons joyeux à leurs domiciles.

» Tres chier filz, la paix dc Christ, nostre redempteur, soyt avecques toy.

» Salue Ponocrates, Gymnaste et Eudemon de par moy.

» Du vingtiesme de Septembre.

» Ton pere,

Grandgouzier. »

1. Analyse de la conduite humaine en termes évangéliques : le libre arbitre humain a besoin de la grâce ; c'est une thèse augustinienne et érasmienne, entre la notion de serf arbitre luthérien (la grâce fait tout) et la croyance en une liberté éclairée ou dans les mérites. Dieu laisse volontairement le pécheur à lui-même, le mal qui en résulte lui permettra de reprendre conscience de sa valeur propre (d'où l'idée que la guerre est un moyen de correction dont Grandgousier se sent l'agent).

2. La situation de Gargantua est définie en termes de nature (devoir filial) et en termes de fonction sociale (il doit défendre ses « affiés »).

faire, et je lui ai à plusieurs reprises courtoisement fait demander en quoi, par qui et comment il s'estimait outragé ; mais je n'ai eu d'autre réponse que provocation et prétention au droit de disposer de mes terres. J'en ai conclu que Dieu éternel l'a abandonné à son libre arbitre et à son propre jugement, qui ne peut être que méchant s'il n'est pas continuellement guidé par la grâce divine ; et que c'est Lui qui, pour le ramener au sentiment du devoir et à résipiscence, me l'a envoyé ici sous de funestes auspices.

« Aussi, mon fils bien aimé, aussitôt que tu pourras, à la lecture de cette lettre, reviens en hâte nous secourir, non pas tant moi (ce que tu dois pourtant par piété filiale) que les tiens, que par devoir tu peux sauver et préserver. L'affaire se fera avec le moins d'effusion de sang possible ; et, si l'on peut, par des moyens plus expédients, pièges et ruses de guerre, nous sauverons tout le monde et les renverrons joyeux chez eux.

« Mon très cher fils, que la paix de Christ, notre rédempteur, soit avec toi.

« Salue pour moi Ponocrates, Gymnaste et Eudémon.

« Ce vingt septembre,

« Ton père,

Grandgousier. »

CHAPITRE XXVIII

Comment Ulrich Gallet fut envoyé devers Picrochole

Les letres dictées et signées, Grandgouzier ordonna que Ulrich Gallet [1], maistre de ses requestes, homme saige et discret, duquel en divers et contencieux affaires il avoyt esprouvé la vertus et bon advys, allast devers Picrochole pour luy remonstrer ce que par eulx avoit esté decreté.

En celle heure partit le bon homme Gallet, et, passé le gué, demanda au meusnier de l'estat de Picrochole, lequel luy feist responce que ses gens ne luy avoient laissé ny coq ny geline, et qu'ilz s'estoient enserrez en La Roche Clermaud, et qu'il ne luy conseilloyt poinct de proceder oultre, de peur du guet, car leur fureur estoyt enorme. Ce que facilement il creut, et pour celle nuict hebergea avecques le meusnier.

Au lendemain matin se transporta avecques la trompette à la porte du chasteau, et requist es guardes qu'ilz le feissent parler au roy pour son profit.

Les parolles annoncées au roy, ne consentit aulcunement qu'on luy ouvrist la porte, mays se transporta sus le boulevard, et dist à l'embassadeur : « Qu'i a il de nouveau ? Que voulez vous dyre ? »

Adoncques l'embassadeur propousa comme s'ensuyt :

1. Un des avocats de Chinon s'appelle alors Gallet ; il a plaidé dans la cause entre les Sainte-Marthe et les marchands de la Loire, ce qui est une des raisons pour lesquelles on a souvent identifié la

CHAPITRE XXVIII

Comment Ulrich Gallet fut envoyé auprès de Picrochole

La lettre dictée et signée, Grandgousier ordonna qu'Ulrich Gallet, maître des requêtes, homme sage et avisé, dont il avait reconnu les qualités et le bon conseil en plusieurs affaires litigieuses, se rendît auprès de Picrochole pour lui exposer ce qui avait été décidé.

Le bonhomme Gallet partit sur l'heure et, le gué passé, demanda au meunier quelle était la situation de Picrochole ; il lui répondit que les gens d'armes ne lui avaient laissé ni coq ni poule, qu'ils s'étaient enfermés à La Roche-Clermault, et qu'il ne lui conseillait pas de poursuivre plus loin, de peur du guet, car ils étaient dans une rage folle. Il le crut bien volontiers, et pour cette nuit coucha chez le meunier.

Le lendemain matin il se rendit, précédé d'un trompette, à la porte du château, et demanda aux gardes de le laisser parler au roi dans son propre intérêt.

Ces paroles transmises au roi, celui-ci refusa qu'on lui ouvre la porte ; il se rendit sur le rempart et dit à l'ambassadeur : « Qu'y a-t-il de nouveau ? Que voulez-vous ? »

Alors l'ambassadeur parla ainsi :

guerre picrocholine à cette querelle toute locale dans laquelle la famille de Rabelais se trouvait impliquée.

CHAPITRE XXIX

La harangue[1] faicte par Gallet à Picrochole

« Plus juste cause de douleur naistre ne peut entre les humains que si, du lieu dont par droicture esperoient grace et benevolence, ilz repcevent ennuy et dommaige. Et non sans cause (combien que sans raison) plusieurs, venuz en tel accident, ont ceste indignité moins estimé tolerable que leur vie propre, et, en cas que par force ny aultre engin ne l'ont peu corriger, se sont eulx mesmes privez de ceste lumiere.

» Doncques merveille n'est si le roy Grandgouzier, mon maistre, est à ta furieuse et hostile venue saisy de grand desplaisir et perturbé en son entendement. Merveille seroit si ne l'avoient esmeu les excès incomparables qui en ses terres et subjectz ont esté par toy et tes gens commis, es quelz n'a esté obmis nul exemple d'inhumanité, ce que luy est tant grief de soy, par la cordiale affection de laquelle a chery ses subjectz, que à mortel homme plus estre ne sçauroit. Toutesfoys sus l'estimation humaine plus grief luy est en tant que par toy et les tiens ont esté ces griefz et tords faictz ; qui de toute memoyre et ancienneté aviez, toy et tes peres, une amitié avecques luy et tous ses ancestres conceue, laquelle jusques à present comme sacrée ensemble aviez inviolablement maintenue, guardée et entretenue, si

1. Harangue du modèle cicéronien, avec style latinisé, périodes et déploration, bon exercice de rhétorique.

CHAPITRE XXIX

La harangue de Gallet à Picrochole

« Il ne peut naître de plus juste cause d'affliction parmi les hommes que de recevoir chagrin et dommage de celui dont ils attendaient à juste titre bonne grâce et bienveillance. Et ce n'est pas sans cause (bien que hors de proportion) que beaucoup de ceux à qui cela est arrivé ont estimé qu'une telle indignité avait plus d'importance que leur propre vie et que, ne pouvant par force ou un autre moyen y remédier, ils se sont eux-mêmes privés de la lumière du jour.

« Il ne faut donc pas s'étonner si le roi Grandgousier, mon maître, a été, à ta furieuse agression, saisi d'un grand déplaisir et d'un grand trouble. Il serait stupéfiant qu'il n'ait pas été bouleversé par les excès inouïs que toi et tes gens avez commis sur ses terres et ses sujets, en déployant tous les exemples de cruauté ; ce dont il a une si grande douleur, en raison de la profonde affection dont il chérit ses sujets, qu'aucun mortel ne pourrait en ressentir davantage. Pourtant, au-dessus de ces considérations humaines, ce qui lui est le plus douloureux c'est que ces peines et dommages lui ont été causés par toi et les tiens ; vous qui, depuis la plus haute Antiquité, aviez, toi et tes pères, noué avec lui et ses ancêtres les liens d'une amitié que jusqu'à présent vous aviez, comme un trésor sacré, tous deux inviolablement maintenue, gardée et conservée. C'est si vrai que non seulement lui et les siens, mais les

bien que non luy seullement ny les siens, mais les nations barbares, Poictevins, Bretons, Manseaux et ceulx qui habitent oultre les isles de Canarre et Isabella [1], ont estimé aussi facile demollir le firmament, et les abysmes eriger au dessus des nues que desemparer vostre alliance, et tant la ont redoubtée en leurs entreprinses que n'ont jamais ouzé provoquer, irriter ny endommaiger l'un, par craincte de l'aultre.

Plus y a. Ceste sacrée amytié tant a emply ce ciel que peu de gens sont aujourd'huy habitans par tout le continent et isles de l'Ocean, qui ne ayent ambitieusement aspiré estre receuz en icelle à pactes par vous mesmes conditionnez, autant estimant vostre confederation que leurs propres terres et dommaines. En sorte que de toute memoyre n'a esté prince ny ligue tant efferée ou superbe qui ait ouzé courir sus, je ne dys pas vos terres, mais celles de vos confederez. Et si par conseil precipité ont encontre eulx attempté quelque cas de nouvelleté, le nom et tiltre de vostre alliance entendu, ont soubdain desisté de leurs entreprinses.

» Quelle furie doncques vous esmeut maintenant, toute alliance brisée, toute amytié conculquée, tout droit trespassé, envahir hostilement ses terres, sans en rien avoir esté par luy ny les siens endommaigé, irrité ny provoqué ? Où est foy ? Où est loy ? Où est raison ? Où est humanité ? Où est craincte de Dieu ? Cuyde tu ces oultraiges estre recellées es espritz eternelz et au Dieu souverain qui est juste retributeur de nos entreprinses ? Si le cuyde, tu te trompe, car toutes choses viendront à son jugement. Sont ce fatales destinées ou influences des astres qui voulent mettre fin à tes ayzes et repous ? Ainsi ont toutes choses leur fin et periode. Et, quand elles sont venues à leur poinct supellatif, elles sont en bas ruinées, car elles ne peuvent

1. Allusions aux îles récemment découvertes, et qui sont propriété du Portugal. Ne pas oublier que Charles Quint s'enorgueillit d'un empire sur lequel le soleil ne se couche pas. Le pays de Canarres, certes, peut passer pour les Canaries, mais c'est aussi un pays légen-

nations barbares, Poitevins, Bretons, Manceaux et ceux qui vivent au-delà des mers, dans les îles de Canaries et de Haïti, considéraient qu'il n'était pas plus difficile d'abattre le firmament ou d'élever les abîmes au-dessus des nues que de rompre votre alliance ; et ils la redoutaient tant que dans leurs entreprises ils n'ont jamais osé provoquer, irriter ou agresser l'un par crainte de l'autre.

« Il y a plus. Cette amitié sacrée a tant empli la voûte des cieux que rares sont les peuples vivant aujourd'hui sur le continent ou dans les îles de l'Océan qui n'aient aspiré à y être associés par des pactes fixés par vous-mêmes, parce qu'ils tenaient autant à votre alliance qu'à leurs propres terres et domaines. Si bien que de toute éternité il n'y a eu prince ni ligue, si farouches ou orgueilleux soient-ils, qui aient osé attaquer, je ne dis même pas vos terres, mais celles de vos alliés. Et si, par décision hâtive, ils ont inventé contre eux quelque entreprise, aux seuls nom et mention de votre alliance, ils y ont aussitôt renoncé.

« Quelle folie vous prend donc maintenant, toute alliance brisée, toute amitié méprisée, tout droit outrepassé, d'envahir agressivement ses terres, sans avoir été en rien, par lui ou par les siens, lésé, irrité ou provoqué ? Où est la fidélité ? Où est la loi ? Où est la raison ? Où est l'humanité ? Où est la crainte de Dieu ? Crois-tu que ces outrages puissent rester cachés aux esprits éternels et au Dieu souverain, qui rétribue au juste prix nos entreprises ? Si tu le crois, tu te trompes, car toute chose viendra à son jugement. Est-ce la fatale destinée et l'influence des astres qui veulent que tu renonces à ta tranquillité et au repos ? Toute chose connaît son apogée et sa fin. Et quand on est arrivé à son point le plus haut, on est précipité à bas, car on

daire. La désignation des Poitevins et Bretons comme peuples barbares peut s'appuyer sur les particularismes ethniques de leurs habitants, mais les Manceaux ?

long temps en tel estat demourer. C'est la fin de ceulx qui leurs fortunes et prosperitez ne peuvent par raison et temperance moderer [1].

» Mais, si ainsi estoit phée et deust ores ton heur et repos prendre fin, failloit il que ce feust en incommodant à mon roy, celluy par lequel tu estoys estably ? Si ta maison debvoit ruiner, failloit il qu'en sa ruyne elle tombast suz les atres de celluy qui l'avoyt aornée ? La chose est tant hors les mettes de raison, tant abhorrente de sens commun, que à pene peut elle estre par humain entendement conceue, et tant demourera non creable entre les estrangiers jusques à ce que l'effect asseuré et tesmoigné leur donne à entendre que rien n'est ny sainct, ny sacré à ceulx qui se sont emancipez de Dieu et Raison pour suyvre leurs affections perverses.

» Si quelque tort eust esté par nous faict en tes subjectz et dommaines, si par nous eust esté porté faveur à tes mal vouluz, si en tes affaires ne te eussions secouru, si par nous ton nom et honneur eut esté blessé ; ou, pour mieulx dyre, si l'esperit calumniateur [2], tentant à mal te tyrer, eust par fallaces especes et phantasmes ludificatoyres mys en ton entendement que envers toy eussions faict chose non digne de nostre ancienne amytié, tu debvoys premier te enquerir de la verité, puis nous en admonnester, et nous eussions tant à ton gré satisfaict que eusse eu occasion de toy contenter. Mais (ô Dieu eternel !) quelle est ton entreprinse ? Vouldroys tu, comme tyrant perfide, piller ainsi et dissiper le royaulme de mon maistre ? Le as tu esprouvé tant ignave et stupide qu'il ne voulust, ou tant destitué de gens, d'argent, de conseil et d'art militare qu'il ne peust resister à tes iniques assaulx ?

1. La Fortune, souvent représentée comme faisant mouvoir une roue sur laquelle les personnages montent et descendent, est une des représentations du sort : dans l'idéologie de Rabelais, elle est une force mais non invincible, et doit être relayée par le vouloir et l'action humaine.

ne peut demeurer longtemps en cet état. C'est la destinée de ceux qui ne savent pas tempérer leur fortune et leur prospérité par la raison et la sagesse.

« Mais si c'était vraiment ton destin et que dussent ainsi prendre fin ton bonheur et ton repos, fallait-il donc que ce soit en t'en prenant à mon roi, celui par qui tu étais installé sur le trône ? Si ta maison devait s'écrouler, fallait-il qu'en sa chute elle tombât sur le foyer de celui qui lui avait donné son lustre ? La chose dépasse tellement les limites de la raison, elle est si exorbitante, que l'entendement humain peut à peine la concevoir, et que les étrangers ne voudront pas y croire jusqu'à ce que des manifestations bien visibles et avérées leur fassent comprendre qu'il n'y a rien de saint ni de sacré pour ceux qui se sont affranchis de Dieu et de la Raison pour suivre leurs passions perverses.

« En admettant même que nous t'ayons fait quelque tort, à tes sujets ou à tes domaines, que nous ayons favorisé tes ennemis, que nous ne t'ayons pas secouru en cas de besoin, que nous ayons attenté à ta réputation ou à ton honneur ; ou, plutôt, en admettant que l'esprit calomniateur, pour te pousser à mal, ait, par des images fallacieuses et des phantasmes trompeurs, fait naître en toi l'idée que nous avions fait quelque chose d'indigne de notre ancienne amitié, tu aurais dû d'abord t'enquérir de la vérité, puis nous en faire remontrance, et nous aurions si bien accédé à tes demandes que tu t'en serais satisfait. Mais, ô Dieu éternel ! quel est ton dessein ? Voudrais-tu donc, comme un perfide tyran, piller et ruiner le royaume de mon maître ? Le crois-tu donc si lâche et hébété qu'il ne veuille résister à ton injuste agression, ou si dépourvu de gens, d'argent, de conseil et d'expérience militaire, qu'il ne puisse le faire ?

2. Le terme même de diable signifie *calomniateur*. Le diable est capable d'engendrer dans l'esprit des fausses informations, illusions qui vont faire errer le jugement.

» Depars d'icy presentement, et demain pour tout le jour soye retyré en tes terres, sans par le chemin faire aulcun tumulte ny force. Et paye mille bezans d'or pour les dommaiges que as faict en ces terres. La moytié bailleras demain, l'aultre moytié payeras es Ides de May prochainement venant, nous delaissant ce pendent pour houstaige les ducs de Tournemoule, de Basdefesses et de Menuail, ensemble le prince de Gratelles et le viconte de Morpiaille [1]. »

1. Encore une série de noms parlants : Menuail = peuple menu, la canaille, pour utiliser une autre métaphore ; la gratelle est une maladie de peau, et les morpions bien évidemment des poux.

« Va-t'en donc d'ici immédiatement, et dès demain sois rentré sur tes terres, sans commettre en chemin ni désordre ni violence. Et paie mille besants d'or pour les dommages que tu as commis sur ces terres. Tu en paieras la moitié demain et l'autre aux prochaines Ides de mai, en nous laissant d'ici là en otages les ducs de Tournemoule, de Basdefesses et de Menuail, ainsi que le prince de Gratelles et le vicomte de Morpiaille. »

CHAPITRE XXX

Comment Grandgouzier, pour achapter paix, feist rendre les fouaces

A tant se teut le bon homme Gallet ; mays Picrochole à tous ses propos ne respondit aultre chose si non : « Venez les querir, venez les querir ! Ilz ont belle couille et molle[1]. Ilz vous brayeront de la fouace ! »

Adoncques s'en retourne vers Grandgousier, lequel trouva à genous, teste nue, encliné en un petit coing de son cabinet, pryant Dieu qu'il vouzist amollir la cholere de Picrochole, et le mettre au poinct de raison, sans y proceder par force. Quand veit le bon homme de retour, il luy demanda :

« Ha ! mon amy, mon amy, quelles nouvelles m'apportez vous ?

— Il n'y a (dist Gallet) ordre ; cest homme est du tout hors du sens et delaissé de Dieu.

— Voyre mays (dist Grandgousier), mon amy, quelle cause pretend il de cest excès ?

— Il ne me a (dist Gallet) cause queconques exposé, sy non qu'il m'a dict en cholere quelques motz de fouaces. Je ne sçay sy l'on auroyt poinct faict d'oultrage* à ses fouaciers.

1. Plaisanterie problématique ! *Couille molle* usuellement désigne la lâcheté, et convient mal aux paroles agressives de Picrochole. À moins d'équivoquer sur une signification technique (couillard = pièce

CHAPITRE XXX

Comment Grandgousier, pour obtenir la paix, fit rendre les fouaces

Là-dessus, le bonhomme Gallet se tut ; mais Picrochole ne répondit à tout ce discours que par « Venez les chercher ! venez les chercher ! Ils ont des belles couilles, bien moulées, pour vous en moudre, de la fouace ! »

Gallet s'en retourna donc auprès de Grandgousier, qu'il trouva à genoux, tête nue, prosterné dans un coin de son cabinet, priant Dieu qu'il voulût bien apaiser la colère de Picrochole et le ramener à la raison, sans qu'il fût besoin de la force. Quand il vit le bonhomme de retour, il lui demanda :

« Ha ! mon ami, mon ami, quelles nouvelles m'apportez-vous ?

— Il n'y a rien à faire, dit Gallet ; cet homme est privé de bon sens et abandonné de Dieu.

— Sans doute, dit Grandgousier, mais, mon ami, quelle raison donne-t-il à ces excès ?

— Il ne m'a donné aucune raison, sinon qu'il m'a dit dans sa colère quelques mots d'une histoire de fouace. Je ne sais pas si l'on n'aurait pas fait tort à ses fouaciers.

de bois dans un moulin à vent), et de comprendre molle comme *meule*, objet plus logique pour broyer.

— Je le veulx* (dist Grandgousier) bien entendre davant qu'aultre chose deliberer sur ce que seroyt de fayre. »

Allors manda sçavoir de cest affayre, et trouva pour vray qu'on avoyt prins par force quelques fouaces de ses gens et que Marquet avoyt eu un coup de tribard sus la teste ; toutesfoys que le tout avoyt esté bien payé et que ledict Marquet avoyt premier blessé Forgier de son fouet par les jambes. Et sembla à tout son conseil que en toute force il se doibvoyt defendre. Ce non obstant dist Grandgouzier :

« Puys qu'il n'est question que de quelques fouaces, je assayeray le contenter, car il me desplaist par trop de lever guerre. »

Adoncques s'enquesta combien on avoyt prins de fouaces, et, entendent quatre ou cinq douzaines, commenda qu'on en feist cinq charretées en icelle nuyct, et que l'une feust de fouaces faictes à beau beurre, beaux moyeux d'eufz, beau saffran et belles espices pour estre distribuée à Marquet, et que pour ses interestz il luy donnoyt sept cens mille philippus pour payer les barbiers qui l'auroient pensé, et d'abondant luy donnoyt la mestayrie de la Pomardiere à perpetuité, franche pour luy et les siens. Pour le tout conduyre et passer fut envoyé Gallet, lequel par le chemin feist cuillir près de la Saulloye force grands rameaux de cannes et rouzeaux, et en feist armer autour leurs charrettes, et chascun des chartiers, et luy mesmes en tint un en sa main, par ce voulant donner à congnoistre qu'ilz ne demandoient que la paix et qu'ilz venoyent pour l'achapter.

Eulx venuz à la porte, requirent parler à Picrochole de par Grandgousier. Picrochole ne voulut oncques les laisser entrer, ny aller à eulx parler, et leurs manda qu'il estoyt empesché, mays qu'ils dissent ce qu'ilz vouldroient au capitaine Toucquedillon, lequel affeustoyt quelque piece sus les murailles. Adoncq luy dist le bon homme :

« Seigneur, pour vous recinder toute ance de debat et houster toute excuse que ne retournez en nostre premiere alliance, nous vous rendons presentement les

— Je veux en avoir le cœur net avant de décider quoi que ce soit sur ce qu'il convient de faire. »

Alors il demanda des éclaircissements sur cette affaire, et découvrit qu'en effet on avait pris de force quelques fouaces aux gens de Picrochole et que Marquet avait reçu un coup de bâton sur la tête ; toutefois que le tout avait été bien payé et que Marquet avait d'abord blessé Frogier d'un coup de fouet dans les jambes. Et tout son conseil fut d'avis qu'il devait se défendre par la force. Pourtant Grandgousier dit :

« Puisqu'il n'est question que de quelques fouaces, je vais essayer de le satisfaire, car il me déplaît trop d'entrer en guerre. »

Il demanda donc combien on avait pris de fouaces et, sur la réponse que c'était quatre ou cinq douzaines, il ordonna qu'on en fît cinq charretées cette nuit même, dont l'une de fouaces faites de bon beurre, beaux jaunes d'œufs, beau safran et belles épices pour la distribuer à Marquet ; à titre de dommages et intérêts, il lui donnait sept cent mille philippus pour payer les barbiers qui l'avaient soigné, et en plus la métairie de la Pomardière en propriété perpétuelle, franche et héréditaire. Pour conduire et convoyer le tout, on envoya Gallet qui, en chemin, fit cueillir près de la Saulaie beaucoup de grands rameaux de joncs et de roseaux ; il en fit disposer autour des charrettes, en donna à chacun des charretiers, et lui-même en tint un dans sa main, voulant ainsi faire comprendre qu'ils ne demandaient que la paix et qu'ils venaient pour l'acheter.

Arrivés à la porte, ils demandèrent à parler à Picrochole de la part de Grandgousier. Picrochole refusa de les laisser entrer ou d'aller leur parler, leur faisant dire qu'il était occupé, mais qu'ils disent ce qu'ils voulaient au capitaine Toucquedillon, qui mettait des pièces en affût sur les murailles. Alors Gallet lui dit :

« Seigneur, pour supprimer tout prétexte de dispute et vous enlever toute excuse de ne pas revenir à notre alliance passée, nous vous rendons maintenant les fouaces qui sont l'objet du litige. Nos gens en ont pris cinq

fouaces dont est la controverse. Cinq douzaines en prindrent nos gens ; elles furent tresbien payéez ; nous aymons tant la paix que nous en rendons cinq charettes, desquelles ceste icy sera pour Marquet, qui plus se plainct. Dadventaige, pour le contenter entierement, voy là sept cens mille philippus que je luy livre, et, pour l'interest qu'il pourroyt pretendre, je luy cede la mestayrie de la Pomardiere, à perpetuité pour luy et les siens, possedable en franc alloy ; voyez cy le contract de la transaction. Et, pour Dieu, vivons dorenavant en paix, et vous retirez en vos terres joyeusement, cedant ceste place icy, en laquelle n'avez droict quelconques, comme bien le confessez, et amys comme par avant. »

Toucquedillon raconta le tout à Picrochole, et de plus en plus envenima son couraige, luy disant :

« Ces rustres ont belle peur. Par Dieu, Grandgouzier se conchie, le pouvre beuveur ! Ce n'est pas son cas d'aller en guerre, mais ouy bien de vuider les flascons. Je suis d'opinion que retenons ces fouaces et l'argent, et au reste nous hastons de remparer icy, pour suivre nostre fortune. Mais pensent ilz pas bien avoir affaire à une duppe, de vous paistre de ces fouaces ? Voylà que c'est : le bon traictement et la grande familiarité que leurs avez par cy davant tenue vous ont rendu envers eulx contemptible : oignez villain, il vous poindra ; poignez villain, il vous oindra [1].

— Czà, czà, czà (dist Picrochole), sainct Jacques, ilz en auront ! Faictez ainsi qu'avez dict.

— D'une chose (dist Toucquedillon) vous veulx* je advertir. Nous sommes icy assez mal avituaillez, et pourveuz maigrement des harnoys de gueule. Si Grandgouzier nous mettoit siege, dès à present m'en irois faire arracher les dens toutes, seulement que troys me restassent, autant, à vos gens comme à moy : avec icelles nous n'avangerons que trop à manger nos munitions.

1. Très ancien proverbe, comme *De la panse vient la danse*. Le premier est aristocratique, le second plus populaire.

douzaines ; elles furent très bien payées ; mais nous aimons tant la paix que nous en rendons cinq charrettes, dont celle-ci pour Marquet, qui a le plus à se plaindre. De plus, pour le satisfaire pleinement, voici sept cent mille philippus que je lui donne, et, pour les dommages auxquels il pourrait prétendre, je lui cède la métairie de la Pomardière, à perpétuité, pour lui et les siens, en franc alleu ; voici le contrat de cession. Et, pour Dieu, vivons désormais en paix, et retirez-vous joyeusement dans vos terres, en cédant cette place où vous n'avez nul droit, comme vous le reconnaissez bien, et soyons amis comme devant. »

Toucquedillon raconta tout cela à Picrochole, et lui aigrit de plus en plus le cœur en lui disant :

« Ces rustres ont grand-peur. Par Dieu, Grandgousier se conchie, le pauvre buveur ! Ce n'est pas son affaire d'aller en guerre, mais bien plutôt de vider les flacons. Je suis d'avis que nous gardions ces fouaces et l'argent ; pour le reste, hâtons-nous de nous retrancher ici, pour poursuivre nos succès. Ils croient donc avoir affaire à une dupe, qu'ils veulent vous repaître de ces fouaces ? Voilà ce que c'est : les bons traitements et la grande familiarité que vous leur avez témoignés jusqu'ici vous ont rendu à leurs yeux méprisable : oignez vilain, il vous poindra ; poignez vilain, il vous oindra.

— Çà, çà, çà, dit Picrochole, par saint Jacques, ils en auront ! Faites comme vous avez dit.

— Il y a une chose, dit Toucquedillon, dont je veux vous prévenir. Nous sommes ici assez mal ravitaillés, et maigrement pourvus de provisions de gueule. Si Grandgousier nous assiégeait, j'irais dès aujourd'hui me faire arracher toutes les dents, qu'il ne m'en reste que trois, et la même chose à vos gens : elles n'iraient que trop vite à manger nos provisions.

— Nous (dist Picrochole) n'aurons que trop mangeailles. Sommes nous icy pour manger ou pour batailler ?

— Pour batailler, vrayement (dist Toucquedillon). Mais de la panse vient la dance, et où faim regne, force exule.

— Tant jazer ! (dist Picrochole). Saisissez ce qu'ilz ont amené. »

Adoncques prindrent argent et fouaces et beufz et charrettes, et les renvoyerent sans mot dire, si non que plus n'aprochassent de si près pour la cause qu'on leur diroit demain. Ainsi sans rien faire retournerent devers Grandgouzier, et luy conterent le tout, adjoustans qu'il n'estoyt aulcun espoir de les tyrer à paix, si non à vive et forte guerre.

— Nous n'aurons que trop à manger. Sommes-nous ici pour manger ou pour nous battre ?

— Pour nous battre, bien sûr, dit Toucquedillon. Mais de la panse vient la danse, et où la faim règne, la force est bannie.

— C'est trop jaser ! dit Picrochole. Saisissez ce qu'ils ont amené. »

Aussi ils prirent l'argent, les fouaces, les bœufs et les charrettes, et les renvoyèrent sans rien dire, sinon qu'ils n'approchent plus d'aussi près pour la raison qu'on leur dirait demain. Ainsi sans pouvoir rien faire ils s'en retournèrent devant Grandgousier, et lui racontèrent le tout, ajoutant qu'il n'y avait plus aucun espoir de les ramener à la paix, sinon par vive et forte guerre.

CHAPITRE XXXI

Comment certains gouverneurs de Picrochole, par conseil precipité, le mirent on dernier peril

Les fouaces destroussées, comparurent davant Picrochole les duc de Menuail, comte Spadassin et capitaine Merdaille, et luy dirent :

« Sire, aujourd'huy nous vous rendons le plus heureux, et plus chevalureux prince qui oncques feut depuis la mort de Alexandre Macedon[1]. Le moyen est tel :

» Vous laisserez icy quelque capitaine en garnison avec petite bande de gens pour garder la place, laquelle nous semble assez forte, tant par nature que par les rampars faictz à vostre invention. Vostre armée partirez en deux, comme trop mieulx l'entendez. L'une partie yra ruer sur ce Grandgozier et ses gens. Par icelle sera de prime abordée facillement deconfit. Là recouvrerez argent à tas. L'aultre partie, en ce pendent, tirera vers Onys, Sanctonge, Angomoys et Gascoigne, ensemble Perigot, Medoc et Elanes. Sans resistence prandront villes, chasteaulx et forteresses. A Bayonne, à Sainct Jehan de Luc et Fontarabie sayzirez toutes les naufz, et coustoyant vers Gallice et Portugal, pillerez tous les

1. Ce dialogue s'inspire littérairement de la *Vie de Pyrrhus* de Plutarque, un exemple classique de conquérant mal conseillé et qui finit mal, pour avoir rêvé d'égaler Alexandre, modèle de tout héros. Il illustre divers débats de politique : le rôle des conseillers, le rôle des

CHAPITRE XXXI

Comment certains gouverneurs de Picrochole, par leurs conseils aventureux, le mirent au comble du danger

Les fouaces ainsi pillées, le duc de Menuail, le comte Spadassin et le capitaine Merdaille comparurent devant Picrochole et lui dirent :

« Sire, aujourd'hui nous allons faire de vous le prince le plus heureux et le plus chevaleresque qui ait jamais existé depuis la mort d'Alexandre de Macédoine. Voici comment :

« Vous laisserez ici quelque capitaine en garnison avec une petite troupe de gens pour garder la place, qui nous semble assez forte tant par son site naturel que par les remparts faits selon vos plans. Votre armée, vous la séparerez en deux, comme vous le comprenez bien. Une partie se précipitera sur ce Grandgousier et ses gens. Il en sera facilement déconfit au premier assaut. Là, vous trouverez de l'argent à foison. L'autre partie, pendant ce temps, se dirigera vers l'Aunis, la Saintonge, l'Angoumois et la Gascogne, et aussi le Périgord, le Médoc et les Landes. Sans résistance ils prendront villes, châteaux et forteresses. À Bayonne, Saint-Jean-de-Luz et Fontarabie, vous saisirez tous les

guerres de conquête, dont ni Machiavel ni les théoriciens chrétiens ne sont des partisans. Mais il est aussi directement le reflet de la politique des Habsbourg qui encerclent en Europe la monarchie française.

lieux maritimes jusques à Ulisbone, où aurez renfort de tout equipage requis à un conquerent. Par le corbieu, Hespaigne se rendra, car ce ne sont que madourrez ! Passerez par l'estroict de Sybille, et là erigerez deux colunnes, plus magnificques que celles de Hercules, à perpetuelle memoire de vostre nom. Et sera nommé cestuy destroict la mer Picrocholine. Passée la mer Picrocholine, voicy Barberousse, qui se rend vostre esclave [1]...

— Je (dist Picrochole) le prandray à mercy.

— Voyre (dirent ilz), pourveu qu'il se face baptizer.

» Et oppugnerez les royaulmes de Tunic, de Hippes, hardiment toute Barbarie. En passant oultre, retiendrez en vostre main Majorque, Minorque, Sardaine, Corsicque et aultres isles de la mer Ligusticque et Baleare. Coustoyant à gausche, dominerez toute la Gaule Narbonicque, Provence et Allobroges, Genes, Florence, Lucques, et à Dieu seas Rome ! Le pouvre Monsieur du Pape meurt desjà de peur [2]...

— Par ma foy (dist Pricrochole), je ne luy baiseray jà sa pantoufle.

— Prinze Italie, voylà Naples, Calabre, Apoulle et Sicile toutes à sac, et Malthe avecq. Je vouldrois bien que les plaisans chevaliers, jadicts Rhodiens [3], vous resistassent, pour veoir de leur urine !

— Je yroys (dist Picrochole) voluntiers à Laurette.

— Rien, rien (dirent ilz). Ce sera au retour. De là prendrons Candie, Cypre, Rhodes et les isles Cyclades,

1. Les colonnes érigées par Hercule marquent légendairement le détroit de Gibraltar, limite du monde connu des Grecs ; Charles Quint a pris pour armes ces deux colonnes et la devise « Plus oultre », « Au dela » pour symboliser son ambition universelle. Barberousse est un allié de l'empire turc, il a chassé les Espagnols d'Alger en 1529 et a pris Tunis en 1534 ; il est la bête noire de la marine génoise, alliée de Charles Quint.

2. Le pape a raison d'avoir peur : en 1527, les troupes impériales mi-parties d'Allemands protestants et d'Espagnols catholiques se sont payées en pillant Rome, le pape est resté prisonnier 6 mois dans le château Saint-Ange. La réconciliation du pape et de l'empereur s'est

navires, et, longeant la Galice et le Portugal, vous pillerez toutes les côtes jusqu'à Lisbonne, où vous trouverez tout le renfort d'équipage nécessaire à un conquérant. Corbleu, l'Espagne se rendra, car ce ne sont que des lourdauds ! Vous passerez le détroit de Gibraltar, et là vous érigerez deux colonnes plus magnifiques que celles d'Hercule, pour perpétuer à jamais votre mémoire. Et on nommera ce détroit la mer Picrocholine. Passé la mer Picrocholine, voici Barberousse, qui se reconnaît votre esclave...

— Je lui ferai grâce, dit Picrochole.

— Sans doute, dirent-ils, pourvu qu'il se fasse baptiser.

« Et vous attaquerez les royaumes de Tunis, d'Hippone, bref toute la Barbarie. En poursuivant votre route, vous vous saisirez de Majorque, Minorque, la Sardaigne, la Corse et des autres îles de la mer Ligurienne et Baléare. Longeant la côte à main gauche, vous dominerez toute la Narbonnaise, la Provence et les Allobroges, Gênes, Florence, Lucques, et adieu Rome ! Le pauvre Monsieur du Pape meurt déjà de peur...

— Par ma foi, dit Picrochole, je ne lui baiserai pas la pantoufle.

— L'Italie prise, voilà Naples, la Calabre, l'Apulie et la Sicile mises à sac, et Malte avec. Je voudrais bien que les plaisants chevaliers, naguère de Rhodes, vous résistent, pour les voir pisser de peur !

— J'irais volontiers à Lorette, dit Picrochole.

— Non, non. Ce sera au retour. De là nous prendrons la Crète, Chypre, Rhodes et les îles Cyclades,

faite au couronnement de Charles en 1530 comme empereur du Saint Empire romain germanique. Mais la politique de Clément VII reste profrançaise : il vient de promettre la main de sa petite-nièce, héritière de Florence, Catherine de Médicis, à un fils de François Ier.

3. Les chevaliers de l'Ordre de saint Jean de Jérusalem ont dû quitter Rhodes, après un siège de six mois, et Charles Quint les a installés à Malte en 1530 : en fait toute la Mediterranée orientale est aux mains des Turcs. La reconstruction du Temple de Salomon, comme marque de l'achèvement des conquêtes et de l'établissement d'un empire unique, prélude au second avènement du Christ, est un fantasme classique des monarchies renaissantes.

et donnerons sus la Morée. Nous la tenons. Sainct Treignan, Dieu gard Hierusalem ! car le Soubdan n'est pas comparable à vostre puissance !

— Je (dist il) feray doncques bastir le Temple de Solomon.

— Non (dirent ilz) encores : attendez un peu. Ne soyez jamais tant soubdain à vos entreprises. Sçavez vous que disoit Octavien Auguste ? *Festina lente*[1]. Il vous convient premierement avoir l'Asie Minour, Carie, Lycie, Pamphilie, Cilicie, Lydie, Phrygie, Mysie, Betune, Charazie, Satalie, Samagari, Castamena, Luga, Savasta, jusques à Euphrates.

— Voyrons nous (dist Picrochole) Babylone et le Mont Sinay ?

— Il n'est (dirent ilz) jà besoing pour ceste heure. N'est ce pas assez tracassé de avoir oultre passé les monts Caspies, avoir transfreté la mer Hircane, et chevauché les deux Armenies et les troys Arabies ?

— Par ma foy (dist il), nous sommes affolez. Ha, pauvres gens !

— Quoy ? dirent ilz.

— Que boyrons nous par ces desers ?

— Nous (dirent ilz) avons jà donné ordre à tout. Par la mer Siriace vous avez neuf mille quatorze grands naufz, chargées des meilleurs vins du monde ; elles arriverent à Japhes. Là se sont trouvez vingt et deux cens mille chameaux et seize cens elephans, lesquelz avez prins à une chasse environ Sigeilmes, lors que entrastes en Lybie, et d'abondant eustes toute la caravane de la Mecha. Ne vous fournirent ilz pas de vin à suffisance ?

— Voyre ! Mais (dist il) nous ne beumez poinct frais.

— Ha ! (dirent ilz). Par la vertus, non pas d'un petit poisson, un preux, un conquerent, un pretendent et aspirant à l'empire univers ne peut pas tousjours avoir

1. Cette devise est celle qui a été évoquée à la fin du chapitre IX et qui, traditionnellement, vante la persévérance et la constance des princes.

et foncerons sur la Morée. Nous la tenons. Saint Treignant, Dieu garde Jérusalem ! car le sultan ne peut rivaliser avec votre puissance !

— Je ferai donc rebâtir le temple de Salomon.

— Pas encore, dirent-ils ; attendez un peu. Ne soyez pas si précipité dans vos entreprises. Savez-vous ce que disait Octavien Auguste ? *Hâte-toi lentement.* Il vous faut d'abord conquérir l'Asie Mineure, la Carie, la Lycie, la Pamphylie, la Cilicie, la Lydie, la Phrygie, la Mysie, la Bithynie, Carrasie, Adalia, Samagarie, Kastamouni, Luga, Sébaste, jusqu'à l'Euphrate.

— Verrons-nous Babylone et le mont Sinaï ?

— Il n'en est pas besoin pour le moment. Ne s'est-on pas déjà assez démené à franchir les monts du Caucase, traverser la mer Caspienne, et chevaucher à travers les deux Arménies et les trois Arabies ?

— Par ma foi, dit-il, nous sommes affolés. Ha, pauvres gens !

— Quoi donc ?

— Que boirons-nous dans ces déserts ?

— Nous avons déjà pourvu à tout. Dans la mer de Syrie vous avez neuf mille quatorze grands navires chargés des meilleurs vins du monde ; ils sont arrivés à Jaffa. Là se trouvaient deux millions deux cent mille chameaux et seize cents éléphants, que vous avez capturés lors d'une chasse auprès de Segelmesse, lorsque vous êtes entré en Libye ; vous avez pris de surcroît toute la caravane de La Mecque. Ne vous ont-ils pas fourni du vin en suffisance ?

— Sans doute ! Mais nous n'avons pas bu frais.

— Ha ! par la vertu non pas d'un petit poisson, un preux, un conquérant, un prétendant qui aspire à l'empire universel ne peut pas toujours avoir ses aises.

ses aizes. Dieu soit loué que estez venu, vous et voz gens, saufz et entiers jusques au fleuve du Tigre !

— Mais (dist il) que faict ce pendent la part de nostre armée qui desconfit ce villain humeux Grandgousier ?

— Ilz ne chomment pas (dirent ilz). Nous les rencontrerons tantost. Ilz vous ont pris Bretaigne, Normandie, Flandres, Haynault, Barband, Artoys, Hollande, Selande. Ilz ont passé le Rhein par sus le ventre des Sueves et Lancquenetz, et part d'entre eulx ont dompté Luxembourg, Lorraine, la Champaigne, Savoye jusques à Lyon, auquel lieu ont trouvé voz garnisons retournans des conquestes navales de la mer Mediterranée, et se sont reassemblez en Boheme, apres avoir mys à sac Soueve, Vuitemberg, Bavieres, Austriche, Moravie et Stirie. Puis ont donné fierement ensemble sus Lubek, Norwerge, Swedenrichz, Dace, Gotthie, Engroneland, les Estrelins, jusques à la Mer Glaciale. Et, ce faict, conquesterent les Isles Orchades et subjuguerent Escosse, Angleterre et Irlande. De là, navigans par la Mer Sabuleuse, et par les Sarmates, ont vaincu et dominé Prussie, Polonie, Lithvanie, Russie, Valache, la Transsylvane et Hongrie, Bulgarie, Turquie, et sont à Constantinople [1].

— Allons nous (dist Picrochole) rendre à eulx le plus toust, car je veulx estre aussi empereur de Thebizonde. Ne tuerons nous pas tous ces chiens Turcs et Mahumetistes ?

— Que diable (dirent ilz) ferons nous doncques ? Et donnerez leurs biens et terres à ceulx qui vous auront servy honnestement.

1. Après l'itinéraire d'Alexandre en Orient, on parcourt les terres des Habsbourg. Maximilien, grand-père de Charles Quint, empereur d'Allemagne, possédait en propre l'Autriche, la Styrie ; par les alliances successives son petit-fils domine l'Espagne, la Flandre, la Bourgogne, la Sicile et Naples, le Milanais en pratique ; Ferdinand, frère de Charles, est roi de Bohême et de Hongrie ; il a des traités d'alliance avec l'Angleterre et influence les pays nordiques et la

Dieu soit loué que vous soyez arrivés, vous et vos gens, sains et saufs jusqu'au Tigre !

— Mais, dit-il, que fait pendant ce temps-là la moitié de notre armée qui a déconfit ce vilain soiffard de Grandgousier ?

— Ils ne chôment pas, dirent-ils. Nous les retrouverons bientôt. Ils vous ont pris Bretagne, Normandie, Flandres, Hainaut, Brabant, Artois, Hollande et Zélande. Ils ont franchi le Rhin en passant sur le ventre des Suèves et des Lansquenets ; une partie d'entre eux a subjugué le Luxembourg, la Lorraine, la Champagne, la Savoie jusqu'à Lyon ; là ils ont retrouvé vos garnisons de retour des conquêtes navales de la mer Méditerranée, et ils se sont rassemblés en Bohême, après avoir mis à sac la Souabe, le Wurtemberg, la Bavière, l'Autriche, la Moravie et la Styrie. De là tous ensemble ils ont hardiment marché sur Lübeck, la Norvège, la Suède, le Danemark, la Gothie, le Groenland, les villes de la Hanse, jusqu'à l'océan Arctique. Cela fait, ils ont conquis les Orcades et subjugué l'Écosse, l'Angleterre et l'Irlande. De là, franchissant le Sund et la mer Baltique, ils ont vaincu et dominé la Prusse, la Pologne, la Lituanie, la Russie, la Valachie, la Transylvanie et la Hongrie, la Bulgarie, la Turquie, et ils sont à Constantinople.

— Allons les rejoindre le plus tôt possible, car je veux être aussi empereur de Trébizonde. Ne tuerons-nous pas tous ces chiens de Turcs et de Mahométans ?

— Et que diable ferons-nous donc ? Et vous donnerez leurs terres et biens à ceux qui vous auront loyalement servi.

Pologne. Outre les conquêtes américaines, Charles Quint mène en Mediterranée une politique de reconquête sur les Turcs, en Afrique du Nord (reprise de Tunis en 1536), avec une flotte impressionnante. Dans sa propagande, on évoque la reconquête de Constantinople sur les Turcs et la réunification de l'Empire romain antique. Mais bien sûr tout ne marche pas bien : ce sont les Turcs qui arrivent jusqu'à Vienne en 1529, et les Français lui restent un obstacle.

— La raison (dist il) le veult. C'est equité. Je vous donne la Carmaigne, Surie et toute Palestine.

— Ha ! (dirent ilz). Cyre, c'est du bien de vous. Grand mercy ! Dieu vous face bien toujours prosperer ! »

Là present estoit un vieulx gentil homme, esprové en divers hazars et vray routier de guerre, nommé Echephron, lequel, oyant ces propous, dist :

« J'ay grand peur que toute ceste entreprise sera semblable à la farce du pot au laict, duquel un cordouannier se faisoit riche par resverie ; puis, le pot cassé, n'eut de quoy disner. Que pretendez vous par ces belles conquestes ? Quelle sera la fin de tant de travaulx et traverses ?

— Ce sera (dist Picrochole) que nous repouserons à noz aises. »

Dont dist Echephron :

« Ne vault il pas mieulx que dès maintenant nous repousons, sans nous mettre en ces hazars ?

— Ô (dist Spadassin), par Dieu, voicy un bon resveux ! Mais allons nous cacher ou coing de la cheminée, et là passons avec les dames nostre vie et nostre temps à emphiller des perles, ou à filler comme Sardanapalus [1] !

— Baste ! (dist Picrochole). Passons oultre. Je ne crains que ces diables de legions de Grandgouzier. Ce pendent que nous sommes en Mesopotamie, s'ilz nous donnoient sus la queue, quel remede ?

— Tresbon (dist Merdaille). Une belle petite commission, laquelle vous envoirez es Moscovites, vous mettra en champ pour un moment cinquante mille combatans d'eslite. O, si vous me y faictes vostre lieutenant, — je

1. Echephron, le prudent, rappelle la vieille sagesse déjà illustrée au Moyen Age par les *Dialogues de Salomon et de Marculphe*, ou les rencontres entre Alexandre et Diogène : la gloire mondaine est totalement vaine, et la conquête absurde. Spadassin répond par un

— La raison le veut ainsi. Ce n'est que justice. Je vous donne la Caramanie, la Syrie et toute la Palestine.

— Ha ! Sire, c'est bien bon de votre part. Grand merci ! Que Dieu vous accorde toujours la prospérité ! »

Il y avait là un vieux gentilhomme, ayant connu maintes aventures et vrai routier de guerre, nommé Èchephron, qui dit en entendant ces propos :

« J'ai bien peur que toute cette entreprise ne ressemble à la fable du pot au lait, dont un cordonnier rêvait qu'il le rendait riche ; et quand le pot fut cassé, il n'eut même pas de quoi dîner. Que prétendez-vous par ces belles conquêtes ? Quel sera le but de tant d'épreuves et de tracas ?

— Ce sera, dit Picrochole, de pouvoir nous reposer à l'aise. »

Èchephron dit alors :

« Ne vaut-il pas mieux nous reposer dès maintenant, sans nous jeter dans ces aventures ?

— Ô par Dieu, dit Spadassin, voici un bon rêveur ! Allons donc nous cacher au coin de l'âtre, et passons-y avec les dames notre vie et notre temps à enfiler des perles ou à filer comme Sardanapale !

— Suffit ! dit Picrochole. Passons. Je ne crains que ces diables de légions de Grandgousier. Et si, pendant que nous sommes en Mésopotamie, ils nous attaquaient sur nos arrières, quel remède ?

— Excellent, dit Merdaille. Un bon petit ordre envoyé aux Moscovites vous donnera aussitôt en campagne cinquante mille combattants d'élite. Ô, si vous m'en confiez la charge — je renie la chair, la mort et le

autre exemple traditionnel : il serait honteux de ne pas se comporter en hommes, tel Sardanapale à qui on attribuait l'habitude de s'habiller en femme.

renye la chair, la mort, et le sang ! — je tueroys un pigne pour un mercier[1] ! Je mors, je rue, je frape, je tue !

— Suz, suz (dist Picrochole), qu'on depesche tout, et qui me ayme, si me suyve. »

1. Locution inversée de l'expression *tuer un mercier pour un peigne*, indice de rapacité.

sang ! —, je tuerais un peigne pour un mercier ! Je mords, je rue, je frappe, je tue !

— En avant, en avant, dit Picrochole, qu'on se hâte, et qui m'aime me suive. »

CHAPITRE XXXII

Comment Gargantua laissa la ville de Paris pour secourir son pays, et comment Gymnaste rencontra les ennemis

En ceste mesme heure, Gargantua, qui estoit yssu de Paris soubdain les lettres de son pere leues, sus sa grand jument s'en venant, avoit jà passé le pont de la Nonnain, luy, Ponocrates, Gymnaste et Eudemon, lesquelz pour le suyvre avoient prins chevaulx de poste. Le reste de son train venoit à justes journées, amenant tous ses livres et instrument philosophique.

Luy arrivé à Parillé, feut adverty par le mestayer de Gouguet comment Picrochole s'estoit ramparé à La Roche Clermaud et avoit envoyé le capitaine Tripet avec grosse armée assaillir le boys de Vede et Vaugaudry, et qu'ilz avoient couru la poulle jusques au Pressouer Billard, et que c'estoit chose estrange et difficile à croyre des excès qu'ils faisoient par le pays. Tant qu'il luy feist peur, et ne sçavoit pas bien que dire ny que faire. Mais Ponocrates luy conseilla qu'ilz se transportassent vers le seigneur de La Vauguyon, qui de tous temps avoit esté leur amy et confederé, et par luy seroient mieulx advisez de tous affaires, ce qu'ilz feirent incontinent, et le trouverent en bone deliberation de leur secourir, et feut de opinion que il envoyroit quelqu'un de ses gens pour descouvrir le pays et sçavoir en quel estat estoient les ennemys, affin de y proceder par conseil prins selon la forme de l'heure presente.

CHAPITRE XXXII

Comment Gargantua quitta Paris pour secourir son pays, et comment Gymnaste rencontra les ennemis

Au même moment, Gargantua, qui avait quitté Paris dès la lecture de la lettre de son père et arrivait sur sa grande jument, avait déjà passé le pont de la Nonnain, avec Ponocrates, Gymnaste et Eudémon, qui pour le suivre avaient pris des chevaux de poste. Le reste de son équipage venait à un rythme de journées normales, portant ses livres et son outillage philosophique.

Arrivé à Parilly, il fut informé par le métayer de Goguet de la façon dont Picrochole s'était retranché à La Roche-Clermault et avait envoyé le capitaine Tripet avec une forte armée assaillir le bois de Vède et Vaugaudry ; ils avaient maraudé jusqu'au Pressoir Billard, et c'était chose inouïe et incroyable les excès qu'ils commettaient dans le pays. Tant et si bien qu'il prit peur et qu'il ne savait pas bien quoi dire ni faire. Mais Ponocrates lui conseilla de se transporter chez le seigneur de La Vauguyon, qui de tout temps avait été leur ami et leur allié, qui leur donnerait plus ample information sur toutes ces affaires ; ainsi firent-ils aussitôt ; ils le trouvèrent tout disposé à les aider, et l'on décida d'envoyer l'un de ses gens pour explorer le pays et savoir la situation des ennemis, afin qu'on pût prendre une décision en fonction de la situation présente. Gymnaste s'offrit à y aller ; on conclut que

Gymnaste se offrit d'y aller ; mais il feut conclud que pour le meilleur il menast avecques soy quelq'un qui congnoistroit les voyes et destorses et les rivieres de l'entour.

Adoncques partirent luy et Prelinguand, escuyer de Vauguyon, et sans effroy espierent de tous coustés. Ce pendent Gargantua se refraischit et repeut quelque peu avecques ses gens, et feist donner à sa jument ung picotin d'avoyne : c'estoient soixante et quatorze muys.

Gymnaste et son compaignon tant chevaucherent qu'ilz rencontrerent les ennemys tous espars et mal en ordre, pillans et desrobans tout ce qu'ilz povoient ; et, de tant loing qu'ilz l'aperceurent, accoururent sus luy à la foulle pour le destrousser. Adonc il leur cria :

« Messieurs, je suys pauvre diable ; je vous requiers qu'ayez de moy mercy. J'ay encoures quelque teston : nous le boyrons, et ce cheval icy sera vendu pour payer ma bien venue. Cela faict, retenez moy des vostres, car jamais homme ne sceut mieulx prendre, larder, roustir et aprester, voyre, par Dieu ! demembrer et gourmender poulle que moy qui suys icy, et pour mon *proficiat* je boy à tous bons compaignons. »

Lors descouvrit sa ferriere et, sans mettre le nez dedans, beuvoit assez honestement. Les marroufles le regardoient, ouvrans la gueule d'ung grand pied et tirans les langues comme levriers, en attente de boyre apres. Mais Tripet, le capitaine, sus ce poinct accourut veoir que c'estoit. Adoncq Gymnaste luy offrit sa bouteille, disant :

« Tenez, capitaine, beuvez en hardiment. J'en ay faict l'essay, c'est vin de La Faye Monjau.

— Quoy (dist Tripet), ce gautier icy se guabele de nous ! Qui es tu ?

— Je suis (dist Gymnaste) pauvre diable.

— Ha ! (dist Tripet). Puis que tu es pouvre diable, c'est raison que passez oultre, car tout pauvre diable passe par tout sans peage ny gabelle. Mais ce n'est de coustume que pauvres diables soient si bien montez.

pour plus de sûreté il emmènerait avec lui quelqu'un qui connaisse les chemins, les voies de traverse et les rivières des environs.

Ils partirent donc, lui et Prelinguand, écuyer de Vauguyon, et sans bruit épièrent de tout côté. Pendant ce temps, Gargantua se reposa et se restaura un peu avec ses gens, et fit donner à sa jument un picotin d'avoine, c'est-à-dire soixante-quatorze muids.

Gymnaste et son compagnon chevauchèrent tant qu'ils tombèrent sur les ennemis qui, éparpillés et sans ordre, pillaient et dérobaient tout ce qu'ils pouvaient ; de si loin qu'ils l'aperçurent, ils se précipitèrent vers lui en masse pour le détrousser. Aussi il leur cria :

« Messieurs, je suis un pauvre diable ; je vous prie d'avoir pitié de moi. J'ai encore un peu d'argent ; nous le boirons, et le cheval que voici sera vendu pour payer mon don de bienvenue. Et après cela, gardez-moi avec vous, car jamais personne n'a su mieux prendre, larder, rôtir et apprêter, et même, par Dieu ! découper et assaisonner une poule que moi qui vous parle ; et, en guise d'impôt de bienvenue, je bois à tous les bons compagnons. »

Alors il sortit sa gourde et, sans y mettre le nez, but assez gaillardement. Les marauds le regardaient, la gueule ouverte d'un bon pied et la langue pendante comme des lévriers, en attendant de boire après lui. Mais là-dessus Tripet, le capitaine, accourut pour voir ce qui se passait. Alors Gymnaste lui offrit sa bouteille en disant :

« Tenez, capitaine, buvez-en hardiment. J'en ai tâté, c'est du vin de La Foye Monjault.

— Quoi, dit Tripet, ce rustaud se moque de nous ! Qui es-tu ?

— Je suis un pauvre diable, dit Gymnaste.

— Ha ! Puisque tu es un pauvre diable, tu peux bien y passer, car le pauvre diable passe partout sans péage ni impôt. Mais ce n'est pas l'habitude que les pauvres diables soient si bien montés. Aussi, monsieur le diable,

Pourtant, Monsieur le diable, descendez que je aye le roussin, et, si bien il ne me porte, vous, Maistre diable, me porterez, car j'ayme fort q'un diable tel m'en porte. »

descendez que je prenne le roussin, et s'il ne me porte pas bien, ce sera vous, Maître diable, qui me porterez, car j'aime bien qu'un tel diable m'emporte. »

CHAPITRE XXXIII

Comment Gymnaste soupplement tua le capitaine Tripet et aultres gens de Picrochole

Ces motz entenduz, aulcuns d'entre eulx commencerent avoir frayeur et se seignoient de toutes mains, pensans que ce feust un diable desguisé. Et quelqu'un d'eulx, nommé Bon Joan, tyra ses heures de sa braguette et cria assez hault : « *Agios ho Theos*. Sy tu es de Dieu, sy parle ! Sy tu es de l'Aultre, sy t'en va ! » Et pas ne s'en alloit ; ce que entendirent plusieurs de la bande, et se departoient de la compaignie, le tout notant et considerant Gymnaste.

Pourtant fist semblant descendre de cheval, et, quand feut pendent du cousté du montouer, feist souplement le tour de l'estriviere, son espée bastarde au cousté, et par dessoubz passé, se lancza en l'air et se tint des deulx piedz sus la scelle, le cul tourné vers la teste du cheval. Puis dist : « Mon cas va au rebours [1]. »

Adoncq, en tel poinct qu'il estoit, feist la guambade sus un pied, tournant à senestre, et ne faillit oncq de rencontrer sa propre assiete sans en rien varier. Dont dist Tripet :

« Je ne feray pas cestuy là pour ceste heure, et pour cause.

1. *Cas* signifie *situation*, mais aussi *sexe*. Gymnaste adopte, en montant ainsi à l'envers, la situation facétieuse donnée aux victimes

CHAPITRE XXXIII

Comment Gymnaste tua en souplesse le capitaine Tripet et d'autres gens de Picrochole

À ces mots, certains soldats prirent peur et se signaient à tour de bras, croyant que c'était un diable déguisé. L'un d'entre eux, nommé Bon Jean, tira son livre de prières de sa braguette et cria à haute voix : « *Saint est le Seigneur !* Si tu viens de par Dieu, parle donc ! Si tu viens de par l'Autre, va-t'en donc ! » Et il ne s'en allait pas ; en entendant cela, plusieurs du groupe se séparèrent de la compagnie, observant attentivement Gymnaste.

Celui-ci fit mine de descendre de cheval ; quand il fut suspendu d'un côté sur l'étrier, il fit souplement le tour des sangles, sa longue épée au côté, et, étant passé sous le cheval, il bondit en l'air et se mit debout sur la selle, le cul tourné vers la tête du cheval. Puis il dit : « Mon affaire va à l'envers. »

Sur ce, là où il était, il fit une pirouette sur un pied, en tournant sur sa gauche, sans manquer de retrouver son assiette, toujours à l'envers. Tripet dit alors :

« Je n'en ferai pas autant à cette heure, et pour cause.

des charivaris, qu'on promenait à l'envers sur un âne, pour montrer leur nullité.

— Bien (dist Gymnaste), j'ay failly ; je voys defaire cestuy sault. »

Lors par grande force et agilité feist en tournant à dextre la gambade comme davant. Ce faict, mist le poulce de la dextre sus l'arczon de la scelle et leva tout le corps en l'air, se soustenent tout le corps sus le muscle et nerf dudict poulce, et ainsi se tourna troys foys. A la quatriesme, se renversant tout le corps sans à rien toucher, se guinda entre les deux aureilles du cheval, soudant tout le corps en l'air sus le poulce de la senestre, et en cest estat feist le tour du moulinet ; puys, frapant du plat de la main dextre sus le meillieu de la scelle, se donna tel branle qu'il se assist sus la crope, comme font les damoiselles.

Ce faict, tout à l'aise passe la jambe droicte par sus la scelle, et se mist en estat de chevaucheur sus la crope.

« Mais (dist il), mieulx vault que je me mette entre les arsons. »

Adoncq, se appoyant sus les poulces des deux mains à la crope davant soy, se renversa cul sus teste en l'air et se trouva entre les arsons en bon maintien. Puys d'un sobresault se leva tout le corps en l'air, et ainsi se tint piedz joinctz entre les arsons, et là tournoya plus de cent tours, les bras estenduz en croix, et crioyt ce faisant à haulte voix : « J'enraige, diables, j'enraige, j'enraige ! Tenez moy, diables, tenez moy, tenez ! »

Tandis qu'ainsi voltigeoyt, les marroufles en grand esbahissement disoient l'un à l'autre : « Par la mer Dé ! c'est un lutin ou un diable ainsi deguisé. *Ab hoste maligno libera nos, Domine.* » Et s'en fuyoient à la route, regardans darriere soy comme un chien qui emporte un plumail.

Lors Gymnaste, voyant son adventaige, descend de cheval, et desguaine son espée et à grands coups chargea sus les plus huppez, et les ruoyt à grands monceaulx, blessez, navrez et meurtriz, sans que nul luy resistast, pensans que ce fust un diable affamé, tant par les merveilleux voltigemens qu'il avoit faict que par les propous que luy avoyt tenu Tripet en l'appellant *pauvre*

— Bien, dit Gymnaste, j'ai raté ; je vais faire le saut à l'envers. »

Alors, avec une grande agilité, il fit une pirouette comme la précédente en tournant sur sa droite. Là-dessus, il mit le pouce de sa main droite sur l'arçon de la selle et se redressa à la verticale, tout le poids du corps reposant sur les muscles du pouce, et il fit trois tours sur place. Au quatrième tour, renversant le corps sans rien toucher, il se hissa entre les oreilles du cheval en se redressant à la verticale sur le pouce gauche, et dans cette situation fit un tour complet ; puis, en frappant d'un coup de la main droite au milieu de la selle, il se donna une telle impulsion qu'il retomba assis sur la croupe, en amazone.

Cela fait, tranquillement il passa la jambe droite par-dessus la selle, et se mit à califourchon sur la croupe.

« Mais, dit-il, il vaut mieux que je me mette entre les arçons. »

Aussi, s'appuyant sur les pouces des deux mains à la croupe devant lui, il se renversa cul par-dessus tête et se retrouva bien installé entre les arçons. Puis d'un saut périlleux il se projeta en l'air et retomba pieds joints entre les arçons ; là, il tournoya plus de cent fois sur lui-même, les bras en croix, tout en criant à pleine voix : « J'enrage, diables, j'enrage, j'enrage ! Tenez-moi, diables, tenez-moi, tenez ! »

Tandis qu'il voltigeait ainsi, les marauds tout ébahis se disaient l'un à l'autre : « Merdedieu ! c'est un lutin ou un diable déguisé. *Libère-nous du Malin, Seigneur.* » Et ils s'enfuirent sur la route, regardant par-derrière eux comme un chien qui emporte une volaille.

Alors Gymnaste, voyant la situation tourner à son avantage, descend de cheval, dégaine son épée et chargea à grands coups sur les plus huppés ; il les abattait en tas, blessés, rompus et meurtris, sans que personne lui résistât, dans l'idée que c'était un diable affamé, en raison aussi bien des tours extraordinaires qu'il avait exécutés que des propos que lui avait tenus Tripet en

diable ; si non que Tripet en trahison luy voulut fendre la cerveille de son espée lancquenette ; mais il estoit bien armé et de cestuy coup ne sentit que le chargement, et, soubdain se tournant, lancea un estoc volant audict Tripet, et ce pendent que icelluy se couvroit en hault, luy tailla d'un coup l'estomach, le colon et la moytié du foye, dont tomba par terre, et, tombant, rendit plus de quatre potées de souppes, et l'ame meslée parmy les souppes.

Ce faict, Gymnaste se retyre, considerant que les cas de hazart jamais ne fault poursuyvre jusque à leur periode, et qu'il convient à tous chevaliers reverentement traicter leur bonne fortune, sans la molester ny gehainer. Et montant sus son cheval, luy donne des esprons, tyrant droict son chemin vers La Vauguyon, et Prelinguand avecques luy.

l'appelant *pauvre diable ;* il n'y eut que Tripet qui voulut traîtreusement lui fendre la cervelle de son épée de lansquenet ; mais il avait un casque solide, et il n'en sentit que le choc ; se retournant brusquement, il porta une attaque de pointe en flèche sur Tripet et, pendant que celui-ci se protégeait le haut du corps, il lui porta un coup de taille dans l'estomac, l'intestin et la moitié du foie ; Tripet tomba par terre et, en tombant, rendit plus de quatre potées de soupe, et l'âme au milieu de la soupe.

Là-dessus, Gymnaste se retira, estimant qu'il ne faut pas tenter le hasard jusqu'au bout, et qu'il convient à tous les chevaliers d'user avec précaution de leur chance, sans chercher à la forcer. Remontant sur son cheval, il donne des éperons, filant tout droit vers La Vauguyon avec Prelinguand.

CHAPITRE XXXIIII

Comment Gargantua demollyt le chasteau du Gué de Vede, et comment ilz passerent le Gué

Venu que fut, raconta l'estat auquel il avoit trouvé les ennemys et du stratageme qu'il avoit faict, luy seul contre toute leur caterve, affirmant que ilz n'estoyent que maraulx, pilleurs et brigans, ignorans de toute discipline militare, et que hardiment ilz se missent en voye, car il leur seroit tresfacile de les assommer comme bestes.

Adoncques monta Gargantua sus sa grande jument, acompaigné comme davant avons dict. Et, trouvant en son chemin un hault et grand alne (lequel communement on nommoyt l'Arbre de sainct Martin, pource qu'ainsi estoit creu ung bourdon que jadis sainct Martin y planta), dist : « Voicy ce qu'il me failloyt : cest arbre me servira de bourdon et de lance. » Et l'arrachit facilement de terre, et en housta les rameaux, et le para pour son plaisir.

Ce pendent sa jument pissa pour se lascher le ventre[1] ; mais ce fut en telle abondance qu'elle en feist sept lieues de deluge, et deriva tout le pissat au gué de Vede, et tant l'enfla devers le fil de l'eau que toute ceste bande des ennemys furent en grand horreur

1. La grande jument et Gargantua sont les héros de scènes parallèles : il a déjà noyé d'un flot d'urine les Parisiens, noiera les

CHAPITRE XXXIV

Comment Gargantua détruisit le château du Gué de Vède, et comment ils passèrent le gué

Dès qu'il fut arrivé, il raconta comment il avait trouvé les ennemis et le stratagème dont il avait usé, lui tout seul contre leur troupe, affirmant que ce n'était que marauds, pillards et brigands, ignorants de toute discipline militaire ; on devait se mettre en route hardiment, car il serait très facile de les assommer comme du bétail.

Gargantua monta donc sur sa grande jument, accompagné comme nous l'avons dit. Trouvant sur son chemin un grand aulne (qu'on appelait communément l'Arbre de saint Martin parce que c'était ainsi qu'avait poussé un bâton que jadis saint Martin avait planté), il dit : « Voici ce qu'il me fallait : cet arbre me servira de bâton et de lance. » Et il l'arracha sans peine de terre, en ôta les branches et l'orna pour son plaisir.

Pendant ce temps, sa jument pissa pour se soulager le ventre, mais en telle abondance qu'elle en fit un déluge de sept lieues ; toute cette pisse dévala jusqu'au gué de Vède, et gonfla tellement la rivière que toute la troupe des ennemis fut épouvantablement noyée,

pèlerins, et elle a déjà exterminé les mouches bovines ; ils intervertissent. Le chevalier et le cheval sont indissociables.

noyez, exceptez aulcuns qui avoient prins le chemin vers les cousteaulx à gausche.

Gargantua, venu à l'endroit du boys de Vede, fut advisé par Eudemon que dedans le chasteau estoyt quelque reste des ennemys, pour laquelle chose sçavoir Gargantua s'escria tant qu'il peut :

« Estez vous là, ou n'y estez pas ? Si vous y estez, n'y soyez plus ; si n'y estez, je n'ay que dire. »

Mais un ribaud canonnier, qui estoyt au machicoulys, luy tyra un coup de canon et le attainct par la temple dextre furieusement ; toutesfoys ne luy feist pour ce mal en plus que s'il luy eust getté une prune.

« Qu'est ce là ? (dist Gargantua). Nous gettez vous icy des grains de raizins ? La vendange vous coustera cher ! » — pensant de vray que le boulet feust un grain de raizin[1].

Ceulx qui estoient dedans le chasteau amuzez à la pille, entendant le bruyt, coururent aux tours et forteresses, et luy tirerent plus de neuf mille vingt et cinq coups de faulconneaux et arquebouzes, visans tous à sa teste, et si menu tiroyent contre luy qu'il s'escrya :

« Ponocrates, mon amy, ces mouches icy me aveuglent ; baillez moy quelque rameau de ces saulles pour les chasser » — pensant des plombées et pierres d'artillerye que feussent mousches bovines.

Ponocrates l'advisa que ce n'estoient aultres mousches que les coups d'artillerye que l'on tiroyt du chasteau. Alors chocqua de son grant arbre contre le chasteau, et à grans coups abastit et tours et forteresses, et ruyna tout par terre. Par ce moien feurent tous rompuz et mys en pieces ceulx qui estoient en icelluy.

De là partans, arriverent au port du molin et trouverent tout le gué couvert de corps mors en telle foulle qu'ilz avoient enguorgé le cours du molin, et c'estoient ceulx qui estoient peritz au deluge urinal de la jument.

1. L'assaut avec un arbre, les hypothèses sur les boulets grains ou mouches, viennent des *Grandes Chroniques*.

sauf quelques-uns qui avaient pris le chemin vers les coteaux à gauche.

Arrivé au bois de Vède, Gargantua fut prévenu par Eudémon qu'il restait quelques ennemis dans le château ; pour en avoir le cœur net, Gargantua cria le plus fort qu'il put :

« Y êtes-vous ou n'y êtes-vous pas ? Si vous y êtes, n'y soyez plus ; si vous n'y êtes pas, je n'ai rien à dire. »

Mais un méchant canonnier qui était au mâchicoulis lui tira un coup de canon qui l'atteignit violemment à la tempe droite ; pourtant il ne lui fit pas plus mal que s'il lui avait jeté une prune.

« Qu'est-ce donc ? dit Gargantua. Vous nous jetez des grains de raisin ? La vendange vous coûtera cher ! » — croyant vraiment que le boulet était un grain de raisin.

Ceux qui étaient dans le château occupés à piller, en entendant le bruit, coururent aux tours et forteresses, et tirèrent sur lui plus de neuf mille vingt-cinq coups de fauconneaux et d'arquebuses, visant tous la tête ; le tir était si dru qu'il s'écria :

« Ponocrates, mon ami, ces mouches m'aveuglent ; donnez-moi une de ces branches de saule pour les chasser » — croyant que les boulets et pierres d'artillerie étaient des taons.

Ponocrates l'informa qu'en fait de taons c'était les coups d'artillerie qu'on tirait du château. Alors il frappa de son grand arbre sur le château, et à grands coups abattit tours et forteresses, et jeta tout par terre. Ainsi furent écrasés et mis en pièces tous ceux qui s'y trouvaient.

En repartant, ils arrivèrent au passage du moulin, et ils virent que tout le gué était couvert de corps en si grand nombre qu'ils avaient obstrué le chenal du moulin : c'était ceux qui avaient péri sous le déluge

Là feurent en pensement comment ilz pourroient passer, veu l'empeschement de ces cadavres. Mais Gymnaste dist :

« Si les diables y ont passé, je y passeray fort bien.

— Les diables (dist Eudemon) y ont passé pour en emporter les ames damnées.

— Sainct Treignan ! (dist Ponocrates) par doncques consequence necessaire il y passera.

— Voyre, voyre (dist Gymnaste), ou je demoureray en chemin. »

Et, donnant des esperons à son cheval, passa franschement oultre, sans que jamais son cheval eust fraieur des corps mors. Car il l'avoit acoustumé (selon la doctrine de Aelian) à ne craindre poinct les armes, ny corps mors — non en tuant les gens comme Diomedes tuoyt les Thraces et Ulysses mettoyt les corps de ses ennemys es pieds de ses chevaulx (ainsi que raconte Homere), mais en luy mettant un phantosme par my son fain et le faisant ordinairement passer sus icelluy quand il luy bailloyt son avoyne.

Les troys aultres le suyvirent sans faillir, excepté Eudemon, du quel le cheval enfoncea le pied droict jusques au genoil dedans la pance d'ung gros et gras villain qui estoit là noyé, à l'envers, et ne le povoit tyrer hors ; ainsi demouroit empestré jusques à ce que Gargantua du bout de son baston enfondra le reste des tripes du villain en l'eau, ce pendent que le cheval levoit le pied. Et (qui est chose merveilleuse en Hippiatrie) feut ledict cheval guery d'un surot qu'il avoit en celluy pied par l'atouchement des boyaux de ce gros marroufle.

d'urine de la jument. Ils se mirent à réfléchir à la façon dont ils pourraient passer, vu l'encombrement de ces cadavres. Mais Gymnaste dit :

« Si les diables y sont passés, j'y passerai bien.

— Les diables, dit Eudémon, y sont passés pour en emporter les âmes damnées.

— Saint Treignant ! dit Ponocrates, par conséquent il y passera nécessairement.

— Sans doute, sans doute, dit Gymnaste, ou je resterai en chemin. »

Et, piquant son cheval des deux, il passa hardiment outre, sans que jamais son cheval prît peur devant les corps morts. Car il l'avait habitué (selon l'enseignement d'Élien) à ne craindre ni les armes ni les cadavres — non pas en tuant les gens, comme Diomède tuant les Thraces et Ulysse mettant les corps de ses ennemis aux pieds de ses chevaux (ainsi que le raconte Homère), mais en mettant un mannequin dans son foin et en le faisant habituellement passer dessus quand il lui donnait son avoine.

Les trois autres le suivirent sans encombre, sauf Eudémon, dont le cheval enfonça le pied droit jusqu'au genou dans la panse d'un gros et gras vilain qui était noyé là, sur le dos, et ne pouvait l'en retirer ; il demeurait ainsi tout empêtré, jusqu'à ce que Gargantua, du bout de son bâton, enfonce le reste des tripes du vilain dans l'eau, pendant que le cheval levait le pied. Et (ce qui est merveille en médecine chevaline) le cheval fut guéri d'un ulcère qu'il avait à ce pied au simple contact des boyaux de ce gros maroufle.

CHAPITRE XXXV

Comment Gargantua, soy peignant, faisoit tomber de ses cheveulx les boulletz de artillerye

Issuz de la rive de Vede, peu de temps apres abourderent au chasteau de Grandgouzier qui les attendoyt en grand desir. A sa venue, ilz le festoyerent à tour de bras ; jamais on ne veit gens plus joyeux. Car *Supplementum Supplementi Chronicorum* dict que Gargamelle y mourut de joye. Je n'en sçay rien de ma part, et bien peu me soucye ny d'elle ny d'aultre femme que soyt [1].

La verité feut que Gargantua, se refraischissant d'habillemens et se testonnant de son peigne (qui estoit grand de sept cannes, tout apoincté de grandes dens de elephans toutes entieres), faisoit tomber à chascun coup plus de sept balles de bouletz qui luy estoient demourez entre les cheveulx à la demollition du boys de Vede. Ce que voyant, Grandgouzier, son pere, pensoit que feussent pous et luy dist :

« Dea, mon bon filz, nous as tu aporté jusques icy des esparviers de Montagu [2] ? Je n'entendoys pas que là tu feisse residence. »

1. La disparition de la mère, bien rapidement évoquée, souligne une particularité des récits de Rabelais : l'inattention à la féminité, qui peut être un objet de plaisanteries sexuelles, mais n'accède pas au statut de personnage. Seule remarque à faire : Gargantua est né quarante jours après le Christ, Gargamelle disparaît quarante jours après l'Assomption.

2. Le Collège de Montaigu est un des plus anciens et des plus

CHAPITRE XXXV

Comment Gargantua, en se peignant, faisait tomber de ses cheveux les boulets de canon

Sortis du ruisseau de Vède, ils abordèrent peu après au château de Grandgousier, qui les attendait avec impatience. Arrivés près de lui, ils lui firent fête en grandes embrassades ; jamais on ne vit de gens plus heureux. Car le *Supplément du Supplément des Chroniques* dit que Gargamelle en mourut de joie. Pour ma part, je n'en sais rien, et je ne me soucie ni d'elle ni d'aucune autre femme.

Ce que je sais, c'est que Gargantua, alors qu'il se changeait, en se coiffant de son peigne (qui était long de sept cannes et tout hérissé de grandes dents entières d'éléphant) faisait tomber à chaque coup plus de sept charges de boulets de canon qui lui étaient restés dans les cheveux lors de la destruction du bois de Vède. En voyant cela son père Grandgousier, croyant que c'était des poux, lui dit :

« Eh, mon bon fils, tu nous as donc apporté jusqu'ici des charognards de Montaigu ? Ce n'était pas mon intention que tu t'y installes. »

réputés de Paris, mais aussi un de ceux où la vie matérielle est la plus rude ; il est vrai qu'il accueille les écoliers pauvres. Divers humanistes y ont fait leurs études, ils lui ont fait la réputation d'un lieu sale (pouilleux), obscurantiste et où la brutalité règle les relations pédagogiques. Le cimetière des Saints-Innocents abrite les gueux, frontière de la cour des Miracles de la marginalité parisienne.

Adonc Ponocrates respondit :

« Seigneur, ne pensez pas que je l'aye mis au colliege de pouillerie qu'on nomme Montagu. Mieulx le eusse voulu mettre entre les guenaux de Sainct Innocent, pour l'enorme cruaulté et villenye que je y ay congneu. Car trop mieulx sont traictez les forcez entre les Maures et Tartares, les meurtriers en la tour criminelle, voyre certes les chiens en vostre maison, que ne sont ces malautruz on dict colliege. Et, si j'estoys roy de Paris, le diable m'emport si je ne mettroys le feu dedans et faisoys brusler et principal et regens qui endurent veoir ceste inhumanité davant leurs yeulx ! »

Lors, levant un de ces boulletz, dist :

« Ce sont coups de canon que n'a guyeres a repceu vostre filz Gargantua passant davant le boys de Vede, par la trahison de vos ennemys. Mais ilz en eurent telle recompense qu'ilz sont tous perilz en la ruine du chasteau, comme les Philistins par l'engin de Sanson, et ceulx que opprima la tour de Siloé, desquelz est escript *Luce, xiij*. Iceulx je suys d'advis que nous poursuyvons, ce pendant que l'heur est pour nous. Car l'Occasion a tous ses cheveulx au front : quand elle est oultre passée, vous ne la povez plus revocquer ; elle est chauve par le darriere de la teste et jamais plus ne retourne [1].

— Vrayement (dist Grandgouzier), ce ne sera pas à ceste heure, car je veulx vous festoyer pour ce soir, et soyez les tresbien venuz. »

Ce dict, on apresta le soupper, et de surcroist feurent roustiz : seze beufz, troys genisses, trente et deux veaux, soixante et troys chevreaux moissonniers, quatre vingtz quinze moutons, troys cens guorretz de laict à beau moust, unze vingt perdrys, sept cens becasses, quatre cens chappons de Loudunoys et Cornouaille, six mille poulletz et autant de pigeons, six cens gualinottes,

1. L'Occasion est représentée allégoriquement comme une femme à moitié chauve, avec une longue mèche flottante au vent.

Ponocrates répondit :

« Seigneur, n'imaginez pas que je l'aie placé dans ce collège de pouilleux qu'on appelle Montaigu. Vu la cruauté sans bornes et la vilenie que j'y ai connues, j'aurais préféré le mettre parmi les mendiants des Saints-Innocents. Car on traite mieux les forçats chez les Maures et les Tartares, les criminels dans leur cachot, et même assurément les chiens dans votre maison, que ces malheureux au collège. Et si j'étais roi de Paris, le diable m'emporte si je n'y mettais le feu et ne faisais brûler principal et régents, qui supportent de voir sous leurs yeux une telle cruauté ! »

Alors, soulevant un des boulets, il dit :

« Ce sont des coups de canon que, il y a peu, votre fils Gargantua a reçus en passant devant le bois de Vède, par la traîtrise de vos ennemis. Mais ils en ont été si bien récompensés qu'ils sont tous morts dans les ruines du château, comme les Philistins par l'invention de Samson, et comme ceux qui furent écrasés sous la tour de Siloé, dont parle Luc, 13. C'est pourquoi je suis d'avis que nous poursuivions, pendant que la chance est pour nous. Car l'Occasion n'a de cheveux que sur le front : quand elle est passée, on ne peut plus la faire revenir ; elle est chauve sur le derrière de la tête et ne se retrouve jamais.

— En vérité, dit Grandgousier, ce ne sera pas maintenant car je veux vous faire fête ce soir ; soyez les très bienvenus. »

Cela dit, on apprêta le souper, et de plus on rôtit : seize bœufs, trois génisses, trente-deux veaux, soixante-trois chevreaux de l'été, quatre-vingt-quinze moutons, trois cents cochons de lait à beau moût, deux cent vingt perdrix, sept cents bécasses, quatre cents chapons du Loudunois et de Cornouaille, six mille poulets et autant de pigeons, six cents gelinottes, quatorze cents levrauts,

quatorze cens levraulx, troys cens et troys hostardes, et mille sept cens hutaudeaux. De venaison l'on ne peut tant soubdain recouvrir, fors unze sangliers qu'envoya l'abbé de Turpenay, et dix et huyt bestes fauves que donna le seigneur de Grandmond, ensemble deux vings faisans qu'envoya le seigneur des Essars, et quelques douzaines de ramiers, de oiseaux de riviere, de cercelles, buors, courtes, pluviers, cravans, tyransons, tadournes, pochecullieres, pouacres, hegronneaux, foulques, aigrettes, ciguongnes, cannes petieres, et renfort de potages.

Sans poinct de faulte il y avoit vivres à suffizance, et feurent aprestez honestement par Fripesaulce, Hoschepot et Pilleverjus [1], cuisiniers de Grandgouzier.

Janot, Micquel et Verrenet appresterent fort bien à boire.

1. Noms fonctionnels.

trois cent trois outardes et mille sept cents coquelets. Du gibier, on ne put aussi rapidement en trouver, sauf onze sangliers envoyés par l'abbé de Turpenay, et dix-huit bêtes rousses données par le seigneur de Grandmont, avec une quarantaine de faisans qu'envoya le seigneur des Essarts, et quelques douzaines de ramiers, d'oiseaux de rivière, sarcelles, butors, courlis, pluviers, oies, bécassines, tadornes, spatules, hérons, héronneaux, foulques, aigrettes, cigognes, canepetières, et bonne provision de potages.

Rien ne manquait, il y avait vivres en suffisance, qui furent bien apprêtés par Fripesauce, Hochepot et Pilleverjus, cuisiniers de Grandgousier.

Janot, Micquel et Verrenet préparèrent fort bien à boire.

CHAPITRE XXXVI

Comment Gargantua mangea en sallade six pelerins

Le propous requiert que racontons ce qu'advint à six pelerins, qui venoient de Sainct Sebastian, près de Nantes, et pour soy herberger celle nuyct, de peur des ennemys, s'estoyent mussez on jardin dessus les poyzars, entre les choulx et lectues. Gargantua se trouva quelque peu alteré et demanda si l'on pourroit trouver de lectues pour faire une sallade. Et, entendent qu'il y en avoit des plus belles et grandes du pays, car elles estoient grandes comme pruniers ou noyers [1], y voulut aller luy mesmes et en emporta en sa main ce que bon luy sembla. Ensemble emporta les six pelerins, lesquelz avoient si grand peur qu'ilz ne ousoient ny parler ny tousser.

Les lavant doncques premierement en la fontaine, les pelerins disoient en voix basse l'un à l'aultre : « Qu'est y de faire ? Nous nayons icy, entre ces lectues. Parlerons nous ? Mais, si nous parlons, il nous tuera comme espies. » Et, comme ilz deliberoient ainsi, Gargantua les mist avecques ses lectues dedans un plat de la maison, grand comme la tonne de Cisteaux, et, avecques d'huille, de vinaigre et de sel, les mangeoyt pour soy refraischir davant souper, et avoit jà engoullé cinq des prisonniers. Le sixiesme estoit dedans le plat,

1. Seul cas où l'environnement s'adapte au gigantisme.

CHAPITRE XXXVI

Comment Gargantua mangea en salade six pèlerins

Il faut ici raconter ce qui arriva à six pèlerins venant de Saint-Sébastien près de Nantes qui, pour s'abriter pendant la nuit de peur des ennemis, s'étaient cachés dans le potager, sur les petits pois, entre les choux et les laitues. Gargantua se sentant quelque peu altéré demanda si l'on pourrait trouver des laitues pour faire une salade. Apprenant qu'il y avait là les plus belles et grandes du pays, aussi grandes que des pruniers ou noyers, il voulut y aller lui-même et en emporta dans sa main ce qu'il voulut. Il emporta en même temps les six pèlerins, qui avaient si grand peur qu'ils n'osaient parler ni tousser.

Tandis qu'il les lavait d'abord à la fontaine, les pèlerins se disaient à voix basse : « Que faire ? Nous allons nous noyer ici, au milieu de ces laitues. Allons-nous parler ? Mais si nous parlons, il va nous tuer comme espions. » Et comme ils délibéraient ainsi, Gargantua les mit avec les laitues dans un plat de la maison, aussi grand que le tonneau de Cîteaux et, assaisonnés d'huile, de vinaigre et de sel, les mangea pour se rafraîchir avant le souper ; il avait déjà englouti cinq des prisonniers. Le sixième était dans le plat, caché sous une feuille de

caché soubz une lactue, excepté son bourdon qui apparoissoit au dessus. Lequel voyant, Grandgouzier dist à Gargantua :

« Je croy que c'est là une corne de limasson ; ne le mengez poinct.

— Pourquoy ? (dist Gargantua). Ilz sont bons tout ce moys. »

Et, tyrant le bourdon, ensemble enleva le pelerin, et le mangeoyt tresbien. Puis beut un horrible traict de vin pineau, et attendirent que l'on apprestast le souper.

Les pelerins ainsi devorez[1] se retirerent hors les meulles de ses dentz le mieulx que faire peurent, et pensoient qu'on les eust mys en quelque basse fousse des prisons, et, lors que Gargantua beut le grand traict, cuyderent noyer en sa bouche, et le torrent du vin presque les emporta on gouffre de son estomach ; toutesfois, saultans aveq leurs bourdons, comme font les micquelotz, se mirent en franchise l'orée des dentz. Mais, par malheur, l'un d'eulx, tastant avecques son bourdon le pays à sçavoir s'ilz estoient en seureté, frappa rudement en la faulte d'une dentz creuze et ferut le nerf de la mandibule, dont feit tresforte douleur à Gargantua, et commencea à crier de raige qu'il enduroit. Pour doncques se soulaiger du mal, feist aporter son cure dentz et, sortant vers le noyer grollier, vous denigea bien Messieurs les pelerins. Car il arrapoit l'un par les jambes, l'aultre par les espaules, l'aultre par la bezace, l'aultre par la foillouze, l'aultre par l'escharpe, et le pouvre hayre qui l'avoit feru du bourdon, le acrochea par la braguette. Toutesfoys ce luy feut un grand heur, car il luy percea une bosse chancreuze qui le martyrizoit depuis le temps qu'ilz eurent passé Ancenys.

Ainsi les pelerins denigez s'en fuyoient à travers la plante le beau trot, et appaisa la douleur.

1. Les géants ont des liens avec les ogres, et leur capacité buccale leur permet d'avoir une sorte de monde à l'intérieur d'eux-mêmes, cf. *Pantagruel*, chap. XXXII et XXXIII.

laitue, sauf son bâton qui apparaissait par-dessus. À cette vue, Grandgousier dit à Gargantua :

« Je crois que c'est là une corne d'escargot ; ne la mangez pas.

— Pourquoi ? dit Gargantua. Ils sont bons tout ce mois. »

Et, tirant à lui le bâton, il enleva en même temps le pèlerin, et le mangea d'un coup. Puis il but un terrible coup de vin pineau ; et ils attendirent le souper.

Les pèlerins ainsi dévorés se dégagèrent des meules de ses dents du mieux qu'ils purent ; ils pensaient qu'on les avait mis dans quelque cul de basse-fosse et, lorsque Gargantua but son grand coup, ils crurent bien se noyer dans sa bouche, le torrent de vin les emportant presque dans le gouffre de son estomac ; pourtant, en sautant à l'aide de leurs bâtons comme les pèlerins de Saint-Michel, ils se réfugièrent au bord des dents. Mais par malheur, l'un d'eux, en tâtant de son bâton les environs pour savoir s'ils étaient en sûreté, frappa rudement au défaut d'une dent creuse et blessa le nerf de la mâchoire ; Gargantua en éprouva une très forte douleur et se mit à hurler de la souffrance qu'il endurait. Pour se soulager, il fit apporter son cure-dent et, sortant vers le noyer, vous dénicha bien messieurs les pèlerins. Il agrippait l'un par les jambes, un autre par les épaules, un autre par la besace, un autre par la bourse, l'autre par son écharpe, et le pauvre hère qui l'avait blessé de son bâton, il l'accrocha par la braguette : ce qui lui fut pourtant une grande chance, car il lui perça une tumeur chancreuse qui le martyrisait depuis qu'ils avaient passé Ancenis.

Ainsi les pèlerins dénichés s'enfuyaient en toute hâte à travers la vigne, et la douleur s'apaisa.

En laquelle heure fut appellé par Eudemon pour soupper, car tout estoit prest : « Je m'en voys doncques (dist il) pisser mon malheur. »

Lors pissa si copieusement que l'urine trancha le chemin aux pelerins, et furent contrainctz passer la grande boyre. Passans de là par l'orée de la Touche, en plain chemin tomberent tous, excepté Fournillier, en une trape qu'on avoit faict pour prandre les loups à la trainnée, dont eschapperent moyenant l'industrie dudict Fournillier, qui rompit tous les lacz et cordaiges. De là issus, pour le reste de celle nuyct coucherent en une loge près Le Coudray. Et là feurent reconfortez de leur malheur par les bonnes parolles d'un de leur compaignie, nommé Lasdaller, lequel leur remonstra que ceste adventure avoyt esté predicte par David [1], *ps.* :

« *Cum exurgerent homines in nos, forte vivos deglutissent nos*, quand nous feusmes mangez en salade au grain du sel ; *cum irasceretur furor eorum in nos, forsitan aqua absorbuisset nos*, quand il beut le grand traict ; *torrentem pertransivit anima nostra*, quand nous passasmes la grande boyre ; *forsitan pertransisset anima nostra aquam intolerabilem*, de son urine dont il nous tailla le chemin. *Benedictus dominus, qui non dedit nos in captionem dentibus eorum. Anima nostra, sicut passer erepta est de laqueo venantium*, quand nous tombasmes en la trape. *Laqueus contribus est* par Fournillier, *et nos liberati sumus. Adjutorium nostrum*, etc. »

1. La satire religieuse s'attaque encore à diverses superstitions. À celle des pèlerinages d'abord, dont les humanistes ne croient pas qu'ils vaillent autant qu'un bon repentir. Puis à la manie de chercher dans les psaumes un brouillon prophétique adapté aux situations personnelles et triviales. Enfin aux lectures et traductions assez curieuses qui sont faites du latin. Le psaume 123 sert ici de support.

À ce moment, Eudémon l'appela pour souper, car tout était prêt : « Je m'en vais donc, dit-il, pisser ma douleur. »

Et il pissa si copieusement que l'urine coupa la route aux pèlerins, qui furent contraints de franchir ce torrent. De là, passant par l'orée du bosquet, en chemin ils tombèrent tous, sauf Fournillier, dans une trappe qu'on avait creusée pour prendre les loups au filet ; ils s'en échappèrent grâce à l'adresse de Fournillier, qui brisa les lacets et les cordages. Sortis de là, pour le reste de la nuit ils couchèrent dans une cabane près du Coudray. Ils s'y réconfortèrent de leur malheur grâce aux bonnes paroles d'un de la compagnie, nommé Lasdaller, qui leur démontra que cette aventure avait été prédite par David dans son psaume : « *Quand les hommes se levèrent contre nous, peut-être nous auraient-ils avalés tout vifs,* quand nous fûmes mangés en salade à la croque-au-sel ; *quand, dans le feu de leur colère, les eaux pouvaient nous submerger,* quand il but le grand coup ; *notre âme a traversé le torrent,* quand nous passâmes la grande rigole ; *peut-être notre âme eût-elle franchi les eaux insupportables,* de son urine dont il nous coupa le chemin. *Béni soit le Seigneur, qui n'a pas fait de nous la proie de leurs dents. Notre âme comme un passereau a échappé au filet des chasseurs,* quand nous tombâmes dans le piège. *Le filet a été rompu* par Fournillier, *et nous avons été libérés. Notre secours,* etc. »

CHAPITRE XXXVII

Comment le Moyne feut festoyé par Gargantua et des beaulx propous qu'il tint en souppant

Quand Gargantua feut à table et la premiere poincte des morceaux feut bauffrée, Grandgouzier commencea raconter la source et la cause de la guerre meue entre luy et Picrochole, et vint au poinct de narrer comment Frere Jean des Entommeures avoit triomphé à la defence du clous de l'abbaye, et le loua au dessus des prouesses de Camille, Scipion, Pompée, Cesar et Themistocles. Adoncques requist Gargantua que sus l'heure feust envoyé querir, affin qu'avecques luy on consultast de ce qu'estoit à faire. Par leur vouloir l'alla querir son maistre d'hostel, et l'admena joyeusement avecques son baston de croix sus la mulle de Grandgouzier.

Quand il feut venu, mille charesses, mille embrassemens, mille bons jours feurent donnez :

« Hés, Frere Jean, mon amy !

— Frere Jean, mon grand cousin, Frere Jean de par le diable !

— La collée, mon amy !

— A moy la brassée !

— Czà, couillon, que je te esrene de forse de t'accoller ! »

Et Frere Jean de rigoller ! Jamais homme ne feut tant courtoys ny gracieux.

« Czà, czà (dit Gargantua), une escabelle icy, auprès de moy, à ce bout.

CHAPITRE XXXVII

Comment le Moine fut fêté par Gargantua et des beaux propos qu'il tint en soupant

Lorsque Gargantua fut à table et qu'on eut englouti les hors-d'œuvre, Grandgousier commença à raconter l'origine et la cause de la guerre déclenchée entre lui et Picrochole ; il en vint à raconter comment frère Jean des Entommeures avait triomphé dans la défense de l'enclos de l'abbaye, célébrant ce haut fait plus que les prouesses de Camille, Scipion, Pompée, César et Thémistocle. Aussi Gargantua réclama qu'on l'envoyât chercher sur l'heure, afin qu'on se concertât avec lui sur ce qu'il y avait à faire. Sur ce désir, son maître d'hôtel alla le chercher et le ramena joyeusement, muni de son bâton de croix, sur la mule de Grandgousier.

Quand il arriva, on lui fit mille caresses, mille embrassades, mille bonjours :

« Hé, Frère Jean, mon ami !

— Frère Jean, mon bon cousin, Frère Jean de par le diable !

— L'accolade, mon ami !

— Embrassons-nous !

— Viens là, couillon, que je t'embrasse à t'étouffer ! »

Et Frère Jean de rire ! Jamais personne ne fut si courtois ni si gracieux.

« Çà, çà, dit Gargantua, un tabouret ici, près de moi, au haut bout de la table.

— Je le veulx bien (dist le Moyne), puis qu'ainsi vous plaist. Page, de l'eau ! Boute, mon enfant, boute : elle me refraischira le faye. Baille icy que je guargarize.

— *Deposita cappa* (dist Gymnaste). Houstons ce froc.

— Ho, par Dieu (dist le Moyne), mon gentil homme, il y a un chapitre *in statutis ordinis* au quel ne plairoit le cas.

— Bren (dist Gymnaste), bren pour vostre chapitre. Ce froc vous rompt les deux espaules ; mettez bas.

— Mon amy (dist le Moyne), laisse le moy, car, par Dieu ! je n'en boy que mieulx : il me faict le corps tout joyeulx Si je le laisse, Messieurs les pages en feront des jarretieres, comme il me feut faict une foys à Coulaines. Dadventaige, je n'auray nul appetit. Mais, si en cest habit je m'assys à table, je boiray, par Dieu ! et à toy et à ton cheval, et de hayt [1]. Dieu guard de mal la compaignie ! Je avoys souppé ; mais pource ne mangeray je poinct moins, car j'ay un estomach pavé, creux comme la botte sainct Benoist, tousjours ouvert comme la gibbessiere d'un advocat. De tous poissons, fors que la tanche, prenez l'aelle de la perdrys. Ceste cuisse de levrault est bonne pour les goutteux. A propous truelle [2], pourquoy est ce que les cuisses d'une damoizelle sont tousjours fraisches ?

— Ce probleme (dist Gargantua) n'est ny en Aristote, ny en Alex. Aphrodise, ny en Plutarque.

— C'est (dist le Moyne) pour troys causes par lesquelles un lieu est naturellement refraischy : *primo*, pour ce que l'eau decourt tout du long ; *secundo*, pour ce que c'est un lieu umbrageux, obscur et tenebreux, on quel jamais le soleil ne luist ; et tiercement, pour

1. Les gentilshommes en ont après les signes monastiques, alléguant les dispositions liturgiques où l'officiant doit enlever sa chape à la fin des offices. Frère Jean défend sa règle, en quoi il est d'abord conforme aux idées de Rabelais sur le fait que les moines par réflexe préfèrent leur règle à la réflexion personnelle ; mais il le fait pour des raisons toutes carnavalesques : chez lui l'habit de moine fait le

— Je veux bien, dit le Moine, puisque vous le voulez ainsi. Page, de l'eau ! Verse, mon enfant, verse ; elle me rafraîchira le foie. Donne-m'en que je me gargarise.

— *La chape enlevée,* dit Gymnaste. Ôtons ce froc.

— Ho, par Dieu, dit le Moine, mon gentilhomme, il y a un chapitre dans les *Statuts de l'ordre* qui n'admet pas ce cas.

— Merde, dit Gymnaste, merde pour votre chapitre. Ce froc vous brise les épaules ; enlevez-le.

— Mon ami, dit le Moine, laisse-le-moi ; car, par Dieu, je n'en bois que mieux ; il me rend le corps tout joyeux. Si je l'enlève, Messieurs les pages en feront des jarretières, comme on me le fit une fois à Coulaines. Et surtout, je n'aurai aucun appétit. Mais si, avec cet habit, je m'assieds à table, je boirai, par Dieu ! à ta santé et à celle de ton cheval, et de bon cœur. Dieu protège la compagnie ! J'avais soupé ; mais ce n'est pas pour cela que je ne mangerai pas, car j'ai un estomac blindé, creux comme le tonneau de saint Benoît et toujours ouvert comme la gibecière d'un avocat. De tout poisson, sauf de la tanche, prenez l'aile de la perdrix. Cette cuisse de levraut est bonne pour les goutteux. À propos, savez-vous pourquoi les cuisses d'une demoiselle sont toujours fraîches ?

— Ce problème, dit Gargantua, ne se trouve ni chez Aristote, ni chez Alexandre d'Aphrodise, ni chez Plutarque.

— C'est, dit le Moine, pour les trois raisons qui font qu'un lieu est naturellement frais : primo, parce que l'eau y coule tout du long ; secundo, parce que c'est un lieu ombragé, obscur et ténébreux, où jamais ne luit

bon buveur. La suite du récit gratifie d'ailleurs le froc de diverses propriétés miraculeuses dans l'offensive et la défensive.

2. « À propos de truelle, Dieu protège les maçons » est un enchaînement traditionnel pour changer de propos. C'est la seconde fois qu'il télescope des expressions figées. Mais les propos du moine suivent un fil logique : aile, cuisse, cuisses de jeune fille.

ce qu'il est continuellement esventé des ventz du trou de bize, de chemise, et d'abondant de la braguette. Et dehayt ! Page, à la humerye !... Crac, crac, crac... Que Dieu est bon, qui nous donne ce bon piot !... J'advoue Dieu, si je eusse esté on temps de Jesuchrist, j'eusse bien engardé que les Juifz ne l'eussent prins au Jardin de Olivet. Ensemble le diable me faille si j'eusse failly de coupper les jarretz à Messieurs les Apostres, qui fuyrent tant laschement, apres qu'ilz eurent bien souppé, et laisserent leur bon maistre au besoing ! Je hay plus que poizon un homme qui fuyt quand il fault jouer des cousteaulx. Hon, que je ne suys roy de France pour quatre vingtz ou cent ans ! Par Dieu, je vous mettroys en chien courtault les fuyars de Pavye[1] ! Leur fiebvre cartaine ! Pourquoy ne mouroient ilz là plus tost que laisser leur bon prince en ceste necessité ? N'est il pas meilleur et plus honorable mourir vertueusement bataillant que vivre fuyant villainement ?... Nous ne mangerons gueres d'oysons ceste année... Ha, mon amy, baille de ce cochon... Diavol ! il n'y a plus de moust : *germinavit radix Jesse*[2]. Je renye ma vie, je meurs de soif... Ce vin n'est pas des pires. Quel vin beuviez vous à Paris ? Je me donne au diable si je n'y tins plus de six moys pour un temps maison ouverte à tous venens. Congnoissiez vous Frere Claude de Sainct Denys ? O le bon compaignon que c'est ! Mais quelle mousche l'a picqué ? Il ne faict rien que estudier depuis je ne sçay quand. Je n'estudie poinct, de ma part. En nostre Abbaye nous ne estudions jamais, de peur des auripeaux. Nostre feu abbé disoit que c'est chose monstrueuse veoir un moyne sçavant. Par Dieu, Monsieur mon amy, *magis magnos clericos non sunt magis magnos sapientes*... Vous ne veisciez oncques tant

1. Les chiens courtauds sont ceux à qui on coupe la queue et les oreilles. D'où ici, châtrer. Pavie : allusion à la défaite de 1525, où une partie des troupes a abandonné le roi prisonnier.

2. Plaisanterie approximative reposant sur une interversion sonore (*germinavit*/je renie ma vie, la prononciation *sé* pour *soif*) et une

le soleil ; et tertio parce qu'il est continuellement éventé des vents du trou de bise, de la chemise, et en plus de la braguette. Et youpi ! Page, à boire !... Crac, crac, crac... Que Dieu est bon, qui nous donne ce bon pot !... Je jure Dieu que, si j'avais été au temps de Jésus-Christ, j'aurais bien empêché que les Juifs ne le prennent au jardin des Oliviers. Et que le diable m'emporte si je n'aurais pas coupé les jarrets de Messieurs les Apôtres, qui s'enfuirent si lâchement après avoir bien soupé en laissant leur bon maître en danger ! Je hais plus que poison un homme qui s'enfuit quand il faut jouer du couteau. Ha, que ne suis-je roi de France pour quatre-vingts ou cent ans ! Par Dieu, je vous châtrerais bien les fuyards de Pavie ! Que la fièvre les étouffe ! Pourquoi ne sont-ils pas morts sur place plutôt que de laisser leur bon prince dans un tel péril ? N'est-il pas meilleur et plus honorable de mourir en se battant bravement que de vivre en fuyant lâchement ?... Nous ne mangerons guère d'oisons cette année... Ha, mon ami, donne-moi de ce cochon... Diable ! il n'y a plus à boire : *germina vite la tige de Jessef.* Je r'nie ma vie, je meurs de souef... Ce vin n'est pas des plus mauvais. Quel vin buviez-vous à Paris ? Le diable m'emporte si je n'y ai pas tenu pendant six mois, à une certaine époque, maison ouverte à tout venant. Est-ce que vous connaissiez Frère Claude de Saint Denis ? Ô le bon compagnon que c'était ! Mais quelle mouche l'a piqué ? Il ne fait rien qu'étudier depuis je ne sais combien de temps. Pour moi, je n'étudie pas. Dans notre abbaye, nous n'étudions jamais, de peur des oreillons. Notre ancien abbé disait que c'est une chose monstrueuse de voir un moine savant. Par Dieu, monsieur mon ami, *Les plus grands clercs ne sont pas les plus savants*... On n'a jamais vu

allusion au rêve de Jessé qui a vu sortir de lui une longue série de descendants jusqu'au Christ. Ce songe est représenté par un arbre dont les fruits sont des personnages, et souvent cet arbre est tige de vigne.

lievres come il y en a ceste année. Je n'ay peu recouvrir ny aultour ny tiercelet de lieu du monde. Monsieur de la Belloniere me avoyt promis un lanier, mais il m'escripvit n'a gueres qu'il estoit devenu patays. Les perdrys nous mangeront les aureilles mesouan. Je ne prens poinct de plaisir à la tonnelle[1], car je y morfonds. Si je ne cours, si je ne tracasse, je ne suis poinct à mon aize. Vray est que, saultant les hayes et buissons, mon froc y laisse du poil. J'ay recouvert un gentil levrier. Je donne au diable si luy eschappe lievre. Un lacquays le menoit à Monsieur de Maulevrier ; je le destroussay. Feys je mal ?

— Nenny, Frere Jean (dist Gymnaste), nenny, de par tous les diables, nenny !

— Ainsi (dist le Moyne), à ces diables, ce pendent qu'ilz durent ! Vertus Dieu ! qu'en eust faict ce boyteux ? Le cor Dieu ! il prent plus de plaisir quand on luy faict present d'un bon couble de beufz !

— Comment (dist Ponocrates), vous jurez, Frere Jean ?

— Ce n'est (dist le Moyne) que pour orner mon langaige. Ce sont couleurs de rhetorique Ciceroniane. »

1. Sorte de cages avec des appâts, avec lesquelles on chasse les perdrix.

autant de lièvres que cette année. Je n'ai pu trouver nulle part d'autour ou de tiercelet. Monsieur de la Bellonnière m'avait promis un faucon, mais il m'a écrit il y a peu qu'il était tout pantelant. Désormais les perdrix vont nous manger les oreilles. Je ne prends pas de plaisir à la chasse aux pièges, car je m'y ennuie. Si je ne cours pas, si je ne me démène pas, je ne suis pas à mon aise. C'est vrai que, en sautant les haies et les buissons, mon froc y laisse du poil. J'ai découvert un bon lévrier. Je donne au diable si un seul lièvre lui échappe. Un laquais l'amenait à Monsieur de Maulevrier ; je le lui ai pris. Ai-je mal agi ?

— Mais non, Frère Jean, dit Gymnaste, mais non, par tous les diables, non !

— Alors, dit le Moine, buvons à ces diables pendant qu'ils vivent encore ! Vertudieu ! qu'en aurait fait ce boiteux ? Cordieu ! il prend plus de plaisir quand on lui donne une bonne paire de bœufs !

— Comment, dit Ponocrates, vous jurez, Frère Jean ?

— Ce n'est, dit le Moine, que pour orner mon langage. Ce sont des fleurs de rhétorique cicéronienne. »

CHAPITRE XXXVIII

Pourquoy les Moynes sont refuyz du monde, et pourquoy les uns ont le nez plus grand que les aultres

« Foy de christian ! (dist Eudemon) je entre en grande resverie, considerant l'honesteté [1] de ce moyne ; car il nous esbaudist icy tous. Et comment doncques est qu'on rechasse les moynes de toutes bonnes compaignies, les appellans Troublefestes, comme abeilles chassent les freslons d'entour leurs rousches [2] ?

« *Ignavum fucos pecus*
(dict Maro),
a presepibus arcent. »

A quoy respondit Gargantua :

« Il n'y a rien si vray que le froc et la cagoule tire à soy les opprobres, injures et maledictions du monde, tout ainsi comme le vent dict Cecias attire les nues. La raison peremptoyre est par ce qu'ilz mangent la merde du monde, c'est à dire les pechez, et comme machemerdes l'on les rejecte en leurs retraictz, ce sont leurs conventz et abbayes, separez de conversation politicques comme sont les retraictz d'une maison [3]. Mays,

1. Honnêteté est inattendu, car si le moine est beau causeur, il n'est pas très proche de ce qu'exigent les lois de la civilité, si on la définit par l'idéal du *Courtisan* de Castiglione.

2. L'inutilité sociale des moines, pour quoi on les oppose aux laborieuses abeilles, est un thème constant des attaques humanistes.

CHAPITRE XXXVIII

Pourquoi les moines sont rejetés du monde et pourquoi certains ont le nez plus grand que les autres

« Foi de chrétien ! dit Eudémon, je me prends à rêver, à considérer l'honnêteté de ce moine ; car il nous divertit fort. Comment se fait-il qu'on rejette les moines de toutes les bonnes compagnies, en les traitant de trouble-fête, comme les abeilles chassent les frelons de leurs ruches ?

« *La troupe paresseuse des frelons,*
dit Virgile,
elles les chassent de leurs demeures. »

Gargantua répondit :

« Il est bien vrai que le froc et la cagoule attirent les opprobres, les injures et les malédictions du monde, tout comme le vent appelé Cecias attire les nuages. La raison indiscutable en est qu'ils mangent la merde du monde, c'est-à-dire les péchés et que, comme mange-merde, on les rejette dans leurs latrines, leurs couvents et abbayes, à l'écart de toute conversation policée comme le sont les latrines d'une maison. Et si vous

3. Les moines servent de confesseurs et en principe font pénitence pour les péchés du monde, c'est-à-dire pour toutes les impuretés ; la comparaison aux singes est à relier au thème de bigots/magots/ qui disent la patenôtre du singe, marmiteux qui marmonnent, etc.

Voir *Au fil du texte*, p. XII.

si entendez pourquoy un cinge en une famille est tousjours mocqué et herselé, vous entendrez pourquoy les moynes sont de tous refuys, et des vieulx et des jeunes. Le cinge ne guarde poinct la maison, comme un chien ; il ne tire pas l'aroy, comme le beuf ; il ne produict ny laict ny laine, comme la brebis ; il ne porte pas le faiz, comme le cheval. Ce qu'il faict est tout conchier et degaster, qui est la cause pourquoy de tous repceoyt mocqueries et bastonnades. Semblablement, un moyne (j'entends de ces ocieux moynes) ne laboure comme le paisant, ne garde le pays comme l'homme de guerre, ne guerit les malades comme le medicin, ne presche ny endoctrine le monde comme le bon docteur evangelicque et pedagoge, ne porte les commoditez et choses necessaires à la republicque comme le marchant. Ce est la cause pourquoy de tous sont huez et abhorrys.

— Voyre, mais (dist Grandgouzier) ilz prient Dieu pour nous.

— Rien moins (respondit Gargantua). Vray est qu'ilz molestent tout leur voisinage à force de trinqueballer leurs cloches.

— Voyre (dist le Moyne), une messe, une matines, une vespres bien sonnéez sont à demy dictes.

— Ilz marmonnent grand renfort de legendes et pseaulmes nullement par eulx entenduz. Ilz content force patenostres, entrelardées de longs Avemariaz, sans y penser ny entendre. Et ce je appelle mocquedieu, non oraison. Mais ainsi leur ayde Dieu, s'ilz prient pour nous, et non par peur de perdre leurs miches et souppes graces [1]. Tous vrays Christians, de tous estatz, en tous lieux, en tous temps, prient Dieu, et l'Esperit prie et interpelle pour iceulx, et Dieu les prent en grace. Maintenant tel n'est nostre bon Frere Jean. Pourtant chascun le soubhayte en sa compaignie. Il n'est poinct bigot ; il n'est point dessiré ; il est honeste,

1. Distinction entre les prières par fonction, machinales, et les vraies prières de dévotion, qui sont le fait de tout bon croyant. La

comprenez pourquoi un singe dans une maison est toujours raillé et harcelé, vous comprendrez pourquoi les moines sont fuis par tous, vieux et jeunes. Le singe ne garde pas la maison comme un chien ; il ne tire pas la charrue comme le bœuf ; il ne produit ni lait ni laine comme la brebis ; il ne porte pas de fardeau comme le cheval. Tout ce qu'il fait, c'est de conchier et d'abîmer tout, ce pourquoi il ne recueille que moqueries et coups de bâton. De la même façon, un moine (je veux parler de ces moines oisifs) ne laboure pas comme le paysan, ne défend pas le pays comme l'homme de guerre, ne guérit pas les malades comme le médecin, ne prêche ni n'instruit le peuple comme le bon docteur évangélique ou le pédagogue, n'assure pas les aises et les besoins de la collectivité comme le marchand. C'est pourquoi ils sont raillés et détestés par tous.

— Sans doute, dit Grandgousier, mais ils prient Dieu pour nous.

— Nullement, répondit Gargantua. Tout ce qu'ils font, c'est de déranger tout le voisinage à force de faire tintinnabuler leurs cloches.

— Bien sûr, dit le Moine, une messe, une matine, une vêpre bien sonnées sont à moitié dites.

— Ils marmonnent une masse d'antiennes et de psaumes qu'ils ne comprennent nullement. Ils débitent force patenôtres, entrelardées de longs *Je vous salue Marie* sans y penser ni rien y comprendre. Et j'appelle cela moque-Dieu, non prière. Mais que Dieu les aide, s'ils prient pour nous et non par peur de perdre leurs miches et leurs soupes grasses. Tous les vrais chrétiens, de toute condition, en tout lieu, en tout temps, prient Dieu, et l'Esprit prie et intercède en leur faveur, et Dieu les prend en grâce. Mais ce n'est pas le cas de notre bon Frère Jean. C'est pourquoi chacun souhaite sa compagnie. Il n'est pas bigot ; il n'est point dépenaillé ;

distinction n'est donc plus entre deux ordres, clergé et laïques, mais entre des relations sincères ou non avec Dieu.

joyeulx, deliberé, bon compaignon. Il travaille ; il labeure ; il defend les opprimez ; il conforte les affligez ; il souvient es souffreteux ; il garde le clous de l'abbaye [1].

— Je foys (dist le Moyne) bien dadventaige ; car, en despeschant noz matines et anniversaires on cueur, ensemble je fois des chordes d'arbaleste, je polys des matraz et guarrotz, je foys des retz et des poches à prendre les connins. Jamais je ne suis oisif. Mais or czà, à boyre, boyre czà ! Aporte le fruict ; ce sont chastaignes du boys d'Estrocz. Avecques bon vin nouveau, voy vous là composeur de petz. Vous n'estez encores ceans amoustillez. Par Dieu, je boy à tous guez, comme un cheval de promoteur [2] ! »

Gymnaste luy dist :

« Frere Jean, houstez ceste rouppie que vous pend au nez.

— Ha, ha ! (dist le Moyne) seroys je en dangier de noyer, veu que suis en l'eau jusques au nez ? Non, non. *Quare ? Quia* elle en sort bien, mais poinct n'y entre, car il est bien antidoté de pampre. O mon amy, qui auroit bottes d'hyver de tel cuyr, hardiment pourroit il pescher aux huytres, car jamais ne prendroient eau.

— Pourquoy (dist Gargantua) est ce que Frere Jean a si beau nez ?

— Par ce (respondit Grandgouzier) que ainsi Dieu l'a voulu, lequel nous faict en telle forme et telle fin, scelon son divin arbitre, que faict un potier ses vaisseaulx.

— Par ce (dist Ponocrates) qu'il feut des premiers à la foyre des nez. Il print des plus beaulx et plus grands.

— Trut avant ! (dist le Moyne). Scelon vraye Philosophie monasticque, c'est par ce que ma nourrice avoit

1. L'épisode de la protection du clos ne marquait pas tant de vertu évangélique, excepté sans doute la coopération à l'œuvre de Dieu, par résistance active à l'action mauvaise. De même il n'est pas évident que l'activité de Frère Jean soit exactement utile à la société.

il est honnête, joyeux, décidé, bon compagnon. Il travaille ; il se rend utile ; il défend les opprimés ; il réconforte les affligés ; il aide les malheureux ; il protège l'enclos de l'abbaye.

— Et j'en fais bien plus, dit le Moine ; car, au chœur, tout en expédiant les matines et les messes anniversaires, en même temps je fais des cordes d'arbalète, je polis des flèches et des carreaux, je fais des filets et des pièges pour prendre les lapins. Je ne suis jamais oisif. Mais or çà, à boire, à boire, donc ! Apporte les fruits ; ce sont des châtaignes du bois d'Estrocz. Avec du bon vin nouveau, vous voilà bon ordonnateur de pets. Vous n'êtes pas encore bien gais, ici. Par Dieu, je bois à tous les abreuvoirs, comme un cheval de promoteur ! »

Gymnaste lui dit :

« Frère Jean, enlevez donc cette goutte qui vous pend au nez.

— Ha, ha, dit le Moine, serais-je en danger de me noyer, vu que j'ai de l'eau jusqu'au nez ? Non, non. Pourquoi ? Parce qu'elle en sort bien, mais n'y entre pas, car mon nez est bien protégé par la treille. Ô mon ami, celui qui aurait des bottes d'hiver de tel cuir pourrait hardiment pêcher les huîtres, car jamais elles ne prendraient l'eau.

— Pourquoi, dit Gargantua, Frère Jean a-t-il un nez si avantageux ?

— Parce que, répondit Grandgousier, Dieu l'a voulu ainsi, lui qui nous façonne à sa guise, selon son divin choix, comme un potier façonne ses vases.

— Parce que, dit Ponocrates, il fut dans les premiers à la foire des nez. Il a pris parmi les plus beaux et les plus grands.

— Holà ! dit le Moine. Selon la vraie philosophie

2. Les promoteurs ecclésiastiques sont des juges, ils acceptent tous les cadeaux au passage.

les tetins moletz : en la laictant, mon nez y enfondroit comme en beurre, et là s'eslevoit et croissoit comme la paste dedans la met. Les durs tetins des nourrices font les enfans camuz. Mais guay, guay ! *Ad formam nasi cognoscitur ad te levavi*[1]... Je ne mange jamais de confictures. Page, à la humerie ! Item, rousties ! »

1. Trois explications d'un fait simple : par la parole sacrée (Paul, Épître aux Romains, Dieu modèle chacun comme un potier) ; par la fable populaire ; par la physique appliquée. La plaisanterie repose sur la croyance populaire selon laquelle la mesure du nez permet de pronostiquer celle du sexe et sa vigueur. Le psaume 122 débute par : « J'ai levé les yeux vers toi, Seigneur... »

monastique, c'est parce que ma nourrice avait les tétons un peu mous : en la tétant, mon nez s'y enfonçait comme dans du beurre, et là il levait et croissait comme la pâte dans le pétrin. Les seins durs des nourrices rendent les enfants camus. Mais gai, gai ! *À la forme du nez se connaît le chemin du septième ciel...* Je ne mange jamais de confitures. Page, à boire ! Avec des rôties ! »

CHAPITRE XXXIX

Comment le Moyne feist dormir Gargantua, et de ses heures et breviare

Le souper achevé, consulterent sus l'affaire instant, et feut conclud que environ la minuict ilz sortiroient à l'escarmouche pour sçavoir quel guet et diligence faisoient leurs ennemys ; en ce pendent, qu'ilz se reposeroient quelque peu, pour estre plus frays. Mais Gargantua ne povoyt dormir en quelque faczon qu'il se mist. Dont luy dist le Moyne :

« Je ne dors jamais bien à mon aise, si non quand je suis au sermon ou quand je prie Dieu. Je vous supply, commenczons, vous et moy, les sept psaulmes pour veoir si tantoust ne serez endormy. »

L'invention pleut tresbien à Gargantua, et, commenceant le premier pseaulme, sus le poinct de *Beati quorum* [1] s'endormirent et l'un et l'aultre. Mais le Moyne ne faillit oncques à s'esveiller avant la minuyct tant il estoit habitué à l'heure des matines claustrales. Luy esveillé, tous les aultres esveilla, chantant à pleine voix la chanson :

« Ho, Regnault, reveille toy, veille,
O, Regnault, reveille toy. »

1. *Beati*, premier verset du psaume 31, second des Psaumes pénitentiaux. Il est suspect que notre vertueux Gargantua (voir son éducation) s'endorme grâce aux psaumes. Mais ici tout va à l'envers avec

CHAPITRE XXXIX

Comment le Moine fit dormir Gargantua, et de ses heures et bréviaire

Le souper achevé, ils se concertèrent sur l'affaire en suspens ; on conclut que vers minuit on sortirait en embuscade pour savoir les dispositifs de l'ennemi, et qu'en attendant on se reposerait un peu, pour être plus frais. Mais Gargantua ne pouvait dormir, quelle que soit sa position. Alors le Moine lui dit :

« Je ne dors jamais bien à mon aise, sauf quand je suis au sermon ou quand je prie Dieu. Je vous en supplie, commençons, vous et moi, les sept psaumes pour voir si vous ne serez pas bientôt endormi. »

L'idée plut beaucoup à Gargantua et, ayant commencé au premier psaume, dès le *Bienheureux qui*... ils s'endormirent l'un et l'autre. Mais le Moine ne manqua pas de s'éveiller avant minuit tant il était habitué au rythme des matines du cloître. Réveillé, il éveilla tous les autres en chantant à pleine voix :

> « Ho, Regnault, réveille-toi, debout,
> Ô, Regnault, réveille-toi. »

les mœurs de Frère Jean, comme pour le fait de boire avant ou après pisser, où il contrarie la médecine savante au nom de la bonne santé.

Quand tous furent esveillez, il dist :

« Messieurs, l'on dict que matines commencent par tousser, et souper par boyre. Faisons au rebours ; commenczons maintenant noz matines par boyre, et de soir, à l'entrée de souper, nous tousserons à qui mieulx mieulx. »

Dont dist Gargantua :

« Boyre si toust apres le dormir, ce n'est pas vescu en diete de medicine. Il se fault premier escurer l'estomach des superfluitez et excremens.

— C'est (dist le Moyne) bien mediciné ! Cent diables me saultent au corps s'il n'y a plus de vieulx hyvroignes qu'il n'y a de vieulx medicins ! Rendez tant que vouldrez voz cures, je m'en voys apres mon tyrouer.

— Quel tyrouer (dist Gargantua) entendez vous ?

— Mon breviare (dist le Moyne), car — tout ainsi que les faulconniers, davant que paistre leurs oyseaux, les font tyrer quelque pied de poulle pour leurs purger le cerveau de phlegmes et pour les mettre en appetit, — ainsi, prenant ce joyeux petit breviare au matin, je m'escure tout le poulmon, et voy me là prest à boyre.

— A quel usaige (dist Gargantua) dictez vous ces belles heures ?

— A l'usaige (dist le Moyne) de Fecan, à troys pseaulmes et troys leczons ou rien du tout qui ne veult[1]. Jamais je ne me assubjectoys à heures : les heures sont faictez pour l'homme, et non l'homme pour les heures. Pourtant je foys des miennes à guise d'estrivieres ; je les acourcys ou allonge quand bon me semble : *brevis oratio penetrat celos, longa potatio evacuat scyphos.* Où est escript cela ?

— Par ma foy (dist Ponocrates), je ne sçay, mon petit couillaust ; mais tu vaulx trop !

1. Les offices s'adaptent aux saisons (cf. chap. XXV), et trois est le minimum des prières prévues. La règle monastique, adaptée aux

Quand tous furent éveillés, il dit :

« Messieurs, on dit qu'on commence les matines en toussant, et le souper en buvant. Faisons le contraire : commençons maintenant nos matines en buvant, et ce soir, au début du souper, nous tousserons à qui mieux mieux. »

Gargantua dit alors :

« Boire si tôt après le sommeil, ce n'est pas un régime prescrit par la médecine. Il faut d'abord se purger l'estomac des superfluités et excréments.

— Voilà de la bonne médecine ! dit le Moine. Que cent diables me patafiolent s'il n'y a pas plus de vieux ivrognes que de vieux médecins ! Faites votre régime autant que vous voudrez, je m'en vais prendre ma purge.

— De quelle purge parlez-vous ?

— De mon bréviaire, dit le Moine ; car — tout comme les fauconniers, avant de nourrir leurs oiseaux, leur font dépecer quelque patte de poulet pour les purger de leurs humeurs et les mettre en appétit —, moi, en prenant ce bon petit bréviaire le matin, je me nettoie la gorge, et me voilà prêt à boire.

— Selon quel mode, dit Gargantua, dites-vous ces belles prières ?

— À la mode de Fécamp, dit le Moine, trois psaumes et trois lectures, ou rien du tout si on veut. Je ne m'astreins jamais aux prières : les prières sont faites pour l'homme, et non l'homme pour les prières. C'est pour cela que j'en use comme des étriers ; je les raccourcis ou je les allonge comme bon me semble : *Une brève oraison pénètre les cieux, une longue beuverie épuise les coupes.* Où est-ce donc écrit ?

— Ma foi, dit Ponocrates, je n'en sais rien, mon petit couillon ; mais tu vaux de l'or !

personnes, n'est plus une règle. Voir Thélème et le refus des heures et horloges, avec les mêmes arguments.

— En cela (dist le Moyne) je vous ressemble. Mais *venite apotemus*[1]. »

L'on apresta carbonnades à force et belles souppes de primes, et beut le Moyne à son plaisir. Aulcuns luy tindrent compaignie, les aultres s'en deporterent. Apres, chascun commencea soy armer et accoustrer, et armerent le Moyne contre son vouloir, car il ne vouloit aultres armes que son froc davant son estomach et le baston de la croix en son poing. Toutesfoys, à leur plaisir feut armé de pied en cap et monté sus ung bon coursier du royaulme, et ung gros braquemart au cousté ; ensemble Gargantua, Ponocrates, Gymnaste, Eudemon et vingt et cinq des plus adventureux de la mayson de Grandgouzier, tous armez à l'adventaige, la lance au poing, montez comme sainct George[2], chascun ayant un harquebouzier en crope.

1. Parodie de *Venite adoremus*, verset du rituel des matines (Psaume 94).
2. Saint Georges est un saint chevalier, vainqueur du dragon.

— En cela je vous ressemble, dit le Moine. Mais *Venez que nous buvions.* »

On apprêta des carbonnades avec force bonnes soupes grasses, et le Moine but à satiété. Certains lui tinrent compagnie, les autres s'en allèrent. Après, chacun commença à s'armer et à se vêtir ; ils armèrent le Moine malgré lui, car il ne voulait d'autres armes que son froc pour se protéger l'estomac et le bâton de la croix dans la main. Pourtant, il fut, selon leurs vœux, armé de pied en cap et monté sur un bon coursier, avec un gros braquemart au côté ; et avec lui Gargantua, Ponocrates, Gymnaste, Eudémon et vingt-cinq des plus hardis de la maison de Grandgousier, tous bien armés, la lance au poing, montés comme saint Georges, chacun ayant un arquebusier en croupe.

CHAPITRE XL

Comment le Moyne donne couraige à ses compaignons et comment il pendit à une arbre

Or s'en vont les nobles champions à leurs adventures, bien deliberez d'entendre quelle rencontre fauldra poursuyvre et de quoy se fauldra contregarder, quand viendra la journée de la grande et horrible bataille. Et le Moyne leur donne couraige, disant :

« Enfans, n'ayez ny peur ny doubte. Je vous conduyray seurement. Dieu et sainct Benoist soient avecques nous ! Si j'avoys la force de mesmes le couraige, par la mort bieu ! je vous les plumeroys comme un canart ! Je ne crains rien fors l'artillerie. Toutesfoys, je sçay quelque oraison que m'a baillé le soubsecretain de nostre abbaye, laquelle guarentist la personne de toutes bouches à feu. Mais elle ne me profitera de rien, car je n'y adjouste poinct de foy[1]. Toutesfoys, mon baston de croix fera diables. Par Dieu, qui fera la cane, de vous aultres, je me donne au diable si je ne le foys moyne en mon lieu et l'enchevestre de mon froc : il porte medicine à couhardise de gens. Avez point ouy parler du levrier de Monsieur de Meurles qui ne valoit rien pour les champs ? Il luy mist un froc au col. Par le corps Dieu ! il n'eschappoit ny lievre ny regnard davant luy, et, que plus est, couvrit toutes les chiennes du pays, qui au paravant estoit esrené et *de frigidis et maleficiatis*[2]. »

1. Superstition : des formules religieuses magiques qui vous protègent des maladies, accidents, ici blessures par armes à feu.

CHAPITRE XL

Comment le Moine encouragea ses compagnons et comment il fut suspendu à un arbre

Or donc les nobles champions partent vers leurs aventures, bien décidés à savoir quel assaut il faudra engager et de quoi il faudra se garder quand viendra le jour de la grande et terrible bataille. Le Moine les encourage en disant :

« Mes enfants, n'ayez crainte ni doute. Je vous conduirai en sûreté. Que Dieu et saint Benoît soient avec nous ! Si j'avais autant de force que de courage, morbleu ! je vous les plumerais comme un canard ! Je ne crains que l'artillerie. Je connais pourtant une oraison que m'a donnée le sous-sacristain de notre abbaye, qui protège de toutes les bouches à feu ; mais elle ne me servira à rien, car je n'y crois pas. Mais mon bâton de croix fera merveille. Par Dieu, celui d'entre vous qui canera, je me donne au diable si je ne le fais moine à ma place et ne l'entortille de mon froc : il guérit de la couardise. N'avez-vous pas entendu parler du lévrier de Monsieur de Meurles qui ne valait rien pour la chasse ? Il lui mit un froc. Cordieu ! il ne laissa plus fuir ni lièvre ni renard, et, en plus, il couvrit toutes les chiennes du pays, lui qui était auparavant éreinté et du nombre des *froids et maleficiés.* »

2. La rubrique *Des froids et maléficiés* est un chapitre de toutes les démonologies, car les sorcières passent pour « nouer l'aiguillette », ce qui fait soupçonner tout cas d'impuissance d'être dû au diable ; le froc sert de contrepoison, plaisanterie usuelle sur les capacités des moines (bien reposés et réchauffés, eux !).

Le Moyne, disant ces parolles en cholere, passa soubz un noyer, tyrant vers la Saullaye, et emprocha la visiere de son heaulme à la roupte d'une grosse branche du noyer. Ce non obstant donna fierement des esprons à son cheval, lequel estoit chastouilleur à la poincte, en maniere que le cheval bondit en avant, et le Moyne, voulant deffaire sa visiere du croc, lasche la bride et de la main se pend aux branches, ce pendent que le cheval se desrobe dessoubz luy. Par ce moyen demoura le Moyne pendant au noyer et criant à l'aide et au meurtre, protestant aussi de trahison.

Eudemon premier l'aperceut et, appellant Gargantua, dist : « Sire, venez et voyez Absalon pendu ! » Gargantua, venu, consydera la contenance du Moyne et la forme dont il pendoit, et dist à Eudemon :

« Vous avez mal rencontré, le comparant à Absalon, car Absalon se pendit par les cheveux ; mais le Moyne, ras de teste, s'est pendu par les aureilles.

— Aydez moy (dist le Moyne), de par le diable ! N'est il pas bien le temps de jazer ? Vous me semblez les prescheurs decretalistes, qui disent que quiconques verra son prochain en dangier de mort, il le doibt, sus peine d'excommunication trisulce, plus toust admonnester de soy confesser et mettre en estat de grace que de luy ayder [1]. Quand doncques je les verray tombez en la riviere et prestz d'estre noyez, en lieu de les aller querir et bailler la main, je leur feray un beau et long sermon *de contentu mundi et fuga seculi*, et, lors qu'ilz seront roides mors, je les iray pescher.

— Ne bouge (dist Gymnaste), mon mignon, je te voys querir, car tu es gentil petit *monachus* :

» Monachus in claustro
non valet ova duo,
sed quando est extra,
bene valet triginta.

1. La peur de la damnation pour les morts sans sacrements engendre les recommandations pieuses, qui n'excluent d'ailleurs pas l'aide

Tout en vitupérant ainsi, le Moine passa sous un noyer, en allant vers la Saulaie ; la visière de son heaume s'accrocha au moignon d'une grosse branche du noyer. Malgré cela, il donna un vigoureux coup d'éperons à son cheval ; comme celui-ci était ombrageux, il bondit en avant : le moine, voulant décrocher sa visière, lâche la bride et de la main se suspend aux branches, pendant que le cheval se dérobe sous lui. Ainsi le Moine resta suspendu au noyer, criant à l'aide et au meurtre et dénonçant une trahison.

Eudémon l'aperçut le premier, et, appelant Gargantua, dit : « Sire, venez voir cet Absalon suspendu ! » Gargantua vint, considéra la contenance du Moine et la façon dont il était suspendu, et dit à Eudémon :

« Vous vous trompez en le comparant à Absalon, car Absalon était suspendu par les cheveux ; mais le Moine, qui est tondu, est suspendu par les oreilles.

— Aidez-moi, dit le Moine, par tous les diables ! Est-ce bien le moment de plaisanter ? Vous me faites penser aux prêcheurs de décrétales, qui disent que si l'on voit son prochain en danger de mort, on doit, sous peine d'excommunication majeure, l'exhorter à se confesser et à se mettre en état de grâce plutôt que de l'aider. Aussi quand je les verrai tomber dans la rivière et prêts à se noyer, au lieu d'aller les chercher et de leur tendre la main, je leur ferai un beau et long sermon *sur le mépris du monde et la fuite du siècle,* et, lorsqu'ils seront raides morts, j'irai les repêcher.

— Ne bouge pas, mon mignon, dit Gymnaste, je vais aller te chercher, car tu es un gentil petit moine :

Un moine dans son cloître
Ne vaut pas deux œufs,
Mais quand il est dehors,
Il en vaut bien trente.

concrète. *Du mépris du monde* est le titre du livre fort célèbre du pape Innocent III, et une rubrique usuelle des bons conseils pour faire son salut, y compris de ceux d'Érasme.

» J'ay veu des penduz plus de cinq cens, mais je n'en veis oncques qui eust meilleure greace en pendilant, et, si je l'avoys aussi bonne, je vouldroys ainsi pendre toute ma vye.

— Aurez vous (dist le Moyne) tantost assez presché ? Aidez moy de par Dieu, puis que de par l'Aultre ne voulez. Par l'habit que je porte, vous en repentirez *tempore et loco prelibatis.* »

Allors descendit Gymnaste de son cheval, et montant au noyer, souleva le Moyne par les goussetz d'une main, et de l'autre deffist sa visiere du croc de l'arbre et ainsi le laissa tomber en terre et soy apres.

Descendu que feut, le Moyne se deffist de tout son arnoys et getta l'une piece apres l'autre parmy le champ, et, reprenant son baston de la croix, remonta sus son cheval, lequel Eudemon avoit retenu à la fuyte.

Ainsi s'en vont joyeusement, tenans le chemin de la Saullaye.

« J'ai vu plus de cinq cents pendus, mais je n'en ai jamais vu qui pendouillent de si bonne grâce, et si je l'avais aussi bonne, je voudrais ainsi pendre toute ma vie.

— Aurez-vous bientôt assez prêché ? dit le Moine. Aidez-moi, de par Dieu, puisque de par l'Autre vous ne voulez pas. Par l'habit que je porte, vous vous en repentirez *en temps et lieu choisis.* »

Alors Gymnaste descendit de cheval et, grimpant sur le noyer, souleva le Moine par les aisselles d'une main, et de l'autre décrocha la visière de l'arbre, puis il le laissa tomber par terre et sauta derrière lui.

Dès qu'il fut descendu, le Moine se défit de tout son harnachement, et en jeta les pièces l'une après l'autre sur-le-champ, et, reprenant son bâton de croix, il remonta sur son cheval qu'Eudémon avait arrêté dans sa fuite.

Et ils s'en vont gaiement sur le chemin de la Saulaie.

CHAPITRE XLI

Comment l'escharmouche de Picrochole feut rencontrée par Gargantua. Et comment le Moyne tua le capitaine Tyravant, et puis fut prisonnier entre les ennemys

Picrochole, à la relation de ceulx qui avoient evadé à la roupte lors que Tripet fut estripé, fut esprins de grand courroux, oyant que les diables avoient couru suz ses gens, et tint son conseil toute la nuyct, au quel Hastiveau et Toucquedillon decernerent que sa puissance estoit telle qu'il pourroit defaire tous les diables d'enfer s'ilz y venoient, ce que Picrochole ne croyoit pas du tout, aussy ne s'en defioyt il.

Pourtant envoya soubz la conduicte du conte de Tyravant, pour descouvrir le pays, seize cens chevaliers tous montez sus chevaulx legiers, en escharmousche, tous bien aspergez d'eau beniste et chascun ayant pour leur signe une estolle en escharpe, à toutes adventures, s'ilz rencontroient les diables, que par vertus tant de ceste eau Gringorienne [1] que des estolles, les feissent disparoir et esvanouyr. Iceulx coururent jusques près La Vauguyon et la Maladerye, mais oncques ne trouverent personne à qui parler, dont repasserent par le

1. Eau bénite « grégorienne » : mélange d'eau, de cendre et de vin, pour purifier les églises profanées, selon le rite de saint Grégoire le Grand. L'eau bénite normale aurait pu suffire.

CHAPITRE XLI

Comment l'avant-garde de Picrochole rencontra Gargantua. Et comment le Moine tua le capitaine Tyravant, puis fut fait prisonnier par les ennemis

Picrochole, en entendant le rapport de ceux qui avaient fui en déroute lorsque Tripet fut étripé, fut pris d'un grand courroux en apprenant que les diables avaient fondu sur ses gens ; pendant toute la nuit il tint conseil, Hastiveau et Toucquedillon décrétèrent que sa puissance était telle qu'il pourrait défaire tous les diables d'enfer s'ils y venaient, ce que Picrochole, n'y croyant nullement, n'accepta pas de confiance.

Il envoya donc en reconnaissance, sous la conduite du comte de Tyravant, seize cents chevau-légers comme avant-garde, tous bien aspergés d'eau bénite et portant en guise d'enseigne une étole en écharpe, pour que, à tout hasard, s'ils rencontraient les diables, la vertu tant de l'eau grégorienne que des étoles les fasse disparaître et s'évanouir. Ils coururent donc jusque aux environs de La Vauguyon et de la Léproserie mais, ne trouvant personne à qui parler, ils repassèrent par les hauteurs et, dans la cabane qui servait d'abri de berger,

dessus, et en la loge et tugure pastoral, près le Couldray, trouverent les cinq pelerins, lesquelz liez et baffouez emmenerent comme s'ilz feussent espies, non obstant les exclamations, adjurations et requestes qu'ilz feissent. Descendus de là vers Seuillé, furent entenduz par Gargantua, lequel dist à ses gens :

« Compaignons, il y a icy rencontre, et sont en nombre trop plus dix foys que nous. Chocquerons nous sus eulx ?

— Que diable (dist le Moyne) ferons nous doncq ? Estimez vous les hommes par nombre, et non par vertus et hardiesse ? » Puis s'escria : « Chocquons, diables, chocquons ! »

Ce que entendens, les ennemys pensoient certainement que feussent vrays diables, dont commencerent fuyr à bride avallée, excepté Tyravant, lequel coucha sa lance en l'arrest et en ferut à toute oultrance le Moyne au meillieu de la poictrine ; mais, rencontrant le froc horrifique, rebouscha par le fer, comme si vous frapiez d'une petite bougie contre une enclume. Adoncq le Moyne avecq son baston de croix luy donna entre col et collet sus l'os acromion si rudement qu'il l'estonna et feist perdre tout sens et movement, et tomba es piedz du cheval. Et voyant l'estolle qu'il portoit en escharpe, dist à Gargantua :

« Ceulx cy ne sont que prebstres : ce n'est q'un commancement de moyne. Par sainct Jean je suis moyne parfaict : je vous en tueray comme de mousches. »

Puis le grand gualot courut apres, tant qu'il atrapa les derniers, et les abbastoyt comme seille, frapant à tors et à travers.

Gymnaste interrogua sus l'heure Gargantua s'ilz les debvoient poursuyvre. A quoy dist Gargantua :

« Nullement, car, scelon vraye discipline militaire, jamais ne fault mettre son ennemy en lieu de desespoir, par ce que telle necessité luy multiplie la force et acroist le couraige qui jà estoit deject et failly ; et n'y a meilleur remede de salut à gens estommiz et recreuz que de

trouvèrent les cinq pèlerins que, liés et ficelés, ils emmenèrent comme des espions, malgré leurs exclamations, leurs adjurations et leurs prières. Alors qu'ils descendaient vers Seuillé, Gargantua lès entendit et dit à ses gens :

« Compagnons, nous voici au contact ; ils sont au moins dix fois plus nombreux que nous : allons-nous les attaquer ?

— Et que diable ferions-nous d'autre ? dit le Moine. La valeur des hommes dépend-elle de leur nombre et non de leur courage et de leur hardiesse ? » Puis il s'écria : « À l'attaque, par tous les diables, à l'attaque ! »

En entendant cela, les ennemis pensèrent que c'était assurément des diables, et ils commencèrent à fuir à bride abattue, excepté Tyravant qui, lance en arrêt, frappa de toute sa force le Moine en pleine poitrine ; mais, rencontrant le froc terrifiant, le fer s'émoussa, comme si on frappait une enclume avec une petite bougie. Alors le Moine de son bâton de croix le frappa si rudement au défaut de l'épaule qu'il l'étourdit et lui fit perdre connaissance et qu'il tomba aux pieds de son cheval. En voyant l'étole qu'il portait en écharpe, le Moine dit à Gargantua :

« Ce ne sont que des prêtres ; ce n'est qu'un commencement de moine. Par saint Jean, moi je suis un moine achevé : je vous en tuerai comme des mouches. »

Puis il courut au grand galop à la poursuite des fuyards et, rattrapant les derniers, il les abattait comme seigle vert, frappant à tort et à travers.

Gymnaste demanda aussitôt à Gargantua s'ils devaient les poursuivre. Gargantua répondit :

« Non, car, en bonne stratégie, il ne faut jamais réduire son adversaire au désespoir, parce qu'une telle extrémité décuple ses forces et accroît son courage alors qu'il était abattu et défait ; et il n'y a pas de meilleure chance de salut pour ceux qui sont accablés et épuisés

n'esperer salut aulcun[1]. Quantes victoires ont estés tollues des mains des vaincqueurs par les vaincuz, quand ilz ne se sont contentez de raison, mais ont attempté du tout mettre à internition et destruire totalement leurs ennemys, sans en vouloir laisser un seul pour en porter les nouvelles ! Ouvrez tousjours à voz ennemys toutes les portes et chemins, et plus tost leurs faictes un pont d'argent affin de les renvoyer.

— Voyre, mais (dist Gymnaste) ilz ont le Moyne.

— Ont ilz (dist Gargantua) le moyne ? Suz mon honneur, que ce sera à leur dommaige ! Mais, affin de survenir à tous azars, ne nous retirons pas encores ; attendons icy en silence, car je pense jà assez congnoistre l'engin de noz ennemys. Ils se guident par sort, non par conseil. »

Iceulx ainsi attendens soubz les noiers, ce pendent le Moyne poursuyvoit, chocquant tous ceulx qu'il rencontroit, sans de nully avoir mercy, jusques à ce qu'il rencontra un chevalier qui portoit en crope un des pauvres pelerins. Et là, le voulant mettre à sac, s'escrya le pelerin :

« Ha, Monsieur le Priour, mon amy, Monsieur le Priour, saulvez moy, je vous en prie ! »

Laquelle parolle entendue, se retournerent arriere les ennemys, et, voyans que là n'estoit que le Moyne qui faisoit cest esclandre, le chargerent de coups comme on faict un asne de boys ; mais de tout ne sentoit, (mesmement quand ilz frapoient sus son froc), presque rien, tant il avoit la peau dure. Puys le baillerent à garder à deux archiers, et, tournans bride, ne veirent personne contre eulx, dont existimerent que Gargantua s'en estoit fuy avecques sa bande. Adoncques coururent vers les Noyrettes tant roiddement qu'ilz peurent pour les rencontrer, et laisserent là le Moyne seul avecques deux archiers de guarde.

Gargantua entendit le bruit et hennissement des chevaulx et dist à ses gens :

1. Adage rapporté par Érasme, attribué à Alphonse d'Aragon.

que de n'espérer aucun salut. Combien de victoires ont été arrachées aux vainqueurs par les vaincus, quand ils n'ont pas fait preuve de modération mais ont essayé par tous les moyens de massacrer et détruire totalement leurs ennemis, sans en vouloir laisser un seul pour en porter la nouvelle ! Ouvrez toujours à vos ennemis une porte de sortie, et faites-leur plutôt un pont d'or afin qu'ils s'en aillent.

— Sans doute, dit Gymnaste, mais ils ont le Moine.

— Quoi, dit Gargantua, ils ont le moine ? Sur mon honneur ils vont le payer cher ! Mais, pour parer à toute surprise, ne nous retirons pas encore ; attendons ici en silence, car je crois connaître la façon de faire de nos ennemis. Ils se guident sur les circonstances, non sur la réflexion. »

Tandis qu'ils attendaient ainsi sous les noyers, le Moine poursuivait, frappant tous ceux qu'il rencontrait, sans avoir pitié de personne, jusqu'à ce qu'il tombe sur un chevalier qui portait en croupe un des pauvres pèlerins. Comme il voulait le frapper, celui-ci s'écria :

« Ha, Monsieur le Prieur, mon ami, Monsieur le Prieur, sauvez-moi, je vous en prie ! »

En entendant ces paroles, les ennemis se retournèrent et, voyant que ce n'était que le Moine qui provoquait cet incident, le chargèrent de coups comme on charge un âne de bois ; mais il n'en sentait presque rien, surtout quand ils le frappaient sur son froc, tant il avait la peau dure. Puis ils le donnèrent à garder à deux archers et, tournant bride, ne virent personne pour les charger ; ils pensèrent donc que Gargantua s'était enfui avec son groupe. Aussi ils galopèrent vers les Noirettes aussi vite qu'ils purent pour les rattraper, laissant là le Moine avec deux archers pour le garder.

Gargantua entendit le bruit et le hennissement des chevaux et dit à ses gens :

« Compaignons, j'entends le trac de noz ennemys, et jà en aperçoy aulcuns d'iceulx qui viennent contre nous à la foulle. Serrons nous icy, et tenons le chemin en bon ranc. Par ce moyen nous les pourrons recepvoir à leur perte et à nostre honneur. »

« Compagnons, j'entends le galop des ennemis et j'en aperçois déjà certains qui foncent sur nous. Serrons les rangs, et tenons le chemin fermement. Ainsi nous pourrons les recevoir, pour leur perte et notre honneur. »

CHAPITRE XLII

Comment le Moyne se deffist de ses guardes, et comment l'escharmousche de Picrochole feut deffaicte

Le Moyne, les voyant ainsy departir en desordre, conjectura qu'ilz alloient charger sus Gargantua et ses gens, et se contristoit merveilleusement de ce qu'il ne les povoit secourir. Puis advisa la contenance de ses deux archiers de guarde, lesquelz eussent voulentiers couru apres la troupe pour y butiner quelque chose et tousjours regardoient vers la vallée en laquelle ilz descendoient. Dadventaige syllogisoit, disant :

« Ces gens icy sont bien mal exercez en faictz d'armes, car oncques ne me ont demandé ma foy et ne me ont ousté mon braquemart. »

Soubdain apres, tyra son dict braquemart et en ferut l'archier qui le tenoit à dextre, luy coupant entierement les venes jugulares et arteres sphagitides du col, avecques le guargareon, jusques es deux adenes, et, retirant le coup, luy entreouvrit le mouelle spinale entre la seconde et tierce vertebre : là tomba l'archier tout mort. Et le Moyne, detournant son cheval à guauche, courut sus l'aultre, lequel, voyant son compaignon mort et le Moyne adventaigé sus soy, cryoit à haulte voix :

« Ha, Monsieur le Priour [1], je me rendz ! Monsieur le Priour, mon bon amy, Monsieur le Priour ! »

1. Le prieur d'un monastère est le supérieur élu, rang qu'on peut ambitionner. Le garde flatte en attribuant à son agresseur des titres de plus en plus hauts. Le prieur va devant le postérieur, aussi à chacun

CHAPITRE XLII

Comment le Moine se défit de ses gardes, et comment l'avant-garde de Picrochole fut défaite

En les voyant ainsi partir en désordre, le Moine supposa qu'ils allaient à la poursuite de Gargantua et de ses gens, et il s'attristait grandement de ne pouvoir les secourir. Puis il remarqua l'attitude de ses deux archers de garde, qui auraient volontiers couru rejoindre leur groupe pour faire quelque butin et regardaient sans cesse vers la vallée où ils descendaient. Et il raisonnait, se disant :

« Ces gens-ci sont bien mal au fait des questions militaires, car ils ne m'ont pas demandé ma parole et ne m'ont pas enlevé mon braquemart. »

Aussitôt, il tira ledit braquemart et en frappa l'archer qui le tenait à droite, lui tranchant les veines jugulaires et les artères du cou jusqu'aux glandes à travers le gosier ; en retirant son arme, il lui ouvrit la moelle épinière entre la deuxième et la troisième vertèbre : l'archer en tomba raide mort. Le Moine, poussant son cheval à gauche, courut sur l'autre, qui, voyant son compagnon mort et le Moine en situation favorable, criait à haute voix :

« Ha, Monsieur le Prieur, je me rends ! Monsieur le Prieur, mon bon ami, Monsieur le Prieur ! »

son dû (les coups de pieds promis) et sa promotion (le cardinalat promis à l'archer se limite au « chapeau rouge », insigne du rang, ici rouge par scalp).

Et le Moyne cryoit de mesmes :

« Monsieur le Posteriour, mon amy, Monsieur le Posteriour, vous aurez suz vos posteres !

— Ha ! (disoit l'archier) Monsieur le Priour, mon mignon, Monsieur le Priour, que Dieu vous face abbé !

— Par l'habit (disoit le Moyne) que je porte, je vous feray icy cardinal. Rensonnez vous les gens de religion ? Vous aurez un chapeau rouge à ceste heure de ma main. »

Et l'archier cryoit :

« Monsieur le Priour, Monsieur le Priour, Monsieur l'Abbé futeur, Monsieur le Cardinal, Monsieur le tout ! Ha ! ha ! hés ! non ! Monsieur le Priour, mon bon petit Seigneur le Priour, je me rends à vous !

— Et je te rends (dist le Moyne) à tous les diables. »

Lors d'un coup luy transchit la teste, luy coupant le test sus les os petreux, et enlevant les deux os bregmatis et la commissure sagittale avecques grande partie de l'os coronal, ce que faisant luy tranchit les deux meminges et ouvrit profondement les deux posterieurs ventricules du cerveau ; et demoura le craine pendant sus les espaules à la peau du pericrane par darriere, en forme d'un bonnet doctoral, noir par dessus, rouge par dedans. Ainsi tomba roidde mort en terre.

Ce faict, le Moyne donne des esprons à son cheval et poursuyt la voye que tenoient les ennemys, lesquelz avoient rencontrez Gargantua et ses compaignons au grand chemin et tant estoient diminuez en nombre, pour l'enorme meurtre que y avoit faict Gargantua avecques son grand arbre, Gymnaste, Ponocrates, Eudemon et les aultres, qu'ilz commençoient soy retirer à diligence, tous effrayez et parturbez de sens et entendement, comme s'ilz veissent la propre espece et forme de mort davant leurs yeulx.

Et — comme vous voyez un asne, quand il a au cul un oestre junonicque [1] ou une mousche qui le poinct,

1. Un œstre est un taon, comme celui que Junon a envoyé pour persécuter sa rivale Io changée en génisse.

Le Moine criait de même :

« Monsieur le Postérieur, mon ami, Monsieur le Postérieur, vous en prendrez sur votre postérieur !

— Ha, disait l'archer, Monsieur le Prieur, mon mignon, Monsieur le Prieur, que Dieu vous fasse abbé !

— Par l'habit que je porte, disait le Moine, moi je vous ferai cardinal. Ainsi vous rançonnez les gens d'Église ? Vous allez recevoir à l'instant un chapeau rouge de ma main. »

Et l'archer criait :

« Monsieur le Prieur, Monsieur le Prieur, Monsieur le futur abbé, Monsieur le Cardinal, Monsieur le tout ! Ha ! Ha ! Hélas ! non ! Monsieur le Prieur, mon bon petit seigneur Prieur, je me rends à vous !

— Et moi, dit le Moine, je te rends à tous les diables ! »

Alors d'un coup il lui trancha la tête : il fendit le crâne au-dessus des rochers et lui enleva les deux os pariétaux et la suture sagittale avec une grande partie de l'os frontal, lui tranchant les deux méninges et ouvrant profondément les lobes postérieurs du cerveau ; l'archer demeura ainsi, le crâne pendant sur les épaules, retenu par l'arrière par la peau du péricrâne, comme un bonnet de docteur, noir au-dessus, rouge au-dedans. Et il tomba raide mort par terre.

Cela fait, le Moine donne des éperons à son cheval et suit la route prise par les ennemis ; ceux-ci avaient rencontré Gargantua et ses compagnons en chemin, et leur nombre était si réduit, en raison de l'horrible carnage qu'avaient accompli Gargantua avec son grand arbre, Gymnaste, Ponocrates, Eudémon et les autres qu'ils commençaient à se retirer en hâte, effrayés et la raison dérangée, comme s'ils avaient vu la mort en personne devant eux.

Et — comme on peut voir un âne, quand il a au cul un taon junonien ou une mouche qui le pique, courir

courir czà et là sans voye ny chemin, et gettant sa charge par terre, rompant son frain et renes, sans aulcunement respirer ny prandre repous, et ne sçayt on qui le meut, car l'on ne veoit rien qui le touche, — ainsi fuyoient ces gens, de sens desprouveuz, sans sçavoir cause de fuyr ; tant seulement les poursuyt une terreur Panice laquelle avoient conceue en leurs ames.

Voyant le Moyne que toute leur pensée n'estoit si non à guaigner au pied, descend de son cheval et monte sus une grosse roche qui estoit sus le chemin, et avecques son grand bracquemart frapoit sus ces fuyars à grand tour de braz, sans se faindre ny espargner. Tant en tua et mist par terre que son braquemart rompit en deux pieces. Adoncques pensa en soy mesme que c'estoit assez massacré et tué, et que le reste doibvoit eschapper pour en porter les nouvelles.

Pourtant saisit en son poing une hasche de ceulx qui là gisoient mors et se retourna de rechief sus la roche, passant temps à veoir fuyr les ennemys et cullebuter entre les corps mors, excepté que à tous faisoit laisser leurs picques, espées, lances et hacquebutes ; et ceulx qui portoient les pelerins liez, il les mettoit à pied et delivroit leurs chevaulx au dictz pelerins, les retenant avecques soy l'orée de la haye, et Toucquedillon, lequel il retint prisonnier.

çà et là au hasard, jetant bas sa charge et rompant son frein et ses rênes, sans respirer ni prendre de repos, et on ne sait qui le pousse, car on ne voit rien qui le touche — ainsi fuyaient ces gens, ayant perdu tout sens, sans savoir pourquoi ils fuyaient, sinon qu'ils sont poursuivis par la terreur panique qu'ils avaient éprouvée.

Le Moine, voyant qu'ils ne pensaient qu'à s'échapper, descend de son cheval et monte sur un gros rocher qui était sur le chemin ; et de son grand braquemart il frappait sur les fuyards à tour de bras, sans se ménager ni s'économiser. Il en tua et renversa tant qu'il rompit son braquemart en deux. Alors il pensa en lui-même qu'il avait assez massacré et tué, et que les autres pouvaient s'échapper pour en porter la nouvelle.

Il prit donc en main une hache à un de ceux qui gisaient là morts et s'en retourna sur le rocher, se contentant de regarder les ennemis fuir et culbuter parmi les cadavres, sinon qu'il faisait abandonner par tous piques, épées, lances et arquebuses ; et ceux qui portaient les pèlerins ligotés, il les mettait à pied et donnait leurs chevaux aux pèlerins, les gardant avec lui à l'orée du bosquet, en même temps que Toucquedillon, qu'il retint prisonnier.

CHAPITRE XLIII

Comment le Moyne amena les pelerins et les bonnes paroles que leur dist Grandgouzier

Ceste escarmouche parachevée, se retyra Gargantua avecques ses gens, excepté le Moyne, et sus la poincte du jour se rendirent à Grandgouzier, lequel en son lict prioyt Dieu pour leur salut et victoyre ; et, les voyant tous saulz et entiers, les embrassa de bon amour et demanda nouvelles du Moyne. Mais Gargantua luy respondit que sans doubte leurs ennemys avoient le Moyne. « Ilz auront (dist Grandgouzier) doncques male encontre », ce que avoyt esté bien vray. Pourtant encores est le proverbe en usaige de *bailler le moyne à quelqu'un*[1].

Adoncques commenda qu'on aprestast tresbien à desjeuner pour les refraischir. Le tout apresté, l'on appella Gargantua ; mais tant luy grevoit de ce que le Moyne ne comparoit aulcunement, qu'il ne vouloit ny boyre ny manger.

Tout soubdain le Moyne arrive et, dès la porte de la basse court, s'escrya : « Vin frays, vin frays, Gymnaste, mon amy ! »

Gymnaste sortit et veit que c'estoit Frere Jean qui amenoit cinq pelerins et Toucquedillon prisonnier.

1. *Bailler le moine* signifie suspendre par les pieds pour donner la question, d'où plus largement porter malheur. *Avoir le moine* : être trompé.

CHAPITRE XLIII

Comment le Moine ramena les pèlerins, et les bonnes paroles que leur dit Grandgousier

Cette escarmouche achevée, Gargantua se retira avec ses gens, sauf le Moine, et à la pointe du jour ils arrivèrent près de Grandgousier, qui dans son lit priait Dieu pour leur salut et leur victoire ; les voyant tous sains et saufs, il les embrassa avec affection et demanda des nouvelles du Moine. Mais Gargantua lui répondit que sans doute les ennemis tenaient le Moine. « Ils auront donc, dit Grandgousier, une mauvaise surprise », ce qui était bien vrai. C'est pour cela qu'on utilise encore le proverbe *donner le moine à quelqu'un*.

Il ordonna donc qu'on préparât bien à déjeuner pour les restaurer. Quand tout fut prêt, on appela Gargantua ; mais il était si affligé de ne pas voir reparaître le Moine qu'il ne voulait ni boire ni manger.

Soudain le Moine arrive et, à peine passé la porte de la cour, il s'écria : « Du vin frais, du vin frais, Gymnaste, mon ami ! »

Gymnaste sortit et vit que c'était Frère Jean qui amenait cinq pèlerins et Toucquedillon prisonnier.

Dont Gargantua sortit au davant, et luy feirent le meilleur recueil que peurent, et le menerent davant Grandgouzier, lequel l'interrogea de toute son adventure. Le Moyne luy disoit tout, et comment on l'avoit prins, et comment il s'estoit deffaict des archiers, et la boucherie qu'il avoit faict par le chemin, et comment il avoit secous les pelerins et amené le capitaine Toucquedillon. Puis se mirent à bancqueter joyeusement tous ensemble.

Ce pendent Grandgouzier interrogeoit les pelerins de quel pays ilz estoient, et dont ilz venoient et où ilz alloient.

Lasdaller pour tous respondit :

« Seigneur, je suys de Sainct Genou en Berry ; cestuy cy est de Paluau ; cestuy cy est de Onzay ; cestuy cy est de Aroy ; et cestuy cy est de Villebrenin. Nous venons de Sainct Sebastian près de Nantes, et nous en retournons par nous petites journées.

— Voyre, mais (dist Grandgouzier) qu'alliez vous faire à Sainct Sebastian ?

— Nous allions (dist Lasdaller) luy offrir noz votes contre la peste.

— O (dist Grandgouzier) pauvres gens, estimez vous que la peste viengne de sainct Sebastian [1] ?

— Ouy vrayement (respondit Lasdaller), noz prescheurs nous l'afferment.

— O (dist Grandgouzier) les faulx prophetes vous annoncent ilz telz abus ? Blasphement ilz en ceste faczon les justes et sainctz de Dieu qu'ilz les font semblables aux diables, qui ne font que mal entre les humains, comme Homere escript que la peste fut mise en l'oust des Gregoys par Apollo, et comme les Poetes faignent un grand tas de Vejoves et dieux malfaisans ?

1. Sujet d'indignation des humanistes et des réformés : les croyances populaires selon lesquelles un saint peut donner la maladie pour laquelle on l'invoque (comme Apollon en effet). D'autre part, le lien entre maladie et saints a été établi pratiquement par calembours (Cloud pour les abcès, Genou pour les rhumatismes, Gildas pour les

Gargantua sortit à sa rencontre, et ils lui firent le meilleur accueil possible, et le conduisirent devant Grandgousier, qui l'interrogea sur son aventure. Le Moine lui raconta tout, comment on l'avait pris, comment il s'était défait des archers, la boucherie qu'il avait faite dans le chemin, et comment il avait secouru les pèlerins et ramené le capitaine Toucquedillon. Puis ils se mirent à banqueter joyeusement tous ensemble.

Cependant Grandgousier interrogeait les pèlerins sur leur pays d'origine, d'où ils venaient et où ils allaient.

Lasdaller répondit pour eux tous :

« Seigneur, je suis de Saint-Genou en Berry ; celui-ci est de Palluau ; celui-ci est de Onzay ; celui-ci est d'Aroy ; et lui est de Villebernin. Nous venons de Saint-Sébastien près de Nantes, et nous revenons chez nous bien tranquillement.

— Soit, dit Grandgousier, mais qu'alliez-vous faire à Saint-Sébastien ?

— Nous allions lui faire nos dévotions contre la peste.

— Oh, dit Grandgousier, pauvres gens, croyez-vous donc que la peste vienne de Saint-Sébastien ?

— Assurément, dit Lasdaller, nos prédicateurs nous l'affirment.

— Oh, dit Grandgousier, les faux prophètes vous prêchent-ils de telles sornettes ? Ils blasphèment donc les justes et les élus de Dieu en les faisant semblables aux diables qui ne font que mal parmi les humains, tout comme Homère qui écrit que la peste fut répandue dans l'armée des Grecs par Apollon et comme les poètes qui dépeignent un tas de sinistres Jupiters et de dieux mal-

gilles/fous), ou en interprétant certains épisodes de leur vie légendaire (Saint Sébastien martyrisé avec des flèches = Apollon = flèches de la peste, pénitences de Saint Antoine excoriant la peau = feu de Saint Antoine, etc.).

Ainsi preschoit à Sinays un Caphart que sainct Antoine mettoit le feu es jambes, et sainct Eutrope faisoit les hydropicques, et sainct Gildas les foulz, sainct Genou les gouttes. Mais je le punyz en tel exemple, quoy qu'il me appellast Hereticque, que depuys ce temps caphart quiconques n'est ouzé entrer en mes terres. Et m'esbays si vostre roy les laisse prescher par son royaulme telz scandales, car plus sont à punir que ceulx qui, par art magicque ou aultre engin, auroient mys la peste par le pays. La peste ne tue que le corps, mais ces predications diabolicques infectionnent les ames des pauvres et simples gens. »

Luy disant ces paroles, entra le Moyne tout deliberé, et leurs demanda :

« Dont estez vous, vous aultres pauvres hayres ?

— De Sainct Genou, dirent ilz.

— Et comment (dist le Moyne) se porte l'abbé Tranchelyon, le bon beuveur ? Et les moynes, quelle chiere font ilz ? Le cor Dieu ! ilz biscotent voz femmes, ce pendent que estes en romivage !

— Hin, hen ! (dist Lasdaller) je n'ay pas peur de la mienne, car qui la verra de jour ne se rompera pas le coul pour l'aller visiter la nuyct.

— C'est (dist le Moyne) bien rentré de picques ! Elle pourroit estre aussi layde que Proserpine, elle aura, par Dieu, la saccade puys qu'il y a moynes autour, car un bon oeuvrier mect indifferentement toutes pieces en oeuvre. Que j'aye la verolle en cas que ne les trouviez engroissées à vostre retour. Car seulement l'ombre du clochier d'une abbaye est feconde.

— C'est (dist Gargantua) comme l'eau du Nile en Egypte, si vous croyez Strabo ; et Pline, *lib. vij*, chap. iij, advise que c'est de la miche, des habitz et des corps. »

Lors dist Grandgouzier :

« Allez vous en, pauvres gens, au nom de Dieu le createur, lequel vous soyt en guide perpetuelle. Et dorenavant ne soyez faciles à ces otieux et inutiles voyages. Entretenez voz familles, travaillez, chascun

faisants ? C'est ainsi qu'un cafard déclarait dans ses prêches à Cinais que saint Antoine mettait le feu aux jambes, que saint Eutrope créait les hydropiques, saint Gildas les fous et saint Genou les goutteux. Mais je l'ai si bien puni, bien qu'il me traitât d'hérétique, que depuis ce temps aucun cafard n'a osé pénétrer dans mes terres. Et je suis stupéfait que votre roi les laisse prêcher dans son royaume de tels scandales, car ils sont plus à punir que ceux qui, par magie ou tout autre moyen, auraient répandu la peste dans le pays. La peste ne tue que le corps, mais ces prédications diaboliques infectent les âmes des pauvres et simples gens. »

Alors qu'il parlait, le Moine entra d'un pas décidé et leur demanda :

« D'où êtes-vous, vous autres, mes pauvres ?

— De Saint-Genou, dirent-ils.

— Et comment, dit le Moine, se porte l'abbé Tranchelion, le bon buveur ? Et les moines, quelle chère font-ils ? Cordieu ! ils baisottent vos femmes, pendant que vous êtes en pèlerinage !

— Hin, hen ! dit Lasdaller, je n'ai pas peur pour la mienne car celui qui la verra de jour ne se rompra pas le cou pour aller lui rendre visite la nuit.

— Voilà qui est bien mal joué ! dit le Moine. Elle pourrait être aussi laide que Proserpine, elle aura, par Dieu, la grande secousse puisqu'il y a des moines alentour, car un bon ouvrier met indifféremment toutes les pièces en œuvre. Que j'attrape la vérole si vous ne les trouvez pas engrossées à votre retour. Car rien que l'ombre du clocher d'une abbaye est féconde.

— C'est, dit Gargantua, comme l'eau du Nil en Égypte, si vous en croyez Strabon ; et Pline, au livre VII, chapitre III, estime que c'est de la miche, des habits et des corps. »

Alors Grandgousier dit :

« Allez-vous-en, pauvres gens, au nom de Dieu le créateur, qu'il vous ait à jamais en sa garde. Et dorénavant ne vous laissez pas aller à ces voyages oiseux et inutiles. Entretenez vos familles, travaillez chacun en sa vacation, instruez voz enfans, et vivez comme vous enseigne le bon Apostre sainct Paoul. Ce faisans, vous aurez la guarde de Dieu, des anges et des sainctz avecques vous, et n'y aura peste ny mal qui vous porte nuysance. »

Puys les mena Gargantua prendre leur refection en la salle ; mais les pelerins ne faisoient que souspirer, et dirent à Gargantua :

« O que heureux est le pays qui a pour seigneur ung tel homme ! Nous sommes plus edifiez et instruictz en ces propous qu'il nous a tenu qu'en tous les sermons que jamais nous feurent preschez en nostre ville.

— C'est (dist Gargantua) ce que dist Platon, *lib. v. de Rep.* : que lors les republicques seroient heureuses quand les roys philosopheroient ou les philosophes regneroient [1]. »

Puis leur feist emplir leurs bezaces de vivres, et leurs bouteilles de vin, et à chascun donna cheval pour soy soulaiger au reste du chemin, et quelques carolus pour vivre.

1. Rabelais complète ici Platon par des recommandations plus chrétiennes, où le mot philosophie devient amour de la vraie Sagesse. Le programme de gouvernement proposé aux rois chrétiens développe souvent cette association.

à votre métier, instruisez vos enfants, et vivez comme vous l'enseigne le bon apôtre saint Paul. Ainsi, vous aurez la protection de Dieu, des anges et des saints avec vous, et il n'y aura ni peste ni maladie qui vous fasse du mal. »

Puis Gargantua les mena se restaurer dans la salle ; mais les pèlerins ne faisaient que soupirer, et ils dirent à Gargantua :

« Heureux le pays qui a pour souverain un tel homme ! Nous sommes plus édifiés et instruits par les propos qu'il nous a tenus que par tous les sermons qu'on nous a prêchés dans notre ville.

— C'est, dit Gargantua, ce que dit Platon, au livre V de la *République* : que les États seraient heureux lorsque les rois philosopheraient ou que les philosophes régneraient. »

Puis il fit remplir leurs besaces de vivres et leurs bouteilles de vin, et donna à chacun un cheval pour se soulager durant le reste de la route, et quelques carolus pour vivre.

CHAPITRE XLIIII

Comment Grandgouzier traicta humainement Toucquedillon prisonnier

Toucquedillon fut presenté à Grandgouzier et interrogé par icelluy sus l'entreprinze et affayres de Picrochole, quelle fin il pretendoyt par cest tumultuaire vacarme. A quoy respondoyt que sa fin et sa destinée estoyt de conquester tout le pays, s'il povoyt, pour l'injure faicte à ses fouaciers.

« C'est (dist Grandgouzier) trop entreprint : qui trop embrasse peu estrainct. Le temps n'est plus d'ainsi conquester les royaulmes avecques dommaige de son prochain frere christian [1]. Ceste imitation des anciens Hercules, Alexandres, Hannibalz, Scipions, Cesars et aultres telz, est contraire à la profession de l'Evangile, par lequel nous est commandé garder, saulver, regir et administrer chascun ses pays et terres, non hostilement envahir les aultres ; et ce que les Sarrazins et Barbares jadys appelloient prouesses, maintenant nous appelons briguanderies et mechansetez. Mieulx eust il faict soy contenir en sa maison, royallement la gouvernant, que insulter en la mienne, hostilement la pillant ; car par

1. Le pacifisme d'Érasme dans son *Institution du Prince chrétien* prend comme argument que certains comportements sont inacceptables sous le règne de l'Évangile ; de façon plus restreinte, le refus

CHAPITRE XLIV

Comment Grandgousier traita humainement Toucquedillon prisonnier

Toucquedillon fut présenté à Grandgousier qui l'interrogea sur les agissements et desseins de Picrochole, et le but qu'il poursuivait par cette agitation désordonnée. Il répondit que son but et son dessein étaient de conquérir tout le pays, s'il pouvait, en raison de l'injustice faite à ses fouaciers.

« C'est trop d'ambition, dit Grandgousier : qui trop embrasse mal étreint. Ce n'est plus le temps de conquérir ainsi les royaumes au grand dam de son frère en chrétienté. Cette imitation des anciens héros, les Hercule, Alexandre, Hannibal, Scipion, César et autres, s'oppose aux préceptes de l'Évangile, qui nous ordonne de garder, protéger, régir et administrer chacun ses domaines, et non pas d'envahir par la force les autres ; et ce que les sarrasins et les Barbares appelaient jadis prouesses, nous l'appelons maintenant brigandages et méchancetés. Il aurait mieux fait de se maintenir dans son domaine, en le gouvernant comme un bon roi, que d'attaquer le mien, en le pillant comme un ennemi ;

des guerres entre chrétiens est un des arguments des papes pour pousser à la Croisade contre l'ennemi commun.

bien la gouverner l'eust augmentée, par me piller sera destruict.

» Allez vous en au nom de Dieu, suyvez bonne entreprinse ; remonstrez à vostre roy les erreurs que congnoistrez, et jamais ne le conseillez ayant esgard à vostre profit particulier, car avecques le commun est aussy le propre perdu. Quand est de vostre ranczon, je vous la donne entierement, et veulx que vous soient rendues armes et cheval.

» Ainsi fault il fayre entre voisins et anciens amis, veu que ceste nostre difference n'est poinct guerre proprement, comme Platon vouloit estre non guerre nommée, ains sedition, quant les Grecz meuvoient armes les uns contre les aultres ; ce que, si par male fortune advenoyt, il commende qu'on use de toute modesté. Si guerre la nommez, elle n'est que superficiaire, elle n'entre poinct au profond cabinet de noz cueurs : car nul de nous n'est oultraigé en son honneur, et n'est question, en somme totale, que de rabiller quelque faulte commise par noz gens, j'entends et vostres et nostres ; laquelle, encores que congneussiez, vous doibviez laisser couler oultre, car les personnages querelans estoient plus à contempner que à rementevoir, mesmement leurs satisfaisant scelon le grief, comme je me suis offert. Dieu sera juste estimateur de nostre different, lequel je supply plus toust par mort me tollir de ceste vie et mes biens deperir davant mes yeulx, que par moy ny les miens en rien soyt offencé. »

Ces paroles achevées, appela le Moyne et davant tous luy demanda :

« Frere Jean, mon bon amy, estez vous qui avez prins le capitaine Toucquedillon icy present ?

— Cire (dist le Moyne), il est icy present ; il a aage et discretion ; j'ayme mieulx que le sachez par sa confession que par ma parole. »

Adoncques dist Toucquedillon :

« Seigneur, c'est luy veritablement qui m'a prins, et je me rends son prisonnier franchement.

car en le gouvernant bien il l'aurait grandi, en me pillant il sera détruit.

« Allez-vous-en, au nom de Dieu, entreprenez un bon travail ; remontrez à votre roi les erreurs que vous reconnaissez, et ne le conseillez jamais en fonction de votre intérêt personnel, car le bien de chacun se perd dans le désastre commun. Quant à votre rançon, je vous en fais remise totalement, et je veux qu'on vous rende vos armes et votre cheval.

« C'est ainsi qu'il faut agir entre voisins et anciens amis, car le différend qui est entre nous n'est pas vraiment une guerre ; ainsi Platon refusait qu'on parle de guerre, mais de sédition, quand les Grecs prenaient les armes les uns contre les autres ; et si par malheur cela arrivait, il recommande qu'on use de la plus grande modération. Si vous l'appelez guerre, elle n'est que superficielle, elle n'est point ancrée au tréfonds de nos cœurs ; car nul d'entre nous n'est outragé dans son honneur, et il n'est question, finalement, que de réparer une faute commise par nos gens, je veux dire les vôtres et les nôtres ; bien que vous la sachiez, au demeurant, vous auriez dû la laisser passer, car les personnages en cause étaient plus à mépriser qu'à garder en mémoire, surtout qu'on les dédommageait au juste prix, comme je m'y suis offert. Dieu estimera à sa juste valeur notre différend, et je supplie qu'il m'enlève la vie et me dépouille de mes biens plutôt que de l'offenser, moi ou les miens. »

Ces paroles dites, il appela le Moine et en présence de tout le monde lui demanda :

« Frère Jean, mon bon ami, est-ce vous qui avez capturé le capitaine Toucquedillon ici présent ?

— Sire, dit le Moine, il est présent ; il est adulte et sensé ; j'aime mieux que vous l'appreniez de sa bouche que de la mienne. »

Alors Toucquedillon dit :

« Seigneur, c'est lui en vérité qui m'a pris, et je me déclare sans détour son prisonnier.

— L'avez vous (dist Grandgouzier au Moyne) mis à ranczon[1] ?

— Non (dist le Moyne). De cela je ne me soucie.

— Combien (dist Grandgouzier) vouldriez vous de sa prinze ?

— Rien, rien (dist le Moyne) ; cela ne me mene pas. »

Lors commenda Grandgouzier que, present Toucquedillon, feussent contez au Moyne soixante et deux mille saluz pour celle prinse, ce que fut faict ce pendant qu'on feist la collation au dict Toucquedillon, au quel demanda Grandgouzier s'il vouloit demourer avecques luy, ou si mieulx aymoit retourner à son roy.

Toucquedillon respondit qu'il tiendroit le party lequel il luy conseilleroit.

« Doncques (dist Grandgouzier) retournez à vostre roy, et Dieu soit avecques vous. »

Puis luy donna une belle espée de Vienne, avecq le fourreau d'or faict à belles vignettes d'orfeverye, et ung collier d'or pesant sept marcz, garny de fines pierreries à l'estimation de cent soixante mille ducatz, et dix mille escuz par present honorable[2]. Apres ces propous monta Toucquedillon sus son cheval. Gargantua, pour sa seureté, luy bailla trente hommes d'armes et six vingt archiers soubz la conduicte de Gymnaste, pour le mener jusques es portes de La Roche Clermaud, si besoing estoit.

Icelluy departy, le Moyne rendit à Grandgouzier les soixante et deux mille salutz qu'il avoit repceu, disant :

1. La pratique du rachat des prisonniers est normale, et même une façon de faire fortune. Charles Quint tenant François Ier a fait comme ses chevaliers : taxé d'abord de quatre millions, puis après négociations, de deux millions quatre cent mille écus d'or, François Ier n'en a versé que la moitié, l'autre représentant la « dot » de la reine Éléonore, sœur de Charles Quint qu'il épousait par le même traité. Il devait aussi rembourser cinq cent mille écus à Henri VIII d'Angleterre, qui, magnanime, y renonça. S'il est abusif d'écraser quelqu'un sous le poids d'une rançon impayable, il serait offensant de l'estimer trop peu. Grandgousier dépasse les traditions en refusant de faire payer le prisonnier, mais reste un bon suzerain en dédommageant

— L'avez-vous mis à rançon ? dit Grandgousier au Moine.

— Non, dit le Moine. Je ne m'en soucie pas.

— Combien voudriez-vous de sa capture ?

— Rien, rien, dit le Moine ; ce n'est pas cela qui me conduit. »

Alors Grandgousier ordonna que, en présence de Toucquedillon, on compte au Moine soixante-deux mille saluts pour cette prise ; ce qui fut fait pendant qu'on offrait une collation audit Toucquedillon ; Grandgousier lui demanda s'il voulait rester avec lui ou s'il préférait revenir à son roi.

Toucquedillon répondit qu'il prendrait le parti qu'il lui conseillerait.

« Alors, dit Grandgousier, retournez à votre roi, et Dieu soit avec vous. »

Et il lui donna une belle épée de Vienne, avec un fourreau d'or orné de belles guirlandes d'orfèvrerie, et un collier d'or pesant sept marcs, garni de fines pierreries, estimé soixante mille ducats, plus dix mille écus en don gracieux. Sur ce, Toucquedillon monta sur son cheval. Pour assurer sa sécurité, Gargantua lui donna trente hommes d'armes et cent vingt archers sous la conduite de Gymnaste, pour le conduire jusqu'aux portes de La Roche-Clermault, s'il en était besoin.

Après son départ, le Moine rendit à Grandgousier les soixante-deux mille saluts qu'il avait reçus, en disant :

son vassal Frère Jean du préjudice qu'il lui cause par sa générosité envers l'ennemi vaincu.

2. Les prix sont à la taille des géants ; il y va de plusieurs millions. Le marc pèse 250 g ; une pièce marquée au « salut » (date de Charles IV) pèse 3,4 g d'or et vaut 12 francs-or, le ducat vénitien 11, l'écu « au soleil » de François Ier 10 F-or, le « mouton » de Jean le Bon et l'« agneau » de Louis XI 15 et 14 F-or. La livre de François Ier vaut un demi écu, soit 1,46 g d'or fin. Le « noble à la rose » anglais vaut 24 F-or. Le besant d'or ou d'argent est une monnaie byzantine. La rançon de Touquedillon s'évalue donc à 860 000 F-or, le collier à 1 600 000 F-or, et le cadeau à 300 000 F-or à peu près !

« Cire, ce n'est ores que vous doibviez faire telz dons. Attendez la fin de ceste guerre, car l'on ne sçait quelz affaires pourroient survenir, et guerre faicte sans bonne provision d'argent n'a q'un souspirail de vigueur. Les nerfz des batailles sont les pecunes.

— Doncques (dist Grandgouzier) à la fin je vous contenteray par honeste recompense, et tous ceulx qui me auront bien servy. »

« Sire, ce n'est pas l'heure de faire de tels dons. Attendez la fin de cette guerre, car on ne sait ce qui pourrait survenir, et une guerre menée sans une bonne réserve d'argent n'a qu'un souffle de force. L'argent est le nerf de la guerre.

— Alors, dit Grandgousier, c'est à la fin que je vous récompenserai, ainsi que tous ceux qui m'auront bien servi. »

CHAPITRE XLV

Comment Grandgouzier manda querir ses legions, et comment Toucquedillon tua Hastiveau, puis feut tué par le commandement de Picrochole

En ces mesmes jours, ceulx de Bessé, du Marché Vieulx, du bourg Sainct Jacques, du Trainneau, de Parillé, de Riviere, des Roches Sainct Paoul, du Vaubreton, de Pantille, du Brehemont, du Pont de Clam, de Cravant, de Grandmont, des Bourdes, de La Ville au Mere, de Segré, de Hussé, de Sainct Louant, de Panzoust, des Couldreaulx, de Verron, de Coulaines, de Chosé, de Varenes, de Bourgueil, de l'Isle Bouchard, du Croulay, de Narsay, de Cande, de Montsoreau et aultres lieux confins [1], envoierent devers Grandgouzier ambassades pour luy dire qu'ilz estoient advertis des tordz que luy faisoit Picrochole, et, pour leur ancienne confederation, ilz luy offroient tout leur povoir, tant de gens que d'argent et aultres munitions de guerre.

L'argent de tous montoit, par les pactes qu'ilz luy envoyoient, six vingt quatorze millions d'or. Les gens estoient quinze mille hommes d'armes, trente et deux mille chevaulx legiers, quatre vingtz neuf mille harquebouziers, cent quarante mille adventuriers, unze mille

1. Tous les villages sont dans le Chinonais ; on voit mal en termes réalistes où caser le nombre des soldats sur les espaces ainsi dessinés,

CHAPITRE XLV

Comment Grandgousier envoya chercher ses légions et comment Toucquedillon tua Hastiveau, puis fut tué sur l'ordre de Picrochole

Au même moment, ceux de Bessé, du Vieux-Marché, du bourg Saint-Jacques, du Raineau, de Parillé, de Rivière, des Roches-Saint-Paul, du Vaubreton, de Pontille, du Bréhemont, du Pont-de-Clan, de Cravant, de Grandmont, des Bourdes, de La Ville-au-maire, de Segré, d'Ussé, de Saint-Louans, de Panzoult, des Coudreaux, de Verron, de Coulaines, de Chouzé, de Varennes, de Bourgueil, de l'Île-Bouchard, du Croulay, de Narsay, de Candé, de Montsoreau et autres lieux voisins, envoyèrent par-devant Grandgousier des ambassades pour lui dire qu'ils étaient avertis des torts que lui causait Picrochole, et que, selon leur ancienne alliance, ils lui offraient toute leur assistance, aussi bien en hommes qu'en argent et autres fournitures de guerre.

La somme qu'ils lui offraient tous se montait, selon les promesses faites, à cent trente-quatre millions en or. Il y avait quinze mille hommes d'armes, trente-deux mille chevau-légers, quatre-vingt-neuf mille arquebusiers, cent quarante mille mercenaires, onze mille deux

ni d'où vient la fabuleuse richesse de leur contribution (près de cent fois l'impôt royal annuel).

deux cens canons, doubles canons, basilicz et spiroles, pionniers quarante et sept mille ; le tout souldoyé et avitaillé pour six moys. Lequel offre Gargantua ne refusa, ny accepta, du tout ; mais grandement les remerciant, dist qu'il composeroit ceste guerre par tel engin que besoing ne seroit tant empescher de gens de bien. Seulement envoya qui ameneroit en ordre les legions, lesquelles entretenoit ordinairement [1] en ses places de La Deviniere, de Chavigny, de Gravot et Quinquenays, montant en nombre douze cens hommes d'armes, trente et six mille hommes de piedz, treize mille arquebouziers, quatre cens grosses pieces d'artillerye, et vingt et deux mille pionniers, tous par bandes, tant bien assorties de leurs thresoriers, de vivandiers, de mareschaulx, de armuriers et aultres gens necessaires au trac de bataille, tant bien instruictz en art militaire, tant bien armez, tant bien recongnoissans et suyvans leurs enseignes, tant soubdains à entendre et obeir à leurs capitaines, tant expediez à courir, tant fors à chocquer, tant prudens à l'adventure, que mieulx ressembloient une harmonie d'orgues et concordante d'orologe q'une armée ou gensdarmerie.

Toucquedillon, arrivé, se presenta à Picrochole et luy compta au long ce qu'il avoit et faict et veu. A la fin conseilloit, par fortes parolles, qu'on feist apoinctement avecques Grandgouzier, lequel il avoit esprouvé le plus homme de bien du monde, adjoustant que ce n'estoit ny preu ny raison molester ainsi ses voisins, desquelz jamais n'avoient eu que tout bien ; et, au regard du principal, que jamais ne sortiroient de ceste entreprinse que à leur grand dommaige et malheur ; car la puissance de Picrochole n'estoit telle que aisement ne les peust Grandgouzier mettre à sac. Il n'eut pas achevé ceste parolle que Hastiveau dist tout hault :

1. Le débat sur l'armée est constant dans les traités du bon gouvernement : on se méfie des mercenaires, professionnels, mais pillards et versatiles si l'adversaire les paie mieux (toujours Pavie...). Mais que faire et comment entretenir une armée permanente, faite des sujets

cents canons, doubles canons, basilics et spiroles, et quarante-sept mille sapeurs ; le tout payé et ravitaillé pour six mois. Cette offre, Gargantua ne l'accepta ni ne la refusa ; il les remercia chaleureusement, et dit qu'il mènerait cette guerre de telle façon qu'il ne serait pas nécessaire de déranger tant de braves gens. Il se contenta de faire amener en bon ordre les légions qu'il entretenait habituellement dans ses places de La Devinière, de Chavigny, de Gravot et de Quinquenais, qui se montaient à douze cents hommes d'armes, trente-six mille fantassins, treize mille arquebusiers, quatre cents grosses pièces d'artillerie et vingt-deux mille sapeurs ; tous enrégimentés, si bien munis de trésoriers, vivandiers, maréchaux-ferrants, armuriers et autres personnes nécessaires au train de bataille, si bien instruits en l'art militaire, si bien armés, si disciplinés et bien rangés sous leurs enseignes, si prompts à comprendre et à obéir à leurs capitaines, si lestes à la course, si vaillants à l'assaut, si prudents dans les reconnaissances, qu'ils ressemblaient plus à un ensemble d'orgues ou à un mécanisme d'horlogerie qu'à une armée ou à une milice.

À son arrivée, Toucquedillon se présenta à Picrochole et lui exposa ce qu'il avait fait et vu. Pour finir, il lui conseillait véhémentement la réconciliation avec Grandgousier qu'il avait trouvé le meilleur homme du monde, ajoutant qu'il n'y avait ni profit ni raison à molester ainsi ses voisins, dont ils n'avaient jamais reçu que du bien ; que d'ailleurs ils ne sortiraient de cette entreprise qu'à leur détriment ; car la puissance de Picrochole n'était pas telle que Grandgousier ne puisse facilement les vaincre. Il n'eut pas plus tôt achevé que Hastiveau s'écria :

du roi ? La garde des quatre places fortes est ici à peu près égale à l'armée de François Ier en campagne (l'armée permanente n'est que de 12 000 hommes en 20 compagnies), mais elle est mieux équipée y compris en vivandiers, ce qui l'empêche de devenir pillarde.

Voir *Au fil du texte*, p. X.

« Bien malhureux est le prince qui est de telz gens servi, qui tant facilement sont corrompuz, comme je congnoys Toucquedillon ; car je voy son couraige tant changé que voulentiers se feust adjoinct à noz ennemys pour contre nous batailler et nous trahir, s'ilz l'eussent voulu retenir. Mais, comme vertus est de tous, tant amys que ennemys, louée et estimée, aussi meschanceté est toust congneue et suspecte ; et, posé que d'icelle les ennemys se servent à leur profit, si ont ilz tousjours les meschans et traistres en abhomination[1]. »

A ces parolles, Toucquedillon, impatient, tyra son espée et en transpercza Hastiveau un peu au dessus de la mamelle guausche, dont mourut incontinent ; et, tyrant son coup du corps, dist franschement : « Ainsi perisse qui feaulx serviteurs blasmera ! »

Picrochole soubdain entra en fureur et, voyant l'espée et fourreau tant diapré, dist : « Te avoit on donné ce baston pour en ma presence tuer malignement mon tant bon amy Hastiveau ? »

Adoncques commenda à ses archiers qu'ilz le meissent en pieces, ce que fut faict sus l'heure tant cruellement que la chambre estoit toute pavée de sang. Puis feist honnorablement inhumer le corps de Hastiveau, et celluy de Toucquedillon getter par sus les murailles en la valée.

Les nouvelles de ces oultraiges feurent sceues par toute l'armée, dont plusieurs commencerent à murmurer contre Picrochole, tant que Grippeminaud luy dist :

« Seigneur, je ne sçay quelle yssue sera de ceste entreprinse. Je voy voz gens peu confermés en leurs couraiges. Ilz considerent que sommes icy mal pourveuz de vivres, et jà beaucoup diminuez en nombre par deux ou troys yssues. Davantaige, il vient grand renfort de gens à voz ennemys. Si nous sommes assiegez une foys, je ne voy point comment ce ne soit à nostre ruyne totale.

1. Le traître est un instrument méprisé, on ne cesse de le répéter, et de louer les princes assez honnêtes pour refuser pareille conception de l'utile.

« Bien malheureux le prince qui est servi par des gens si facilement corrompus, tels que Toucquedillon ; je vois son cœur si changé qu'il se serait volontiers allié à nos ennemis pour nous combattre et nous trahir, s'ils avaient voulu le garder. Mais, comme le courage est estimé de tous, qu'ils soient amis ou ennemis, de même la méchanceté est partout reconnue et soupçonnée ; et, en admettant que les ennemis s'en servent à leur profit, ils n'en ont pas moins en horreur les méchants et les traîtres. »

À ces mots, Toucquedillon, hors de lui, tira son épée et en transperça Hastiveau un peu au-dessus du sein gauche, ce dont il mourut sur-le-champ ; et, retirant son épée, il dit nettement : « Ainsi périsse quiconque calomniera les loyaux serviteurs ! »

Picrochole entra brusquement en fureur et, voyant l'épée et le fourreau tachés de sang, il dit : « T'avait-on donc donné cette arme pour tuer devant moi si méchamment mon bon ami Hastiveau ? »

Et il ordonna à ses archers de le mettre en pièces, ce qui fut aussitôt fait si cruellement que la chambre était toute pavée de sang. Puis il fit inhumer avec les honneurs le corps de Hastiveau, et jeter celui de Toucquedillon par-dessus les murailles dans le fossé.

Toute l'armée eut bientôt connaissance de ces forfaits ; plusieurs commencèrent à murmurer contre Picrochole, si bien que Grippeminaud lui dit :

« Seigneur, je ne sais ce qu'il adviendra de cette entreprise. Je vois vos gens peu rassurés. Ils constatent que nous sommes ici mal ravitaillés, et déjà bien affaiblis par deux ou trois sorties. De plus, il arrive de grands renforts à votre ennemi. Si nous sommes assiégés, je ne vois pas comment ce ne serait pas notre défaite complète.

— Bren, bren ! (dist Picrochole). Vous semblez les anguillez de Melun : vous criez davant qu'on vous escorche[1]. Laissez les seulement venir. »

1. Proverbe sans rapport avec les mœurs réelles des anguilles, et d'origine obscure.

— Merde, merde ! dit Picrochole. Vous ressemblez aux anguilles de Melun : vous criez avant même qu'on vous écorche. Laissez-les seulement venir. »

CHAPITRE XLVI

Comment Gargantua assaillit Picrochole dedans La Roche Clermaud, et defist l'armée dudict Picrochole

Gargantua eut la charge totalle de l'armée. Son pere demoura en son fort, et, leur donnant couraige par bonnes parolles, promist grandz dons à ceulx qui feroient quelques prouesses. Puis guaignerent le gué de Vede et, par basteaulx et pons legierement faictz, passerent oultre d'une traicte. Puis, considerant l'assiete de la ville, que estoit en lieu hault et adventageux, delibera celle nuyct sus ce qu'estoit de faire. Mais Gymnaste luy dist :

« Seigneur, telle est la nature et complexion des Françoys que ilz ne valent que à la premiere poincte. Lors ilz sont plus que diables. Mais, s'ilz sejournent, ilz sont moins que femmes [1]. Je suys d'advis que à l'heure presente, apres que voz gens auront quelque peu respiré et repeu, faciez donner l'assault. »

L'advys feut trouvé bon. Adoncques produict toute son armée en plain camp, mettant les subsides du cousté de la montée. Le Moyne print avecques soy six enseignes de gens de pied et deux cens hommes d'armes, et en grande diligence traversa le marays, et guaingna au dessus le Puy jusques au grand chemyn de Loudun.

1. Jugement de Tite Live, livre X, 28, sur les Gaulois, répété par les Italiens sur les soldats français dont la *furia* ne dure pas (ex. Machiavel, *Portrait des choses de France*).

CHAPITRE XLVI

Comment Gargantua assaillit Picrochole dans La Roche-Clermault et défit l'armée dudit Picrochole

Gargantua reçut toute autorité sur l'armée. Son père resta dans son fort et, les encourageant par de bonnes paroles, promit de grandes récompenses à ceux qui feraient des prouesses. Ils gagnèrent le gué de Vède, et sur des bateaux et des ponts légèrement construits, le franchirent d'une traite. Puis, en examinant le site de la ville, qui était sur un lieu escarpé et bien défendu, Gargantua tint conseil cette même nuit sur ce qu'il convenait de faire. Gymnaste lui dit :

« Seigneur, c'est la nature et le tempérament des Français de n'avoir de valeur qu'au premier assaut : alors ils sont plus vaillants que tous les diables. Mais s'ils piétinent, ils valent moins que des femmelettes. Je suis d'avis que, sur l'heure, après que vos gens se seront un peu reposés et rassasiés, vous fassiez donner l'assaut. »

L'avis fut trouvé bon. Aussi Gargantua déploya toute son armée, plaçant les troupes de réserve du côté de la montée. Le Moine prit avec lui six enseignes de fantassins et deux cents hommes d'armes ; en toute hâte il traversa le marais, et gagna au-dessus du Puy jusqu'au grand chemin de Loudun.

Ce pendant l'assault continuoit. Les gens de Picrochole ne sçavoient si le meilleur estoit sortir hors et les repcevoir, ou bien guarder la ville sans bouger. Mais furieusement sortit avecques quelque bande d'hommes d'armes de sa maison, et là feut receu et festoyé à grandz coups de canon qui gresloient devers les coustaux, dont les Gargantuistez se retirerent au val pour mieulx donner lieu à l'artillerye. Ceulx de la ville defendoient le mieulx que povoient, mays les traictz passoient oultre par dessus sans nul ferir. Aulcuns de la bande, saulvez de l'artillerie, donnerent fierement sus noz gens, mais peu profiterent, car tous feurent repceuz entre les ordres, et là ruez par terre. Ce que voyans, se vouloient retirer ; mais ce pendent le Moyne avoit occupé le passaige ; par quoy se mirent en fuyte sans ordre ny maintien. Aulcuns vouloient leur donner la chasse, mais le Moyne les retint, craignant que, suyvant les fuyans, perdissent leurs rancz et que sus ce poinct ceulx de la ville chargeassent suz eulx. Puis, attendant quelque espace et nul ne comparant à l'encontre, envoya le duc Phrontiste pour admonnester Gargantua à ce qu'il avanceast pour guaigner le cousteau à la gauche, pour empescher la retraicte de Picrochole par celle porte. Ce que feist Gargantua en toute diligence, et y envoya quatre legions de la compaignie de Sebaste. Mais si toust ne peurent gaigner le hault qu'ilz ne rencontrassent en barbe Picrochole et ceulx qui avecques luy s'estoient espars. Lors chargerent sus roiddement, toutesfois grandement feurent endommaigez par ceulx qui estoient sus les murs, en coupz de traict et artillerie. Quoy voyant, Gargantua en grande puissance alla les secourir et commencza son artillerie à hurter sus ce quartier de murailles, tant que toute la force de la ville y fut evocquée.

Le Moyne, voyant celluy cousté, lequel il tenoit assiegé, denué de gens et guardes, magnanimement tyra vers le fort et tant feist qu'il monta sus, luy et aulcuns de ses gens, pensant que plus de craincte et de frayeur donnent ceulx qui surviennent à un conflict que ceulx qui lors à leur force combattent. Toutesfoys ne feist

Cependant l'assaut se poursuivait. Les gens de Picrochole ne savaient pas s'il valait mieux faire une sortie pour les recevoir ou garder la ville sans bouger. Mais lui fit une furieuse sortie avec une bande d'hommes d'armes de sa maison ; il fut reçu et accueilli par de grands coups de canon qui tombaient comme grêle le long des coteaux, et les Gargantuistes se retirèrent en contrebas pour laisser la place à l'artillerie. Ceux de la ville la défendaient du mieux qu'ils pouvaient, mais leurs traits passaient trop haut sans blesser personne. Certains de la bande, rescapés du bombardement, attaquèrent bravement nos gens, mais sans grand résultat, car ils furent pris au milieu de nos rangs et renversés. En voyant cela, ils voulaient se retirer ; mais pendant ce temps, le Moine avait coupé le passage, et ils s'enfuirent sans ordre ni discipline. Certains de chez nous voulaient leur donner la chasse, mais le Moine les retint, craignant que, en poursuivant les fuyards, ils ne rompent leurs rangs et que ceux de la ville n'en profitent pour les charger. Puis, après avoir attendu un peu et constatant que nul ne se présentait, il envoya le duc Phrontiste presser Gargantua d'avancer pour gagner le coteau à gauche et empêcher Picrochole de faire retraite par ce passage. C'est ce que fit en toute hâte Gargantua, y envoyant quatre légions de la compagnie de Sébaste. Mais ils ne purent gagner le haut avant de tomber face à Picrochole et à ceux qui s'étaient éparpillés avec lui. Alors ils les chargèrent rudement, non sans subir de grands dommages de ceux qui étaient sur les murailles, à grands coups de flèche et d'artillerie. Ce que voyant, Gargantua se rua à leur secours en force, et son artillerie commença à balayer toute cette section de murailles, si bien que toutes les forces de la ville y furent appelées.

Le Moine, voyant que le côté de la ville qu'il assiégeait était vide de gens et de gardes, fonça bravement vers le fort et fit tant qu'il l'escalada, lui et certains de ses gens, pensant que ceux qui arrivent au combat à l'improviste produisent plus de crainte et de frayeur que ceux qui luttent face à face. Toutefois il ne fit oncques effroy jusques à ce que tous les siens eussent guaigné la muraille, excepté les deux cens hommes d'armes qu'il laissa hors pour les hazars. Puis s'escria horriblement, et les siens ensemble, et sans resistance tuerent les guardes d'icelle porte et la ouvrirent es hommes d'armes, et en toute fierté coururent ensemble vers la porte de l'Orient, où estoit le desarroy, et par darriere renverserent toute leur force ; voyans les assiegez de tous coustez et les Gargantuistes avoir guaigné la ville, se rendirent au Moyne à mercy.

Le Moyne leurs feist rendre les bastons [1] et armes, et tous retirer et reserrer par les eglises, saisissant tous les bastons des croix et commettant gens es portes pour les garder de yssir. Puis, ouvrant celle porte orientale, sortit au secours de Gargantua.

Mais Picrochole pensoit que le secours luy venoit de la ville, et par oultrecuydance se hazarda plus que devant, jusques à ce que Gargantua s'escrya : « Frere Jean, mon amy, Frere Jean, en bon heur soyez venu. »

Adoncques, congnoissent Picrochole et ses gens que tout estoit desesperé, prindrent la fuyte en tous endroictz. Gargantua les poursuyvit jusques près Vaugaudry, tuant et massacrant, puis sonna la retraicte.

1. Bâtons peut vouloir dire armes, piques.

aucun bruit jusqu'à ce que tous les siens aient gagné les murailles excepté les deux cents hommes d'armes qu'il laissa au-dehors en cas de besoin. Alors, poussant tous ensemble des cris terrifiants, sans rencontrer de résistance ils tuèrent les gardes de la porte et l'ouvrirent aux hommes d'armes ; et ils coururent impétueusement vers la porte d'Orient, où régnait le désordre et bousculèrent par-derrière toute leur troupe ; se voyant assiégés de tous les côtés et les Gargantuistes maîtres de la ville, ils se rendirent à la merci du Moine.

Le Moine leur fit rendre leurs armes, et les fit enfermer dans les églises, saisissant tous les bâtons de croix et plaçant des gens aux portes pour les empêcher de sortir. Puis, ouvrant la porte orientale, il sortit au secours de Gargantua.

Picrochole pensait que c'était le secours qui lui venait de la ville, et présomptueusement il se hasarda en avant, jusqu'à ce que Gargantua s'écrie : « Frère Jean, mon ami, Frère Jean, soyez le bienvenu. »

Alors Picrochole et ses gens, comprenant que tout était désespéré, prirent la fuite de tous côtés. Gargantua les poursuivit jusqu'auprès de Vaugaudry, tuant et massacrant, puis il fit sonner la retraite.

CHAPITRE XLVII

Comment Picrochole fuiant feut surprins de males fortunes, et ce que feit Gargantua apres la bataille

Picrochole, ainsi desesperé, s'en fuyt vers l'Isle Bouchart, et au chemin de Riviere son cheval bruncha par terre, à quoy tant feut indigné que de son espée le tua en sa chole. Puis, ne trouvant personne qui le remontast, voulut prandre un asne du molin qui là auprès estoit ; mais les meusniers le meurtrirent tout de coups et le destrousserent de ses habillemens, et luy baillerent pour soy couvrir une meschante sequenye.

Ainsi s'en alla le pauvre cholericque ; puis, passant l'eau au Port Huaux et racontant ses males fortunes, feut advisé par une vieille lourpidon que son royaulme luy seroit rendu à la venue des Cocquecigrues [1]. Depuis ne sçayt on qu'il est devenu. Toutesfoys l'on m'a dict qu'il est de present pauvre guaignedenier à Lyon [2], cholere comme davant, et tousjours se guemente à tous estrangiers de la venue des Cocquecigrues, esperant certainement, scelon la prophetie de la vieille, estre à leur venue reintegré en son royaulme.

Apres leur retraicte, Gargantua premierement recensa ses gens et trouva que peu d'iceulx estoient peryz en la bataille, exceptez quelques gens de pied de la bande

1. Coquecigrues imaginées par fusion de mots et d'oiseaux diversement liés à la divination.

CHAPITRE XLVII

Comment Picrochole fuyant ne rencontra que malchance, et ce que fit Gargantua après la bataille

Picrochole, désespéré, s'enfuit vers l'Île-Bouchard ; sur le chemin de Rivière, son cheval broncha à terre, ce dont il fut si indigné que, de colère, il le tua d'un coup d'épée. Puis, ne trouvant personne pour lui fournir une autre monture, il voulut prendre un âne du moulin qui se trouvait près de là ; mais les meuniers le rouèrent de coups et le dépouillèrent de ses vêtements, ne lui donnant pour se couvrir qu'une méchante souquenille.

Ainsi partit le pauvre colérique ; en passant l'eau à Port-Huault, alors qu'il racontait ses mésaventures, une vieille sorcière lui révéla que son royaume lui serait rendu à la venue des coquecigrues. Depuis, on ne sait ce qu'il est devenu. On m'a dit pourtant qu'il est aujourd'hui pauvre journalier à Lyon, aussi irascible qu'avant, et qu'il ne cesse de s'inquiéter auprès des étrangers de la venue des coquecigrues, dans l'espoir d'être, selon la prophétie de la vieille, réintégré certainement dans son royaume à leur arrivée.

Après leur retraite, Gargantua commença par recenser ses gens et découvrit qu'il n'y en avait que peu qui avaient péri dans la bataille, sauf quelques fantassins

2. Inversion du sort du mauvais roi, comme le sont dans *Pantagruel* les tyrans tombés en Enfer.

du capitaine Tolmere, et Ponocrates qui avoit un coup de harquebouze en son pourpoinct. Puis les feist refraischir, chascun par sa bande, et commanda es threzoriers que ce repas leur feust defrayé et payé, et que l'on ne feist oultraige queconques en la ville, veu qu'elle estoit sienne, et que apres leur repas ilz compareussent en la place davant le chasteau, et là seroient payez pour six moys ; ce que feut faict. Puis feist convenir davant soy en la dicte place tous ceulx qui là restoient de la part de Picrochole, esquelz, presens tous ses princes et capitaines, parla comme s'ensuyt :

du régiment du capitaine Tolmère, et Ponocrates qui avait pris un coup d'arquebuse dans le pourpoint. Il les fit se restaurer tous par régiments, ordonnant aux trésoriers que le repas leur fût défrayé et payé, et qu'on ne commît aucun dégât dans la ville, puisqu'elle lui appartenait ; et qu'après le repas ils se rassemblent tous sur la place devant le château ; là, ils seraient soldés pour six mois. Ainsi fut fait. Puis il fit venir devant lui, sur la place, tous ceux qui restaient de la troupe de Picrochole ; et là, en présence de ses princes et capitaines, il leur parla ainsi :

CHAPITRE XLVIII

La concion[1] que feist Gargantua es vaincuz

« Noz peres, ayeulx et ancestres de toute memoyre ont esté de ce sens et ceste nature que des batailles par eulx consommées ont, pour signe memorial des triumphes et victoyres, plus voulentiers erigé trophées[2] et monumens es cueurs des vaincuz par grace que, es terres par eulx conquestées, par architecture : car plus estimoient la vive soubvenance des humains acquise par liberalité que la mute inscription des arcs, columnes et pyramides, subjecte es calamitez de l'air et envie d'un chascun.

» Soubvenir assez vous peut de la mansuetude dont ilz userent envers les Bretons à la journée de Sainct Aubin du Cormier et à la demollition de Parthenay[3]. Vous avez entendu et, entendent, admirez, le bon traictement qu'ilz feirent es Barbares de Spagnola, qui avoient pillé, depopulé et saccaigé les fins maritimes de Olone et Thalmondoys.

» Tout ce ciel a esté remply des louanges et gratulations que vous mesmes et voz peres feistes lors que Alpharbal, roy de Canarre, non assovy de ses fortunes, envahyt furieusement le pays de Onys, exercent la

1. Second exemple de harangue officielle en haut style.
2. Comparer au trophée que fait élever Pantagruel après sa victoire sur les géants, ch. XVII. Les trophées sont une trace architecturale, où se voient organisées en faisceau les dépouilles des vaincus.

CHAPITRE XLVIII

Le discours que Gargantua adressa aux vaincus

« Nos pères, aïeux et ancêtres, aussi loin qu'on s'en souvienne, ont toujours eu la sagesse innée de préférer, pour commémorer les victoires et triomphes remportés dans les batailles qu'ils ont livrées, graver leurs trophées et monuments dans les cœurs des vaincus en leur faisant grâce, que les ériger en pierre dans les terres conquises : car ils estimaient davantage la reconnaissance vivante des humains acquise à force de générosité que les muettes inscriptions des arcs, colonnes et pyramides, sujettes aux intempéries et à la malveillance de n'importe qui.

« Vous devez bien vous rappeler la mansuétude dont ils firent preuve envers les Bretons à la journée de Saint-Aubin-du-Cormier et à la destruction de Parthenay. Vous avez appris et donc admiré le traitement généreux qu'ils réservèrent aux Barbares de Spagnola, qui avaient pillé, ruiné et saccagé les côtes de l'Olonnais et du Talmondois.

« Le ciel a été tout rempli des louanges et actions de grâce que vous-mêmes et vos pères avez adressées après qu'Alpharbal, roi de Canarie, insatiable dans ses entreprises, eut envahi furieusement l'Aunis, piratant dans

3. Batailles locales entre les troupes royales et les Bretons, en 1487 et 1488, au moment où le duché de Bretagne n'est pas encore réuni à la couronne de France, « nos pères » désignant ici Charles VIII, dont Gargantua est le « descendant ».

pyraticque en toutes les isles Armoricques et regions confines. Il feut en juste bataille navalle prins et vaincu de mon pere, ou quel Dieu soit garde et protecteur.

» Mais quoy ? On cas que les aultres roys et empereurs, voyre qui se font nommer Catholicques[1], l'eussent miserablement traicté, durement emprisonné et ranczonné extremement, il le traicta courtoisement, amiablement le logea avecques soy en son palays, et par incroyable debonnaireté le renvoya en saufconduyt, chargé de dons, chargé de graces, chargé de tous offices d'amitié. Qu'en est il advenu ? Luy, retourné en ses terres, feist assembler tous les princes et estatz de son royaulme, leurs exposa l'humanité qu'il avoit en nous congneu, et les pria sur ce deliberer en faczon que le monde y eust exemple, comme avoit jà en nous de gratieuseté honeste, aussi en eulx de honesteté gratieuse. Là feut decerné par consentement unanime que l'on offreroit entierement leurs terres, dommaines et royaulme, à en faire scelon nostre arbitre. Alpharbal, en propre personne, soubdain retourna avecques huyt grandes naufz oneraires, menant non seulement les thresors de sa maison et ligne royalle, mais presque de tout le pays ; car, soy embarquant pour faire voille ou vent Westen Nordest, chascun à la foulle gettoit dedans icelles or, argent, bagues, joyaux, espiceries, drogues et odeurs aromatiques, papegays, pelicans, guenons, civettes, genettes, porcz espicz. Poinct n'estoit filz de bonne mere reputé qui dedans ne gettast ce que avoit de singulier. Arrivé que feut, vouloit baiser les piedz de mon dict pere ; le faict fut estimé indigne et ne feut toleré, ains feut embrassé socialement. Offrit ses presens ; ilz ne feurent repceuz par trop estre excessifz. Se donna mancipe et serf volentayre, soy et sa posterité ; ce ne feut accepté par ne sembler equitable. Ceda par le decret des estatz ses terres et royaulme, offrant

1. Allusion au « très chrétien » roi Charles Quint qui a emprisonné et rançonné son ennemi, puis pris ses deux fils en otages jusqu'au versement de l'or.

toutes les îles d'Armorique et les régions voisines. Il fut, en loyal combat naval, pris et vaincu par mon père, que Dieu ait en sa sainte garde et protection.

« Mais quoi ? Alors que les autres rois et empereurs, même ceux qui se font appeler catholiques, l'auraient misérablement traité, rudement emprisonné et rançonné de façon exorbitante, lui le traita courtoisement, le logea avec lui dans son palais, et par une incroyable bonté d'âme le renvoya muni d'un sauf-conduit, chargé de cadeaux, chargé de bienfaits, chargé de toutes les marques de l'amitié. Qu'en est-il résulté ? Revenu dans ses terres, ce roi fit assembler tous les princes et états de son royaume, leur exposa l'humanité qu'il avait reconnue chez nous, et les pria de délibérer là-dessus de façon que le monde entier ait l'exemple, répondant à celui de notre générosité courtoise, de la courtoisie généreuse qui résidait en eux. Ils décidèrent alors à l'unanimité de nous offrir la totalité de leurs terres, domaines et royaume, pour en user à notre guise. Alpharbal lui-même revint aussitôt avec huit grands navires de transport, apportant les trésors non seulement de sa maison et de son patrimoine, mais de presque tout le pays ; car, tandis qu'il s'embarquait pour faire voile par vent d'ouest nord-est, chacun y jetait en masse or, argent, bagues, joyaux, épices, drogues et parfums, perroquets, pélicans, singes, civettes, genettes, porcs-épics. Nul n'était réputé fils de bonne famille s'il n'y jetait ce qu'il avait d'unique. Dès qu'il fut arrivé, le roi voulut baiser les pieds de mon père ; cela ne parut pas digne et ne fut pas toléré, mais on l'embrassa courtoisement. Il offrit ses présents ; on ne les agréa pas, comme excessifs. Il se reconnut esclave et serf volontaire, lui et sa descendance ; on ne l'accepta pas, comme disproportionné. Il céda, en vertu du décret des États, ses terres et son royaume, offrant les docu-

la transaction et transport, signé, seellé et ratifié de tous ceulx qui faire le doibvoient ; ce fut totalement refusé, et les contractz gettez au feu. La fin feut que mon dict pere commencza lamenter de pitié et pleurer copieusement, considerant le franc vouloir et simplicité des Canarriens, et par motz exquys et sentences congrues diminuoyt le bon tour qu'il leur avoit faict, disant ne leur avoir faict bien qui feust à l'estimation d'un bouton, et, si rien d'honesteté leur avoit monstré, il estoit tenu de ce faire. Mais tant plus l'augmentoit Alpharbal. Quelle feut l'yssue ? En lieu que pour sa ranczon, prinze à toute extremité, eussions peu tyrannicquement exiger vingt foys cens mille escuz et retenir pour houstagiers ses enfans aisnez, ilz se sont faictz tributaires perpetuelz et obligez nous bailler par chascun an deux millions d'or affiné à vingt et quatre karatz. Ilz nous feurent l'année premiere icy payez ; la seconde, de franc vouloir, en paierent xxiij cens mille escuz ; la tierce, xxvj cens mille ; la quarte, troys millions ; et tant tousjours croissent de leur bon gré que serons contrainctz leurs inhiber de rien plus nous apporter. C'est la nature de gratuité, car le temps, qui toutes choses erode et diminue, augmente et accroist les biensfaictz, par ce q'un bon tour liberalement faict à homme de raison croist continuement par noble pensée et remembrance [1].

» Ne voulant doncques aulcunement degenerer de la debonnaireté hereditaire de mes parens, maintenant je vous absoubz et delivre, et vous rends francs et deliberez comme par avant. D'abondant, serez à l'yssue des portes payez, chascun pour troys moys, pour vous pouvoir retirer en vous maisons et familles, et vous conduiront en saulveté six cens hommes d'armes et huyt

1. L'épisode édifiant mais hélas imaginaire d'Alpharbal met en jeu diverses formules d'invraisemblance, dans les chiffres par exemple, où le don volontaire annuel est très supérieur à la rançon ruineuse.

ments de cession et de transfert, signés, scellés et ratifiés par qui de droit ; ce fut totalement refusé, et les contrats jetés au feu. Finalement mon père commença à gémir de pitié et à pleurer abondamment, en considérant la bonne volonté et la candeur des Canarriens ; par des paroles choisies et des sentences appropriées il minimisait la portée de ses bons procédés, disant qu'il ne leur avait rien fait qui valût un bouton de culotte et que, s'il leur avait témoigné quelque honnêteté, c'est qu'il était tenu de le faire. Mais Alpharbal renchérissait d'autant. Quel en fut le résultat ? Au lieu que, pour sa rançon, prise par contrainte, nous aurions pu tyranniquement exiger deux millions d'écus en retenant pour otages ses fils aînés, ils se sont faits d'eux-mêmes tributaires perpétuels, s'engageant à nous verser chaque année deux millions d'or fin à vingt-quatre carats. Ils nous ont été payés la première année ; la seconde, de leur propre volonté, ils ont payé deux millions trois cent mille écus ; la troisième, deux millions six cent mille ; la quatrième, trois millions ; et les sommes augmentent tant, de leur plein gré, que nous serons contraints de leur interdire de plus rien nous apporter. C'est là le propre de la générosité, car le temps, qui use et diminue toutes choses, augmente et accroît les bienfaits, parce qu'un procédé généreux à l'égard d'un homme raisonnable fructifie continuellement par la reconnaissance et le souvenir du bienfait.

« Ne voulant donc nullement dégénérer de la bienveillance héréditaire de mes parents, aujourd'hui je vous pardonne et vous délivre, et vous rends libres et indépendants comme avant. De plus, au sortir du château, vous recevrez chacun trois mois de solde, pour pouvoir vous retirer dans vos maisons et foyers ; et six cents hommes d'armes et huit mille fantassins, sous la

L'assaut de générosité vaut seulement pour mesure de la grâce et de ses pouvoirs.

Voir *Au fil du texte*, p. XII.

mille hommes de pied, sovlz la conduicte de mon escuyer Alexandre, affin que par les paisans ne soyez oultragez [1]. Dieu soit avecques vous !

» Je regrette de tout mon cueur que n'est icy Picrochole. Car je luy eusse donné à entendre que sans mon vouloir, sans espoir de accroistre ny mon bien ny mon nom, estoyt faicte ceste guerre. Mais, puis qu'il est esperdu et ne sçayt on où ny comment est esvanouy, je veulx que son royaulme demeure entier à son filz, lequel, par ce qu'est par trop bas d'aage (car il n'a encores cinq ans acomplyz), sera gouverné et instruict par les anciens princes et gens sçavans du royaulme. Et, par autant q'un royaulme ainsi desolé seroit facilement ruiné, si l'on ne refrenoyt la couvoytise et avarice des administrateurs d'icelluy, je ordonne et veulx que Ponocrates soyt sus tous ses gouverneurs entendent avecques autorité à ce requise, et assidu avecques l'enfant jusques à ce qu'il le congnoistra idoine de povoir par soy regir et regner.

» Je consydere que facilité trop enervée et dissolue de pardonner es malfaisans leur est occasion de plus legierement de rechief mal faire, par ceste pernicieuse confiance de grace.

» Je consydere que Moyse, le plus doulx homme qui de son temps feust sus la terre, aigrement punissoyt les mutins et seditieulx au peuple de Israel.

» Je consydere que Jules Cesar, empereur tant debonnaire que de luy dict Ciceron que sa fortune rien plus souverain n'avoit si non qu'il pouvoit, et sa vertus meilleur n'avoit si non qu'il vouloit tousjours saulver et pardonner à un chascun ; icelluy toutesfoys, ce non obstant, en certains endroictz punit rigoureusement les auteurs de rebellion.

» A ces exemples, je veulx que me livrez avant le departir : premierement ce beau Marquet, qui a esté

1. Le paiement des mercenaires ennemis et leur accompagnement aux portes du royaume est moins utopique : il est même de toute prudence.

conduite de mon écuyer Alexandre, vous conduiront en lieu sûr, afin que vous ne soyez pas molestés par les paysans. Dieu soit avec vous !

« Je regrette de tout mon cœur que Picrochole ne soit pas ici. Car je lui aurais fait comprendre que c'est contre ma volonté et sans espoir d'accroître mon bien ou ma réputation qu'a été faite cette guerre. Mais puisqu'il est perdu et qu'on ne sait où ni comment il a disparu, je veux que son royaume revienne en entier à son fils ; comme celui-ci est vraiment trop jeune (il n'a pas encore cinq ans), il sera gouverné et instruit par les princes âgés et les sages du royaume. Mais, parce qu'un royaume ainsi à l'abandon serait facilement ruiné, si l'on ne réfrénait la convoitise et l'avidité de ses gérants, j'ordonne et je veux que Ponocrates soit nommé, au-dessus de tous ces gouverneurs, surintendant avec toute l'autorité requise, et qu'il veille sur l'enfant jusqu'à ce qu'il le reconnaisse apte à pouvoir gouverner et régner par lui-même.

« Mais je considère que trop de facilité et de laxisme à pardonner aux malfaisants leur donne l'occasion de recommencer leurs méfaits d'autant plus facilement qu'ils croient malignement qu'on leur fera toujours grâce.

« Je remarque que Moïse, l'homme le plus doux qu'il y ait eu de son temps sur cette terre, punissait sévèrement les mutins et les séditieux du peuple d'Israël.

« Je remarque que Jules César était un empereur si débonnaire que Cicéron dit de lui que sa fortune n'avait rien de plus grand que de pouvoir épargner et pardonner à tous, et sa vertu rien de meilleur que de le vouloir toujours ; pourtant, malgré cela, en certaines circonstances il punit rigoureusement les auteurs de rébellion.

« Suivant ces exemples, je veux que vous me livriez avant de partir : d'abord ce beau Marquet, qui a été

source et cause premiere de ceste guerre par sa vaine oultrecuidance ; secondement ses compaignons fouaciers, qui feurent negligens de corriger sa teste folle sus l'instant ; et finablement tous les conseilliers, capitaines, officiers et domesticques de Picrochole, lesquelz le auroient incité, loué ou conseillé de sortir ses limites pour ainsi nous inquieter. »

la source et la cause première de cette guerre par sa vaine présomption ; deuxièmement ses compagnons fouaciers, qui négligèrent de corriger aussitôt sa folie ; et enfin tous les conseillers, capitaines, officiers et familiers de Picrochole qui l'auraient incité, encouragé ou poussé à franchir ses frontières pour venir ainsi nous inquiéter. »

CHAPITRE XLIX

Comment les victeurs Gargantuistes feurent recompensez apres la bataille

Ceste concion faicte par Gargantua, feurent livrez les seditieux par luy requys, exceptez Spadassin, Merdaille et Menuail, lesquelz estoient fuyz six heures davant la bataille, et deux fouaciers, lesquelz perirent en la journée. Aultre mal ne leurs feist Gargantua, si non qu'il les ordonna pour tirer les presses à son imprimerie, laquelle il avoit nouvellement instituée[1].

Puis ceulx qui là estoient mors il feist honorablement inhumer en la vallée des Noiretes et au camp de Bruslevieille. Les navrés il feist panser et traicter en son grand nosocome. Apres advisa es dommaiges faictz en la ville et habitans, et les feist rembourcer de tous leurs interestz à leur confession et serment ; et y feist bastir un fort chasteau, y commettant gens et guet pour à l'advenir mieulx soy defendre contre les soubdaines esmeutes.

Au departir, remercya gratieusement tous les souldars de ses legions qui avoient esté à ceste defaicte, et les renvoya hyberner en leurs stations et guarnisons exceptez aulcuns de la legion decumane[2], lesquelz il avoit veu en la journée faire quelques prouesses, et les capitaines des bandes, lesquelz il emmena avecques soy devers Grandgouzier.

1. Compensation de leurs mauvaises actions, une activité utile.
2. Les terres (ou provinces) décumanes appartenaient à l'État

CHAPITRE XLIX

Comment les vainqueurs gargantuistes furent récompensés après la bataille

Après le discours de Gargantua, on lui livra les séditieux qu'il réclamait, sauf Spadassin, Merdaille et Menuail, qui s'étaient enfuis six heures avant la bataille, et deux fouaciers qui avaient péri dans la journée. Gargantua ne leur fit d'autre mal que de les mettre à serrer les presses dans l'imprimerie qu'il avait récemment établie.

Ceux qui étaient morts, il les fit enterrer avec tous les honneurs dans la vallée des Noirettes et au camp de Brûlevieille. Les blessés, il les fit panser et soigner dans son grand hôpital. Ensuite il s'occupa des dommages faits à la ville et à ses habitants, les faisant indemniser de tous leurs frais sur la seule foi d'une déclaration par serment ; et il fit bâtir un château fort, y plaçant gens d'armes et guet pour pouvoir mieux se défendre à l'avenir contre les attaques subites.

En partant, il remercia gracieusement tous les soldats de ses légions qui avaient participé à la défaite des ennemis, et les renvoya prendre leurs quartiers d'hiver dans leurs garnisons, sauf certains soldats de la légion décumane, qu'il avait vus faire quelques prouesses au cours de la journée, et les capitaines des régiments, qu'il emmena avec lui auprès de Grandgousier.

romain, sur les lignes frontières. Ici équivalent d'officiel, ou d'élite ?

A la veue et venue d'yceulx, le bon homme feut tant joyeulx que possible ne seroit le descripre. Adoncq leurs feist un festin, le plus magnificque, le plus abundant et plus delitieux que feust veu depuys le temps du roy Assuere. A l'issue de table, il distribua à chascun d'yceulx tout le parement de son buffet, qui estoit au poys de dishuyt cens mille bezans d'or[1] en grands vases d'antique, grands potz, grands bassins, grands tasses, couppes, potetz, candelabres, calathes, nacelles, violiers et aultre telle vaisselle, toute d'or massif, oultre la pierrerie, esmail et ouvraige, qui, par estime de tous, excedoit en pris la matiere d'yceulx. Plus, leurs feist compter de ses coffres à chascun douze cens mille escuz contents. Et d'abundant à chascun d'yceulx donna à perpetuité (excepté s'ilz mouroient sans hoirs) ses chasteaux et terres vicines, scelon que plus leurs estoient commodes : à Ponocrates donna La Roche Clermaud, à Gymnaste Le Couldray, à Eudemon Montpensier, Le Rivau à Tolmere, à Ithybole Montsoreau, à Acamas Cande, Varenes à Chironacte, Gravot à Sebaste, Quinquenays à Alexandre, Ligré à Sophrone, et ainsi de ses aultres places.

1. À nouveau chiffres et valeurs gigantesques (à titre de comparaison, la rançon de Saint Louis a été de 200 000 besants). Voir la note 2 page 359.

En les voyant arriver, le bon homme fut si joyeux qu'on ne pourrait le décrire. Aussi il leur offrit un festin, le plus magnifique, le plus abondant et le plus délicieux qu'on ait jamais vu depuis le temps du roi Assuérus. Au sortir de la table, il distribua entre tous tout le parement de son buffet, qui pesait un million huit cent mille besants d'or en grands vases de style antique, en grands pots, grands bassins, grandes tasses, coupes, gobelets, candélabres, hanaps, nefs, vases et autres éléments de vaisselle, tout en or massif, sans compter les pierreries, l'émail et la façon, dont le prix, selon l'estimation unanime, excédait celui du métal. Puis il leur fit compter à chacun, prélevés sur ses coffres, douze cent mille écus comptant. Et en plus à chacun d'eux il donna en bail perpétuel (sauf s'ils mouraient sans héritiers) ses châteaux et terres attenantes, à la convenance de chacun : à Ponocrates il donna La Roche-Clermault, à Gymnaste Le Coudray, à Eudémon Montpensier, Le Rivau à Tolmere, à Ithybole Montsoreau, à Acamas Candé, Varennes à Chironacte, Gravot à Sebaste, Quinquenais à Alexandre, Ligré à Sophrone, et ainsi de suite pour ses autres places.

CHAPITRE L

Comment Gargantua feist bastir pour le Moyne l'abbaye de Theleme

Restoit seulement le Moyne à pourvoir, lequel Gargantua vouloyt fayre abbé de Seuillé, mais il le refusa. Il luy voulut donner l'abbaye de Bourgueil ou de Sainct Florent [1], laquelle mieulx luy duiroit, ou toutes deux s'il les prenoit à gré. Mais le Moyne luy fist response peremptoyre que de moynes il ne vouloit charge ny gouvernement :

« Car comment (disoyt il) pourroys je gouverner aultruy, qui moymesmes gouverner ne sçauroys ? Si vous semble que je vous aye faict et que puisse à l'advenir faire service agreable, oultroyez moy de faire une abbaye à mon devys. »

La demende pleut à Gargantua, et offrit tout son pays de Theleme [2], jouste la riviere de Loyre, à deux lieues de la grande forest du Port Huault. Et requist à Gargantua qu'il instituast sa religion au contraire de toutes aultres.

1. Deux riches abbayes bénédictines d'Anjou.

2. Thélème signifie Volonté. Les usages de ce terme indiquent une polysémie d'intention. D'une part, c'est un terme religieux (Écclésiaste, V, 3 et Matthieu, 7, 21) : le vouloir en ce sens est l'orientation libre de l'homme vers Dieu, mieux que le désir du bien, la coopération de l'homme à son salut. D'autre part, c'est le nom d'une des nymphes qui mènent Polyphile au royaume de Liberté dans *Le*

CHAPITRE L

Comment Gargantua fit bâtir pour le Moine l'abbaye de Thélème

Il ne restait que le Moine à doter ; Gargantua voulait le faire abbé de Seuillé, mais il refusa. Il voulut lui donner l'abbaye de Bourgueil ou de Saint-Florent, celle qui lui conviendrait le mieux ou les deux ensemble s'il le souhaitait. Mais le Moine lui répondit d'un ton péremptoire qu'il ne voulait pas se charger de moines ni les gouverner :

« Car comment, disait-il, pourrais-je gouverner autrui, moi qui ne saurais me gouverner moi-même ? S'il vous paraît que je vous ai rendu et pourrais encore vous rendre à l'avenir un service agréable, accordez-moi de créer une abbaye à mon gré. »

La demande plut à Gargantua, qui lui offrit tout son pays de Thélème, le long de la Loire, à deux lieues de la grande forêt de Port-Huault. Frère Jean demanda à Gargantua de pouvoir organiser son Ordre à l'inverse de tous les autres.

songe de Polyphile de Colonna. Enfin, ce vouloir s'identifie ici à une orientation positive de l'instinct naturel. En tout cas, une pluralité d'orientations qui fait de l'abbaye de Thélème un endroit à part du reste de la fiction. Voir dans les *Études rabelaisiennes* t. 15, 1980, les trois articles de F. Billacois, M. Baraz, M. Gauna, ainsi que P. Nykrog, « Thélème, Panurge et la Dive Bouteille », *Revue d'histoire littéraire de la France*, n° 65, 1965.

« Premierement doncques (dist Gargantua), il n'y fauldra jà bastir murailles au circuit, car toutes aultres abbayes sont fierement murées.

— Voyre (dist le Moyne) et non sans cause, où mur y a et davant et darrière, y a force murmur, envie et conspiration mutue. »

Davantaige, veu que en certains convents de ce monde est en usance que, si femme aulcune y entre (j'entends des preudes et pudicques), on nettoye la place par laquelle elles ont passé, feut ordonné que, si religieux ou religieuse y entroyt par cas fortuit, on nettoiroyt curieusement tous les lieux par lesquelz auroient passé. Et, par ce que es religions de ce monde tout est compassé, limité et reiglé par heures [1], feut decreté que là ne seroit horologe ny quadrant aulcun, mais scelon les occasions et oportunitez seroient toutes leurs œuvres dispensées ; car disoit Gargantua que la plus vraye perte du temps qu'il sceust estoit de compter les heures — car quel bien en vient il ? — et la plus grande resverie du monde estoyt soy gouverner au son d'une cloche, et non au dicté de bon sens et entendement. Item, par ce que en icelluy temps on ne mettoyt en religion des femmes si non celles que estoient borgnes, boyteuses, bossues, laydes, defaictes, folles, insensées, maleficiées et tarées ; ny les hommes, si non catarrhez, mal nez, niays et empesche de maison [2]...

« A propous (dist le Moyne), une femme, qui n'est ny belle ny bonne, à quoy vault toille [3] ?

— A mettre en religion, dist Gargantua.

— Voyre (dist le Moyne), et à faire des chemises. »

... feut ordonné que là ne seroient repceues si non les belles, bien formées et bien naturées ; et les beaulx, bien formez et bien naturez.

1. On a vu apparaître leur refus formulé presque de la même façon pour les prières de Frère Jean : ici la chasse s'étend aux instruments de mesure du temps, qui sont alors en train de devenir usuels dans les palais (où ils représentent le luxe, mais évidemment une évaluation objective et fonctionnelle des actions).

« Alors, dit Gargantua, d'abord il ne faudra pas y bâtir de murailles autour, car toutes les autres abbayes sont fièrement murées.

— Sans doute, dit le Moine, et pour cause : où il y a des murs devant et derrière, il y a force murmures, jalousie et complots mutuels. »

De plus, vu que dans certains couvents ici-bas il est d'usage, si des femmes y entrent (je veux parler des femmes prudes et chastes), de nettoyer les endroits par où elles sont passées, on ordonna que, si des religieux ou religieuses y entraient par hasard, on nettoierait minutieusement tous les endroits par où ils seraient passés. Et, parce que dans tous les couvents de ce monde tout est mesuré, limité et réglé par les heures, on décida qu'il n'y aurait là ni horloge ni cadran solaire, mais que toutes les activités seraient faites au gré des occasions et des circonstances ; car Gargantua disait que la plus sûre perte de temps qu'il connût était de compter les heures — car quel profit en retire-t-on ? — et la plus grande chimère du monde était de se gouverner au son d'une cloche et non selon les préceptes du bon sens et de la raison. De même, parce que en ce temps-là on ne faisait entrer en religion que les femmes borgnes, boiteuses, bossues, laides, contrefaites, folles, insensées, difformes et tarées ; et que les hommes catarrheux, mal nés, niais et ceux dont on voulait se débarrasser...

« À propos, dit le Moine, une femme qui n'est ni belle ni bonne, à quoi sert-elle ?

— À mettre au couvent, dit Gargantua.

— Bien sûr, dit le Moine, et à faire des chemises. »

... on décida qu'on n'accepterait là que des femmes belles, bien formées et bien nées ; et les hommes beaux, bien formés et bien nés.

2. En principe, on ne peut faire entrer en religion que des personnes saines, mais il existe des dispenses ; critique usuelle : on donne à Dieu le rebut.

3. Plaisanterie difficile, de l'ordre de « Comment vas-tu ? et Toi-l'à matelas ? » reposant sur la prononciation *tèle* pour toile à chemise.

Item, par ce que es conventz des femmes ne entroient les hommes si non à l'emblée et clandestinement, feut decerné que jà ne seroient là les femmes au cas que n'y feussent les hommes, ny les hommes au cas que n'y feussent les femmes.

Item, [par] ce que tant hommes que femmes, une foys repceuz en religion, apres l'an de probation, estoient forcez et astrainctz y demourer perpetuellement leur vie durante, feut estably [que] tant hommes que femmes là repceuz sortiroient quand bon leurs sembleroyt, franschement et entierement.

Item, par ce que ordinairement les religieux faisoient troys veuz, sçavoir est de chasteté, pauvreté et obedience, fut constitué que là honorablement on peult estre marié, que chascun feut riche et vesquist en liberté.

Au regard de l'aage legitime, les femmes y estoient repceues depuis dix jusques à quinze ans, les hommes depuis douze jusque à dix et huyt [1].

1. Rabelais s'oppose aux vœux forcés et perpétuels. Mais tout en instituant la liberté sociale et financière, il destine le lieu d'abord à des adolescents qui sont de par la loi sous puissance paternelle jusqu'à 25 ans. Il n'y a pas non plus comme on voit de liberté sexuelle à la mesure des plaisanteries.

De même, parce que dans les couvents de femmes les hommes n'entraient que secrètement et clandestinement, on décida que les femmes ne seraient là que si les hommes y étaient, et les hommes que s'il y avait les femmes.

De même, parce que aussi bien les hommes que les femmes, une fois entrés au couvent, après l'année de noviciat, étaient forcés et contraints d'y demeurer à perpétuité leur vie durant, on décréta qu'aussi bien les hommes que les femmes qui y seraient accueillis en sortiraient quand bon leur semblerait, librement et entièrement.

De même, parce que d'habitude les religieux faisaient trois vœux, chasteté, pauvreté et obéissance, on décida que là on pourrait être honnêtement marié, que chacun serait riche et vivrait librement.

Quant à l'âge légal, les femmes étaient accueillies de dix à quinze ans, les hommes de douze à dix-huit.

CHAPITRE LI

Comment feut bastie et dotée l'abbaye des Thelemites

Pour le bastiment et assortiment de l'abbaye, Gargantua feist livrer de contant vingt et sept cent mille huyt cent trente et un mouton à la grand laine, et par chascun an, jusques à ce que le tout feust parfaict, assigna, sus la recepte de la Dive [1], seize cent soixante et neuf mille escuz au soleil. Pour la fondation et entretenement d'ycelle donna à perpetuité vingt et troys cent soixante neuf mille cinq cent quatorze nobles à la rose de rente fonciere, indemnez, amortyz, et solvables par chascun an à la porte de l'abbaye, et de ce leurs passa belles letres.

Le bastiment feut en figure exagone [2], en telle faczon que à chascun angle estoyt bastie une grosse tour ronde à la capacité de soixante pas en diametre, et estoient toutes pareilles en grosseur et protraict. La riviere de Loyre decoulloyt sus l'aspect de Septentrion. Au pied d'icelle estoyt une des tours assise, nommée Artisse. En tirant vers l'Orient estoit une aultre nommée Calaer : l'aultre ensuyvant Anatole ; l'aultre apres

1. La Dive est une rivière locale, où il n'y a pas de trafic marchand pour payer des taxes ; mais le lecteur tend à penser à la Dive-Bouteille.

2. Construction géométrique, comme les ingénieurs de la Renaissance commencent à concevoir les bâtiments (voir B. Gille, *Les Ingénieurs de la Renaissance*, Hermann, 1964). Chambord, à qui

CHAPITRE LI

Comment fut bâtie et dotée l'abbaye des Thélémites

Pour la construction et l'aménagement de l'abbaye, Gargantua fit livrer comptant deux millions sept cent mille huit cent trente et un moutons de haute laine, et assigna chaque année, jusqu'à ce que tout fût achevé, sur la recette de la Dive, sept cent soixante-neuf mille écus au soleil. Pour sa fondation et son entretien, il donna en rente perpétuelle deux millions trois cent soixante-neuf mille cinq cent quatorze nobles à la rose, garantis et amortis, et payables chaque année à la porte de l'abbaye ; et il leur en délivra de belles lettres patentes.

Le bâtiment était de forme hexagonale ; à chaque angle était construite une grosse tour ronde de soixante pas de diamètre, toutes de même grosseur et configuration. La Loire coulait au nord ; la tour construite à son pied était appelée Arctice ; en allant vers l'est, la suivante s'appelait Calaer ; ensuite Anatole ; après, Mesembrine ; la suivante, Hespérie ; la dernière, Cryère. Entre chaque tour il y avait une distance de trois

Thélème ressemble fort, commencé en 1519 selon les plans de Vinci est construit sur des carrés marqués par des tours semblables de conception où les appartements privés sont organisés en rond, reliés par de grandes salles. Thélème est une variation sur le nombre 6.

Mesembrine ; l'aultre apres Hesperie ; la derniere Cryere[1]. Entre chascune tour estoyt espace de troys cent douze pas. Le tout basty à six estages, comprenant les caves soubz terre pour un. Le second estoit voulté à la forme d'une anse de panier ; le reste estoit embrunché de guy de Flandres à forme de culz de lampes, le dessus couvert d'ardoize fine, avecques l'endousseure de plomb à figures de petitz manequins et animaulx bien assortez et dorez, avecques les goutieres que yssoient hors la muraille, entre les croyzées, pinctes en figure diagonale de or et azur, jusques en terre, où finissoient en grands eschenalx qui tous conduissoient en la rivière par dessoubz le logis.

Ledict bastiment estoit cent foys plus magnificque que n'est Bonivet[2] ; car en icelluy estoient neuf cens trente et deux chambres, chascune guarnie de arriere chambre, cabinet, guarderobbe, chapelle, et yssue en une grande salle[3]. Entre chascune tour, au meillieu dudict corps de logis, estoyt une viz brizée dedans icelluy mesmes corps, de laquelle les marches estoient de marbre serpentin, longues de xxij piedz, — l'espesseur estoyt de troys doigtz —, assizez par nombre de douze entre chascun repous. En chascun repous estoient deux beaux arceaux d'antique par lesquelz estoit repceu la clarté, et par iceulx on entroit en un cabinet faict à cler voys, de largeur de la dicte viz. Et montoit jusques au dessus la couverture, et là finoit en pavillon. Par icelles viz on entroit de chascun cousté en une grande salle, et des salles es chambres.

Depuis la tour Artice jusques à Cryere estoient les belles grandes libraries, en Grec, Latin, Hebrieu, Fran-

1. Les tours s'appellent de noms composites : Arctique, et Glacée (grec), Bel-Air (grec + français), Orientale (grec), Méridionale, Vesperale (grec). Elles ne concordent pas avec les points cardinaux.

2. Bonnivet, près de Poitiers, a été commencé par l'amiral de Bonnivet, ami de François Ier, mort à Pavie ; c'est alors le plus complet des châteaux en cours de construction.

cent douze pas. Le tout était formé de six étages, les caves creusées sous terre comptant pour un. Le second était voûté en anse de panier ; le reste était couvert de gypse de Flandre travaillé en cul-de-lampe, le toit couvert d'ardoise fine, avec un revêtement de plomb orné de petits personnages et animaux bien assortis et dorés, avec des gouttières saillant de la muraille entre les croisées, peintes mi-parties d'or et d'azur, par où les eaux coulant à terre aboutissaient à de grands canaux qui tous conduisaient à la rivière qui passait sous le logis.

Le bâtiment était cent fois plus magnifique que le château de Bonnivet ; car il y avait neuf cent trente-deux chambres, chacune munie d'une arrière-chambre, d'un cabinet, d'une garde-robe, d'une chapelle, et débouchant sur une grande salle. Entre chaque tour, au milieu du corps de logis, il y avait un escalier en vis brisée dont les marches étaient en marbre serpentin, longues de vingt-deux pieds, hautes de trois doigts, en volées de douze séparées par des paliers. À chaque palier, il y avait deux beaux arcs de style antique par où on recevait la lumière du jour et par lesquels on entrait dans un cabinet à claire-voie, de la même largeur que l'escalier. Et on montait jusque sur le toit, où l'on aboutissait à un pavillon. Par ces escaliers on accédait des deux côtés dans de grandes salles et des salles aux chambres.

De la tour Arctice jusqu'à Cryère, il y avait de belles bibliothèques, avec des ouvrages en grec, latin,

3. La disposition des appartements, là encore semblable à celle de Chambord, fait problème à cause de l'absence de cuisine (mais il y a des cuisines collectives) qu'on trouve peu conforme aux goûts pantagruelistes, et de la présence de chapelles personnelles, dont on ne sait s'il faut entendre des oratoires ou des « petites pièces » ; l'escalier à vis est une curiosité commune à Blois et (en double vis) à Chambord.

çoys, Tuscan et Hespaignol, disperties par les divers estaiges scelon iceulx langaiges.

Au meillieu estoit une merveilleuse viz, de laquelle l'entrée estoit par le dehors du logis en un arceau large de six toizes. Icelle estoit faicte en telle symmetrie et capacité que six hommes d'armes, la lancc sus la cuisse, povoient de front ensemble monter jusques au dessus de tout le bastiment.

Depuis la tour Anatole jusques à Mesembrine estoient belles grandes galeries, toutes painctes des antiques prouesses et histoires et descriptions de la terre. Au milieu estoyt une pareille montée et porte comme avons dict du cousté de la riviere. Sus icelle porte estoit escript, en grosses lettres antiques, ce qui s'ensuyt :

hébreu, français, italien et espagnol, répartis dans les divers étages selon les langues.

Au milieu il y avait un escalier magnifique, dont l'entrée se faisait du dehors par un arc large de seize toises. Il était si harmonieusement construit et si large que six hommes d'armes, la lance sur la cuisse, pouvaient y monter de front jusqu'au dessus du bâtiment.

De la tour Anatole jusqu'à Mesembrine il y avait de belles grandes galeries, décorées de peintures des anciennes prouesses, de légendes et de descriptions de la terre. Au milieu un escalier et une porte semblables à ceux que nous avons décrits du côté du fleuve. Sur la porte était écrit, en grosses lettres anciennes, ce qui suit :

CHAPITRE LII

Inscription mise sus la grande porte de Theleme

Cy n'entrez pas[1], hypocrites, bigotz,
Vieulx matagotz, marmiteux, boursouflez,
Tordcoulx, badaux, plus que n'estoient les Gotz
Ny Ostrogotz, precurseurs des magotz ;
Haires, cagotz, caffars empantouflez,
Gueux mitouflez, frapars escorniflez,
Befflez, enflez, fagoteurs de tabus,
Tirez ailleurs pour vendre vous abus.

Vous abus meschans
Rempliroient mes champs
De meschanseté ;
Et par faulseté
Troubleroit mes chants
Vous abus meschans.

Cy n'entrez pas, maschefains practiciens,
Clers, bazauchiens, mangeurs du populaire,
Officiaulx, scribes et pharisiens,
Juges anciens, qui les bons parroiciens
Ainsi que chiens mettez au capulaire.

1. Les interdictions sur la porte remplacent avantageusement les murailles séparatrices. La porte sépare un monde du mal d'un monde du pur bien moral. La liste évacue les moines et les vendeurs de

CHAPITRE LII

L'inscription gravée sur la grande porte de Thélème

Ici n'entrez pas, hypocrites, bigots,
Vieux papelards, souffreteux, boursouflés,
Tartufes, badauds, plus que n'étaient les Goths
Ou Ostrogoths, précurseurs des magots ;
Mendiants, cagots, cafards empantouflés,
Gueux déguisés, frocards bons à siffler,
Bafoués, enflés, allumeurs de disputes,
Allez ailleurs pour vendre vos abus.

Vos abus méchants
Rempliraient mes champs
De méchancetés ;
Et par fausseté
Troubleraient mes chants
Vos abus méchants.

Ici n'entrez pas, docteurs brouteurs de foin,
Clercs, basochiens, mangeurs du populaire,
Officiaux, scribes et pharisiens,
Juges anciens, qui conduisez en terre
Ainsi que chiens les bons paroissiens.

superstitions, puis les juges abusifs, les avaricieux, les querelleurs, en séries animales, les singes (magots), les ânes, les loups.

Vostre salaire est au patibulaire :
Allez y braire, icy n'est faict excès
Dont en vous cours on deust mouvoir procès.

Procès et debaz
Peu font cy d'esbatz,
Où l'on vient s'esbatre.
A vous pour debatre
Soient en pleins cabatz
Procès et debatz.

Cy n'entrez pas, vous, usuriers chichars,
Briffaulx, leschars, qui tousjours amassez,
Grippeminaulx, avalleurs de frimars,
Courbez, camars, qui en vous coquemars
De mille marcs jà n'auriez assez.
Poinct eguassez n'estes, quand cabassez
Et entassez, poiltrons à chicheface ;
La male mort en ce pas vous deface.

Face non humaine
De telz gents qu'on maine
Braire ailleurs : ceans
Ne seroit seans ;
Vuidez ce dommaine,
Face non humaine.

Cy n'entrez pas, vous, rassotez mastins,
Soirs ny matins, vieulx chagrins et jalous ;
Ny vous aussy, seditieux mutins,
Larves, lutins, de Dangier[1] palatins,
Grecz ou Latins, plus à craindre que loups ;
Ny vous, gualous, verollez jusqu'à l'ous ;
Portez vous loups ailleurs paistre en bonheur,
Croustelevez, rempliz de deshonneur.

1. Danger est le mari jaloux de la Dame du *Roman de la rose* de Jean de Meung.

Un échafaud sera votre salaire :
Allez-y braire, ici n'est nul excès
Dont en vos cours on dût faire procès.

Procès et débats
Ici n'entrent pas,
Où l'on vient s'ébattre.
Qu'à vous pour débattre
Soient à pleins cabats
Procès et débats.

Ici n'entrez pas, usuriers avares,
Bouffeurs, suceurs, qui toujours amassez,
Grippeminaults, avaleurs de brouillards,
Courbés, camards, qui dans vos coquemards
De mille marcs n'auriez pourtant assez.
C'est sans scrupule que vous ramassez
Et entassez, flemmards à laide face ;
La male mort aussitôt vous défasse.

Face non humaine
Ont ces gens qu'on mène
Braire ailleurs : ici
Ce n'est pas permis ;
Quittez ce domaine,
Face non humaine.

Ici n'entrez pas, rassotés mâtins,
Ni soir ni matin, vieux barbons jaloux ;
Ni vous non plus, séditieux mutins,
Larves, lutins, courtisans de Danger chagrin,
Grecs ou latins, plus à craindre que loups ;
Ni vous, galeux, vérolés jusqu'à l'os ;
Portez vos chancres se repaître ailleurs,
Couverts de croûtes, chargés de déshonneur.

Honneur, los, deduict,
Ceans est deduict
Par joieux acords ;
Tous sont sains au corps ;
Par ce bien leur duict
Honneur, los, deduict.

Cy entrez, vous, et bien soyez venuz
Et parvenuz, tous nobles chevaliers !
Cy est le lieu où sont les revenuz
Bien advenuz, affin que entretenuz,
Grands et menuz, tous soiez à milliers.
Mes familiers serez et peculiers,
Frisques, gualliers, joyeux, plaisans, mignons,
En general tous gentilz compaignons.

Compaignons gentilz,
Serains et subtilz,
Hors de vilité,
De civilité
Cy sont les houstilz,
Compaignons gentilz.

Cy entrez, vous, qui le sainct Evangile[1]
En sens agile anoncez, quoy qu'on gronde :
Ceans aurez un refuge et bastille
Contre l'hostile erreur, qui tant postille
Par son faulx stile empoizonner le monde :
Entrez, qu'on fonde icy la foy profonde,
Puis qu'on confonde, et par voix et par rolle,
Les ennemys de la saincte parolle !

La parolle saincte
Jà ne soit extaincte
En ce lieu tressainct ;
Chascun en soyt ceinct ;

1. Les dames et chevaliers sont un public aristocratique gai, mais le lien entre cette jeunesse bien née et la religion vraie est assuré par cette strophe plus religieuse que tout le reste de la vie thélémite. Par

Honneur, gloire et joie,
Sont ici de droit
Par joyeux accords ;
Tous sont sains de corps :
Aussi on leur doit
Honneur, gloire et joie.

Ici entrez, soyez les bienvenus
Et fêtés, vous, les nobles chevaliers !
Voici le lieu où les bons revenus
Sont bien perçus, afin que par milliers,
Grands et petits, soyez entretenus.
Vous serez mes familiers bien-aimés,
Gaillards, lurons, joyeux, plaisants, mignons,
En général tous les bons compagnons.

Compagnons gentils,
Sereins et subtils,
Sans méchanceté,
De l'urbanité
Voici les outils,
Compagnons gentils.

Ici entrez, vous par qui le saint Évangile
Est activement prêché, quoi qu'on gronde ;
Ici vous aurez refuge et asile
Contre l'erreur ennemie, qui distille
Par sa plume le poison sur le monde :
Entrez, pour qu'on fonde ici la foi profonde,
Puis confonde, par le livre et par la parole
Les ennemis de la sainte Parole !

Que Parole sainte
Ne soit point éteinte
En ce lieu très saint ;
Que tous en soient pleins,

ailleurs ce refuge anticipe l'énigme évocatrice de dangers et aide à comprendre l'interprétation de Gargantua.

Chascune ayt enceincte
La parolle saincte.

Cy entrez, vous, dames de hault paraige,
En franc couraige ! Entrez y en bon heur,
Fleurs de beaulté à celeste visaige,
A droict corsaige, à maintien prude et saige :
En ce passaige est le sejour d'honneur.
Le hault seigneur, qui du lieu fut donneur
Et guerdonneur, pour vous l'a ordonné,
Et pour frayer à tout, prou or donné.

Or donné par don
Ordonne pardon
A cil qui le donne,
Et tresbien guerdonne
Tout mortel preud'hom
Or donné par don.

Que toutes aient au sein
La Parole sainte.

Ici entrez, dames de haut parage,
Sans hésiter ! Entrez-y de bon cœur
Fleurs de beauté au céleste visage,
Au corps bien fait, au maintien prude et sage :
Par ce passage est le séjour d'honneur.
Le grand seigneur, du lieu le donateur
Et bienfaiteur, pour vous l'a ordonné,
Et pour le tout, beaucoup d'or a donné.

L'or donné par don
Fait que l'on pardonne
À celui qui donne,
Et il récompense
Tout homme de sens,
L'or donné par don.

CHAPITRE LIII

Comment estoit le manoir des Thelemites

Au milieu de la basse court estoyt une fontaine magnificque de bel alabastre ; au dessus les troys Graces, avecques cornes d'abondance, et gettoient l'eau par les mamelles, bouche, aureilles, oieulx, et aultres ouvertures du corps.

Le dedans du logis sus ladicte basse court estoit sus gros pilliers de cassidoine et porphyre, à beaux ars d'antique, au dedans des quelz estoient belles gualeries, longues et amples, aornées de painctures, de cornes de cerfz et aultres choses spectables.

Le logis des dames comprenoit depuis la tour Arctice jusques à la porte de Mesembrine. Les hommes occupoient le reste. Devant ledict logis des dames, affin qu'elles eussent l'esbatement, entre les deux premieres tours, au dehors, estoient les lices, l'hippodrome, le theatre, et natatoires, avecques les bains mirificques à triple solier, bien garniz de tous assortemens, et foyzon d'eau de myrte [1].

Jouxte la riviere estoyt le beau jardin de plaisance ; au milieu d'icelluy, le beau labirynte. Entre les deux aultres tours estoient les jeuz de paulme et de la grosse balle. Du cousté de la tour Cryere estoit le vergier,

1. L'ordonnance de Thélème est celle d'un château pourvu de tous les plaisirs seigneuriaux et du luxe le plus varié. Par rapport aux châ-

CHAPITRE LIII

Comment était bâti le manoir des Thélémites

Au milieu de la cour intérieure, il y avait une magnifique fontaine de bel albâtre ; au-dessus les trois Grâces, avec des cornes d'abondance, qui rejetaient l'eau par les seins, la bouche, les oreilles, les yeux et autres ouvertures du corps.

Le corps du logis au-dessus de la cour reposait sur de gros piliers de calcédoine et de porphyre, avec de beaux arcs à l'antique, entre lesquels il y avait de belles galeries, longues et larges, décorées de peintures, de cornes de cerfs et autres ornements.

Le logis des dames s'étendait de la tour Arctique jusqu'à la porte de Mesembrine. Les hommes occupaient le reste. Devant le logis des dames, afin qu'elles puissent s'ébattre, il y avait, entre les deux premières tours, les lices, le manège, le théâtre et les piscines, avec de merveilleux bains à trois étages, bien pourvus de tout le nécessaire et de quantité d'eau de myrte.

Le long de la rivière il y avait le beau jardin d'agrément, et en son centre un beau labyrinthe. Entre les deux tours suivantes il y avait les terrains de jeu de paume et de ballon. Du côté de la tour Cryère, il y avait

teaux réels de la vallée de la Loire, ce sont les bains qui représentent la part d'Utopie.

plein de tous arbres fructiers, toutes ordonnées en ordre quincunce. Au bout estoit le grand parc, foizonnant en toute beste sauvagine.

Entre les tierces tours estoient les buttes pour l'arquebuze, l'arc et l'arbaleste ; les offices hors la tour Hesperies, à simple estaige ; l'escurye au delà des offices ; la faulconnerye au davant d'icelles, gouvernée par asturciers bien expers en l'art, et estoit annuellement fournie par les Candiens, Venitians et Sarmates de toutes sortes d'oizeaux paragons : aigles, autours, sacres, laniers, faulcons, esparviers, emerillons et aultres, tant bien faictz et domesticqués que, partans du chasteau pour s'esbatre es champs, prenoient tout ce que rencontroient. La venerie estoit ung peu plus loing, tyrant vers le parc.

Toutes les salles, chambres et cabinetz estoient tapissez en diverses sortes, scelon les saisons de l'année. Tout le pavé estoit couvert de drap verd. Les lictz estoient de broderie. En chascune arriere chambre estoit un mirouoir de chrystallin, enchassé en or fin et au tour garny de perles, et estoyt de telle grandeur qu'il povoit veritablement representer toute la personne. A l'issue des salles du logis des dames, estoient les parfumeurs et testonneurs, par les mains desquelz passoient les hommes quand ilz visitoient les dames. Iceulx fournissoient par chascun matin les chambres des dames d'eau de naphe et d'eau d'ange, et à chascune la precieuse cassollette, vaporante de toutes drogues aromatiques.

le verger, plein de tous les arbres fruitiers, disposés en quinconce. Au bout il y avait un grand parc, foisonnant de bêtes sauvages.

Entre les deux dernières tours, il y avait les buttes pour s'exercer à l'arquebuse, à l'arc et à l'arbalète ; les cuisines, en dehors de la tour Hespérie, à un seul étage ; l'écurie au-delà des cuisines, et, devant, la fauconnerie, gérée par des autoursiers experts, qui était chaque année approvisionnée par les Crétois, Vénitiens et Sarmates en toutes sortes d'oiseaux de choix : aigles, autours, sacres, laniers, faucons, éperviers, émerillons et d'autres, si bien dressés et domestiqués que, lorsqu'ils quittaient le château pour s'ébattre aux champs, ils capturaient tout ce qu'ils rencontraient. Le chenil était un peu plus loin en allant vers le parc.

Toutes les salles, chambres et cabinets étaient tapissés diversement selon les saisons de l'année. Tout le carrelage était recouvert de drap vert. Les lits étaient tendus de broderie. Dans chaque arrière-chambre il y avait un miroir de cristal, enchâssé d'or fin et garni de perles, si grand qu'on pouvait s'y voir en entier. À la sortie des salles du logis des dames, il y avait les parfumeurs et les coiffeurs, entre les mains desquels passaient les hommes quand ils rendaient visite aux dames, et qui, chaque matin, apportaient dans les chambres des dames l'eau de fleur d'oranger et de myrte, sans compter une précieuse cassolette fumante de drogues aromatiques.

CHAPITRE LIIII

Comment estoient vestuz
les religieux et religieuses de Theleme

Les dames, au commencement de la fondation, se habilloient à leur plaisir et arbitre. Depuis, feurent reforméez en la faczon que s'ensuyt[1] :

Elles portoient chausses d'escarlatte, ou de migraine, et passoient lesdictes chausses le genoul au dessus par troys doigtz justement, et ceste liziere estoit de quelques belles broderies et descoupeures. Les jartieres estoient de la couleur de leurs bracelletz, et comprenoient le genoul au dessus et dessoubz ; les souliers, escarpins et pantofles de velous cramoyzi, rouge ou violet, deschicquettez à barbe d'escrevisse.

Au dessus de la chemise vestoient la belle vasquine de quelque beau camelot de soye. Sus ycelle vestoient la verdugalle de tafetas blanc, rouge, tanné, grys, etc., au dessus la cotte de tafetas d'argent faict à broderies de fin or et à l'agueille entortillé, ou, scelon que bon leur sembloit, et correspondent à la disposition de l'air, de satin, damas, velous, orangé, tanné, verd, cendré, bleu, tanné clair, rouge cramoyzi, blanc, drap d'or, toille d'argent, de canetille, de brodure, scelon les festes.

Les robbes, scelon la saison, de toille d'or à frizure d'argent, de satin rouge couvert de canetille d'or, de

1. Pendant féminin de la description des habits de Gargantua. *Reformées* rappelle malgré tout la « réforme » religieuse, et le fait

CHAPITRE LIV

Comment étaient vêtus
les religieux et religieuses de Thélème

Au début de la fondation, les dames s'habillaient selon leur plaisir et leur libre choix. Par la suite, elles reçurent la règle suivante :

Elles portaient des bas teints d'écarlate ou de cochenille, qui montaient précisément de trois doigts au-dessus du genou, et dont la lisière était joliment brodée et ajourée. Les jarretières étaient de la couleur des bracelets, enserrant le genou par au-dessous et au-dessus ; les souliers, escarpins et pantoufles étaient de velours cramoisi, rouge ou violet, échancrés en barbe d'écrevisse.

Sur leur chemise elles revêtaient un beau corset de belle faille de soie. Par-dessus elles mettaient un vertugadin de taffetas blanc, rouge, fauve ou gris, etc. ; par-dessus la jupe de taffetas d'argent rebrodé d'or fin à points d'aiguille ou, selon l'humeur et le temps, de satin, de damas ou de velours, orangé, fauve, vert, gris cendré, bleu, beige, rouge carmin, blanc ; ou de drap d'or, de toile d'argent, de tissu galonné ou brodé, en fonction des fêtes.

Les robes, selon la saison, étaient de toile d'or rehaussée d'argent, de satin rouge à galons d'or, de

que s'élabore ici une règle. On peut aussi remarquer qu'elles gardent des chapelets-bijoux à la ceinture.

tafetas blanc, bleu, noir, tanné, sarge de soye, camelot de soye, velous, drap d'argent, toille d'argent, or traict, velous ou satin prophilé d'or en diverses protraictures.

En esté, quelques jours, en lieu de robbes portoient belles marlottes, des parures susdictes, ou quelques bernes à la Moresque, de velous violet à frizure d'or sus canetille d'argent, ou à courdelieres d'or, guarnies aux rencontres de petites perles Indicques. En hyver, robbes de tafetas des couleurs come dessus, fourrées de loups cerviers, genettes noyres, martres de Calabre, et zibelines et aultres fourrures precieuses.

Les patenostres, anneaulx, jazerans, carcans, estoient de fines pierreries, escarboucles, rubys, balays, diamans, sapphiz, esmeraudes, turquoyses, grenatz, agathes, berilles, perles, et unions d'excellence.

L'acoustrement de la teste estoit selon le temps : en l'hyver, à la mode Françoyse ; au printemps, à l'Espagnole ; en esté, à la Tusque, exceptez les festes et dimanches, esquelz portoient acoustrement Françoys, par ce qu'il est plus honorable et mieulx sent la pudicité matronale [1].

Les hommes estoient habillez à leur mode : chaussés, pour le bas, d'estamet ou serge drapée, d'escarlatte, de migraine, blanc ou noir ; les haults* de velous d'icelles couleurs, ou bien près aprochantes, brodées et deschicquettées scelon leur invention ; le pourpoinct de drap d'or, d'argent, de velous, satin, damas, tafetas, de mesmes couleurs, deschicquettés, broudez et acoustrez en paragon ; les agueillettes de soye de mesmes couleurs ; les fers d'or bien esmaillez ; les sayez et chamarres de drap d'or, toille d'or, drap d'argent, velous porfilé à plaisir ; les robbes autant precieuses come des dames ; les ceinctures de soye, des couleurs du pourpoinct ; chascun la belle espée au cousté, la

1. La coiffure française est un chaperon maintenant les cheveux et les couvrant d'un voile court.

taffetas blanc, bleu, noir ou fauve, de serge de soie, de faille de soie, de velours, de drap d'argent, de toile d'argent, de fil d'or, de velours ou de satin rebrodé d'or en dessins variés.

En été, certains jours, au lieu des robes elles portaient de belles mantilles, aux mêmes ornements, ou des casaques à la morisque de velours violet rehaussé d'or sur des broderies d'argent ou avec des cordelières d'or garnies aux nœuds de petites perles d'Orient. En hiver, les robes de taffetas, de même couleur qu'en été, étaient fourrées de lynx, de genette noire, de martre de Calabre, de zibeline ou autres fourrures précieuses.

Les chapelets, bagues, chaînes et colliers étaient de pierres fines, escarboucles, rubis, rubis balais, diamants, saphirs, émeraudes, turquoises, grenats, agates, béryls, perles et gemmes de la plus belle eau.

La coiffure variait selon les saisons : en hiver, à la française ; au printemps, à l'espagnole ; en été, à la toscane, sauf lors des fêtes et dimanches, où elles portaient la coiffure française, parce qu'elle est plus convenable et sied mieux à la pudeur des honnêtes femmes.

Les hommes étaient habillés à leur façon : des chausses d'étamine ou de serge de drap, teintes d'écarlate ou de cochenille, blanches ou noires ; les hauts-de-chausses en velours de même couleur, ou à peu près, brodés et échancrés selon la fantaisie de chacun ; le pourpoint de drap d'or, d'argent, de velours, de satin, de damas ou de taffetas, de même couleur, échancré, brodé et arrangé de façon parfaite ; les aiguillettes de soie de même couleur ; les ferrets d'or bien émaillés ; les casaques et simarres de drap d'or, de toile d'or, de drap d'argent ou de velours, brodées selon le goût ; les robes aussi précieuses que celles des dames ; les ceintures de soie de la couleur du pourpoint ; et chacun avec une

poignée dorée, le fourreau de velous de la couleur des chausses, le bout d'or et de orfevrerie ; le poignart de mesmes ; le bonnet de velous noir, garny de force bagues et boutons d'or ; la plume blanche par dessus, mignonnement partie à paillettes d'or, au bout desquelles pendoient en papillettes beaux rubyz, esmeraudes, etc.

Mais telle sympathie estoit entre les hommes et les femmes que par chascun jour ilz estoient vestuz de semblable parure, et pour à ce ne faillir, estoient certains gentilz hommes ordonnez pour dire es hommes, par chascun matin, quelle livrée les dames vouloient en ycelle journée porter ; car le tout estoit faict scelon l'arbitre des dames.

En ces vestemens tant propres et acoustremens tant riches ne pensez que eulx ny elles perdissent temps aulcun, car les maistres des garderobbes avoient toute la vesture tant preste par chascun matin, et les dames de chambre tant bien estoient aprinses, que en un moment elles estoient prestez et habilléez de pied en cap. Et, pour iceulx acoustremens avoir en meilleur oportunité, au tour du boys de Theleme estoit un grand corps de maison long de dimye lieue, bien clair et assortye, en laquelle demouroient les orfevres, lapidaires, brodeurs, tailleurs, tyreurs d'or, veloutiers, tapissiers, et aultelissiers, et là oeuvroient chascun de son mestier, et le tout pour les susdictz religieux et religieuses. Iceulx estoient fourniz de matiere et estoffe par les mains du seigneur Nausiclete, lequel par chascun an leurs rendoyt sept navires des Isles de Perlas et Canibales, chargées de lingotz d'or, de soye crue, de perles et pierreries. Si quelques unions tendoient à vetusté et changeoient de naifve blancheur, icelles par leur art renouvelloient en les donnant à manger à quelques beaux cocqs, comme on baille cure es faulcons.

belle épée au côté, à poignée dorée, le fourreau de velours de la couleur des chausses, la pointe d'or ouvragé ; de même pour le poignard ; le bonnet de velours noir, garni de force anneaux et boutons d'or, avec une plume blanche au-dessus, joliment mêlée de paillettes d'or au bout desquelles pendaient en papillottes de beaux rubis, émeraudes, etc.

Mais la communauté d'inclinations était telle entre hommes et femmes que chaque jour ils étaient vêtus de la même parure, et, pour qu'on n'y manquât point, certains gentilhommes avaient pour mission de dire chaque matin aux hommes quelle tenue les dames voulaient porter pour la journée ; car tout se faisait selon le libre choix des dames.

Mais ne pensez pas qu'à se vêtir si proprement et à se parer si richement ils ou elles perdaient un temps superflu ; car chaque matin les maîtres des garde-robes apprêtaient si bien l'habillement, les femmes de chambre étaient si stylées qu'en un instant elles étaient prêtes et habillées de pied en cap. Et pour qu'ils puissent plus commodément se procurer leurs vêtements, le long du bois de Thélème il y avait un grand corps de maison long d'une demi-lieue, bien clair et aménagé, où vivaient les orfèvres, joailliers, brodeurs, tailleurs, tisseurs d'or, veloutiers, tapissiers et lissiers, qui travaillaient chacun à son métier, tout cela pour les religieux et religieuses. Ils étaient approvisionnés en matières premières par le seigneur Nausiclète, qui chaque année leur livrait sept bateaux venus des îles Perlas et des Antilles, chargés de lingots d'or, de soie écrue, de perles et pierreries. Si quelques grosses perles venaient à vieillir et à perdre de leur blancheur d'origine, ils les ravivaient adroitement en les donnant à manger à quelques beaux coqs, comme on donne une purge aux faucons.

CHAPITRE LV

Comment estoient reiglez les Thelemites à leur maniere de vivre

Toute leur vie estoit employée non par loix, statutz ou reigles, mais scelon leur vouloir et franc arbitre. Se levoient du lict quand bon leur sembloit, beuvoient, mangeoient, travailloient, dormoient quand le desir leurs venoit. Nul ne les esveilloit, nul ne les parforceoyt ny à boyre, ny à manger, ny à faire chose aultre quelconques. Ainsi l'avoit estably Gargantua. En leur reigle n'estoit que ceste clause, *Faictz ce que vouldras*[1], par ce que gents liberes, bien nez et bien instruictz, conversans en compaignies honestes, ont par nature un instinct et aguillon, qui tousjours les pousse à faictz vertueux et retire de vice, lequel ilz nommoient honneur. Iceulx, quand par vile subjection et contraincte sont deprimez et asserviz, detournent la noble affection, par laquelle à vertuz franchement tendoient, à deposer et enfraindre ce joug de servitude ; car nous entreprenons tousjours choses defendues et couvoytons ce que nous est denié.

1. La liberté de Thélème est que les « religieux » y sont soustraits à l'arbitraire d'une règle ou d'un chef. Mais c'est là retomber sur une règle plus générale encore, celle qu'est la nature, qui produit du bien ; or le bien est uniforme, il n'y a que l'erreur et les défauts qui soient diversifiables. À laisser tant de bonnes natures à elles-mêmes avec bonne raison, on produit une unanimité. En choisissant de nommer la nature *honneur*, Rabelais adopte un vocabulaire aristocra-

CHAPITRE LV

Comment était réglée la vie des Thélémites

Toute leur vie était ordonnée non selon des lois, des statuts ou des règles, mais selon leur bon vouloir et leur libre arbitre. Ils se levaient quand bon leur semblait, buvaient, mangeaient, travaillaient, et dormaient quand le désir leur en venait. Nul ne les réveillait, nul ne les contraignait à boire, à manger, ni à faire quoi que ce soit. Ainsi en avait décidé Gargantua. Pour toute règle, il n'y avait que cette clause, *Fais ce que tu voudras ;* parce que les gens libres, bien nés et bien éduqués, vivant en bonne compagnie, ont par nature un instinct, un aiguillon qui les pousse toujours à la vertu et les éloigne du vice, qu'ils appelaient honneur. Ces gens-là, quand ils sont opprimés et asservis par une honteuse sujétion et par la contrainte, détournent cette noble inclination par laquelle ils tendaient librement à la vertu, vers le rejet et la violation du joug de servitude ; car nous entreprenons toujours ce qui nous est interdit et nous convoitons ce qui nous est refusé.

tique. En théologie, un tout autre vocabulaire serait nécessaire pour nommer ce penchant naturel à faire le bien, qui subsiste même après la Chute dans le péché et même dans ce monde. Vision optimiste d'une élite, qui est à la fois *bien née* sous d'heureux auspices et pour un sort bien-heureux et *bien née,* dans de nobles familles. En ce sens, le *Fay ce que voudras* ne présente aucun risque de laxisme moral ni aucune trace de fantaisie personnelle.

Voir *Au fil du texte*, p. X.

Par ceste liberté entrerent en louable emulation de faire tous ce que à un seul voyoient plaire. Si quelq'un ou quelcune disoyt : « Beuvons », tous beuvoient ; si disoit : « Jouons », tous jouoient ; si disoit : « Allons à l'esbat es champs », tous y alloyent. Si c'estoit pour voller ou chasser, les dames, montées suz belles hacquenées avecques leur palefroy guorrier, sus le poing mignonnement enguantelé portoient chascune ou un esparvier, ou un laneret, ou un esmerillon. Les hommes portoient les aultres oyzeaux.

Tant noblement estoient aprins qu'il n'estoyt entre eulx celluy ny celle qui ne sceust lire, escripre, chanter, jouer d'instrumens harmonieux, parler de cinq et six languaiges, et en icelles composer tant en carme que en oraison solue. Jamais ne feurent veuz chevaliers tant preux, tant gualans, tant dextres et à pied et à cheval, plus vers, mieulx remuans, mieulx manians tous bastons, que là estoient ; jamais ne feurent veues dames tant propres, tant mignonnes, moins fascheuses, plus doctes à la main, à l'agueille, à tout acte muliebre honeste et libere, que là estoient.

Par ceste raison, quand le temps venu estoit que aulcun d'icelle abbaye, ou à la requeste de ses parens, ou pour aultres causes, voulust issir hors, avecques soy il emmenoyt une des dames, celle laquelle l'auroit prins pour son devot[1], et estoient ensemble mariez ; et, si bien avoient vescu à Theleme en devotion et amityé, encores mieulx la continuoient ilz en mariage, et autant se entreaymoient ilz à la fin de leurs jours comme le premier de leurs nopces.

Je ne veulx oublier vous descripre un enigme qui feut trouvé au fondemens de l'abbaye en une grande lame de bronze. Tel estoyt comme s'ensuyt :

1. L'abbaye sert de préparation au mariage par l'apprentissage de la vie commune. Le sens de *dévot*, plus utilisé en religion, revient ici à son étymologie de *voué à*, mais substitue l'usage érotique à la religion. Ne pas se tromper sur érotique : il s'agit d'honnête amitié

C'est cette liberté même qui les poussa à une louable émulation : faire tous ce qu'ils voyaient faire plaisir à un seul. Si l'un ou l'une d'entre eux disait : «Buvons », ils buvaient tous ; s'il disait : « Jouons », tous jouaient ; s'il disait : « Allons nous ébattre aux champs », tous y allaient. S'il s'agissait de chasser à courre ou au vol, les dames, montées sur de belles haquenées suivies du palefroi de guerre, portaient sur leur poing joliment gantelé un épervier, un laneret ou un émerillon. Les hommes portaient les autres oiseaux.

Ils étaient si bien éduqués qu'il n'y avait parmi eux homme ni femme qui ne sût lire, écrire, chanter, jouer d'instruments de musique, parler cinq ou six langues et y composer, tant en vers qu'en prose. Jamais on ne vit de chevaliers si vaillants, si hardis, si adroits au combat à pied ou à cheval, plus vigoureux, plus agiles, maniant mieux les armes que ceux-là ; jamais on ne vit de dames si fraîches, si jolies, moins acariâtres, plus doctes aux travaux d'aiguille et à toute activité de femme honnête et bien née que celles-là.

C'est pourquoi, quand arrivait le temps où l'un d'entre eux, soit à la requête de ses parents, soit pour d'autres raisons, voulait quitter l'abbaye, il emmenait avec lui une des dames, celle qui l'aurait choisi pour chevalier servant, et ils se mariaient ; et s'ils avaient bien vécu à Thélème en amitié de cœur, ils continuaient encore mieux dans le mariage, et ils s'aimaient autant à la fin de leurs jours qu'au premier jour de leurs noces.

Mais je ne veux pas omettre de vous retranscrire une énigme qu'on trouva dans les fondations de l'abbaye, sur une grande plaque de bronze. La voici :

conjugale. Rien à voir avec la liberté de mœurs ni la gauloiserie. Il n'empêche qu'ainsi Rabelais s'inscrit dans la « Querelle des femmes » non loin des opinions de Marguerite de Navarre, sur l'idéal d'une harmonie conjugale choisie.

CHAPITRE LVI

Enigme[1] trouvé es fondemens de l'abbaye des Thelemites

Pauvres humains qui bon heur attendez,
Levez vos cueurs et mes ditz entendez.

S'il est permys de croyre fermement
Que par les corps qui sont au firmament
Humain esprit de soy puisse advenir
A prononcer les choses à venir,
Ou, si l'on peult par divine puissance
Du sort futur avoir la congnoissance,
Tant que l'on juge en asseuré decours
Des ans longtains la destinée et cours,
Je foys sçavoir à qui le veult entendre
Que cest hyver prochain, sans plus attendre,
Voyre plus tost, en ce lieu où nous sommes
Il sortira une maniere d'hommes
Las de repoz et faschez de sejour,
Qui franchement iront, et de plein jour,
Suborner gents de toutes qualitez

1. Cette Énigme est énigmatique surtout à cause de son rapport avec les persécutions qui suivent l'affaire des Placards. Par ailleurs, elle est presque entièrement du poète Saint-Gelais et n'est donc pas écrite pour la circonstance. En décrivant un jeu de paume sous des images apocalyptiques, Rabelais inverse l'énigme, qui est déjà une inversion (dire du caché sous le voile d'une métaphore). D'ordinaire la métaphore décrit une chose usuelle, pour désigner des vérités importantes, religieuses par exemple. Ici le style visiblement prophétique

CHAPITRE LVI

L'énigme trouvée dans les fondations de l'abbaye des Thélémites

Pauvres humains qui attendez le bonheur,
Levez vos cœurs, écoutez mes paroles.

S'il est permis de croire fermement
Que par les corps qui sont au firmament
L'esprit humain peut tout seul réussir
À prophétiser vraiment l'avenir,
Ou, si l'on peut par divine puissance
Du sort futur avoir la connaissance,
Pour discerner dans leur juste décours
Des temps lointains le destin et le cours,
Je fais savoir à qui veut bien l'entendre
Que cet hiver prochain, sans plus attendre,
Ou même avant, en ce lieu où nous sommes
Il surgira une autre espèce d'hommes
Las du repos, que le loisir ennuie,
Qui iront franchement, en plein midi,
Pousser les gens de toute condition

cache-t-il du trivial (le jeu de paume) ou... n'est-il pas une énigme en restant à son sens littéral ? La description des troubles utilise les passages de l'Évangile qui annoncent la fin des temps (Matthieu, XXIV à XXIX) et seront ensuite très utilisés par les auteurs pour décrire les guerres de religion (voir par exemple les *Discours* de Ronsard). Il ne faut d'ailleurs pas oublier que les angoisses apocalyptiques croissent au temps de la Renaissance : on croit être proches de la fin du monde, par déluge ou par embrasement, et du Jugement dernier.

A differentz et partialitez.
Et qui vouldra les croyre et escouter,
Quoy qu'il en doibve advenir et couster,
Ilz feront mettre en debatz apparentz
Amys entre eulx et les proches parents ;
Le filz hardy ne craindra l'impropere
De se bander contre son propre pere ;
Mesmes les grandz, de noble lieu sailliz,
De leurs subjectz se verront assailliz,
Et le debvoir d'honneur et reverence
Perdra pour lors tout ordre et difference,
Car ilz diront que chascun en son tour
Doibt aller hault et puis faire retour,
Et sur ce poinct tant seront de meslées,
Tant de discordz, venues et allées,
Que nulle histoyre, où sont les grans merveilles,
Ne fait recit d'esmotions pareilles.
Lors se verra maint homme de valeur,
Par l'esguillon de jeunesse et chaleur
Et croyre trop ce fervent appetit,
Mourir en fleur et vivre bien petit.
Et ne pourra nul laisser cest ouvraige
Si une foys il y mect le couraige,
Qu'il n'ayt emply par noises et debatz
Le ciel de bruit et la terre de pas.
Alors auront non moindre autorité
Hommes sans foy que gens de verité ;
Car tous suyvront la creance et estude
De l'ignorance et sotte multitude,
Dont le plus lourd sera receu pour juge.
O dommaigeable et penible deluge !
Deluge, dis je, et à bonne raison,
Car ce travail ne perdra sa saison
Ny n'en sera delivrée la terre
Jusques à tant qu'il ne sorte à grand erre
Soubdaines eaux, dont les plus attrempez
En combattant seront prins et trempez,
Et à bon droict, car leur cueur, adonné
A ce combat, n'aura point pardonné

À des querelles et à des factions.
Et si l'on veut les croire et écouter,
Quoi qu'il en doive advenir et coûter,
Ils feront s'affronter ouvertement
Les amis entre eux, les proches parents ;
Le fils hardi ne craindra pas l'impair
De se dresser contre son propre père ;
Même les grands, de noble rang sortis,
Par leurs sujets se verront assaillis,
Et les devoirs d'honneur et révérence
Perdront alors tout ordre et déférence ;
Car ils diront que chacun à son tour
Doit monter haut puis faire demi-tour ;
Sur ce point tant y aura de mêlées,
De désaccords, de venues et d'allées,
Qu'aucune histoire, où l'on conte merveilles,
Ne raconte d'agitations pareilles.
Et l'on verra maint homme de valeur,
Aiguillonné de juvénile ardeur
Et abusé par cet emportement,
Mourir en fleur, vivre petitement.
Et nul ne pourra quitter ce labeur,
S'il y met dès le début tout son cœur,
Sans avoir empli par chicane et débats
Le ciel de bruit et la terre de pas.
Alors n'auront pas moins d'autorité
Les gens sans foi que ceux de vérité ;
Car tous suivront la foi passionnée
De la foule ignorante et insensée,
Dont le plus lourd sera pris comme juge.
Ô dommageable et pénible déluge !
Déluge, dis-je, et à juste raison,
Car cette activité ne cessera
Et la terre ne s'en délivrera
Que lorsque s'écouleront à foison
De brusques eaux, dont les plus acharnés
Au combat seront saisis et trempés ;
Et à bon droit, car leur cœur, adonné
À ce combat, n'aura point pardonné

Mesmes aux troppeaux des innocentes bestes,
Que de leurs nerfz et boyaulx deshonnestes
Il ne soit faict, non aux dieux sacrifice,
Mais aux mortelz ordinaire service.
Or maintenant je vous laisse penser
Comment le tout se pourra dispenser
Et quelz repoz en noise si profonde
Aura le corps de la machine ronde !
Les plus heureux, qui plus d'elle tiendront,
Moins de la perdre et gaster s'abstiendront,
Et tascheront en plus d'une maniere
A la servir et rendre prisonniere
En tel endroict que la pauvre deffaicte
N'aura recours que à celluy qui l'a faicte ;
Et, pour le pis de son triste accident,
Le cler soleil, ains que estre en Occident,
Lairra espandre obscurité sus elle
Plus que d'eclipse ou de nuyct naturelle,
Dont en un coup perdra la liberté,
Et du hault ciel la faveur et clarté,
Ou pour le moins demeurera deserte.
Mays elle, avant ceste ruyne et perte,
Aura long temps monstré sensiblement
Un violent et si grand tremblement,
Que lors Ethna ne feust tant agittée
Quand sur un filz de Titan feut jectée[1] ;
Ne plus soubdain ne doibt estre estimé
Le mouvement que fist Inariné
Quand Tiphoeus si fort se despita
Que dans la mer les montz precipita.
Ainsi sera en peu d'heure rengée
A triste estat, et si souvent changée,
Que mesme ceulx qui tenue l'auront
[Aulx survenans occuper la lairront.]
Lors sera près le temps bon et propice
De mettre fin à ce long exercice :

1. Allusion à la révolte des Géants et à leur punition par Jupiter, qui les écrase sous les volcans.

Même aux troupeaux des innocents bestiaux,
Que de leurs nerfs et de leurs vils boyaux
On ait fait, non aux dieux un sacrifice,
Mais de simples objets rendant service.
Et maintenant je vous laisse à penser
Comment tout cela pourra se passer
Et quel repos, en crise si profonde,
Aura le corps de la machine ronde !
Les plus heureux, qui y auront gagné,
Voudront ne pas la perdre ou l'abîmer,
Et tâcheront de toutes les manières
De l'asservir et garder prisonnière
Tant et si bien que la pauvre, défaite,
N'aura recours qu'à celui qui l'a faite ;
Et, pour mettre un comble à son infortune,
Le clair soleil, avant même la brune,
Laissera faire l'obscurité sur elle
Plus qu'en éclipse ou en nuit naturelle ;
D'un coup elle en perdra sa liberté
Et du haut ciel la faveur et clarté,
Ou du moins elle restera déserte.
Mais avant cette ruine et cette perte,
Elle aura longtemps montré clairement
Un si violent et grand tremblement
Que l'Etna n'en fut autant agité
Quand sur un fils de Titan il fut jeté ;
Et moins brutal, si on doit l'estimer,
Le mouvement que fit Inarimé
Quand Typhocée fut tellement en colère
Qu'il précipita les monts dans la mer.
Ainsi sous peu elle sera plongée
En triste état, si souvent échangée
Que même ceux qui en main l'auront eue
La laisseront prendre aux nouveaux venus.
Alors arrivera le moment propice
De mettre un terme à ce long exercice :

Car les grans eaux dont oyez diviser
Feront chascun la retraicte adviser ;
Et toutesfoys, devant le partement,
On pourra veoir en l'air appertement
L'aspre chaleur d'une grand flame esprise
Pour mettre à fin les eaux et l'entreprise.

Reste en apres que yceulx trop obligez,
Penez, lassez, travaillez, affligez,
Par le sainct vueil de l'eternel Seigneur
De ces travaulx soient refaictz en bon heur[1].
Là verra l'on par certaine science
Le bien et fruict qui sort de patience ;
Car cil qui plus de peine aura souffert,
Au paravant, du lot pour lors offert
Plus recepvra. O que est à reverer
Cil qui pourra en fin perseverer !

La lecture de cestuy monument parachevée, Gargantua souspira profondement, et dist es assistans :

« Ce n'est pas de maintenant que les gents reduictz à la creance Evangelicque sont persecutez ; mais bien heureux est celluy qui ne sera scandalizé et qui tousjours tendra au but, au blanc que Dieu, par son cher Enfant, nous a prefix, sans par ses affections charnelles estre distraict ny diverty. »

Le Moyne dist : « Que pensez vous, en vostre entendement, estre par cest enigme designé et signifié ?

— Quoy ? (dist Gargantua). Le decours et maintien de verité divine.

— Par sainct Goderan (dist le Moyne), je pense que c'est la description du jeu de paulme, et que la *machine ronde* est l'esteuf, et ces *nerfz et boyaulx de bestes innocentes* sont les racquestes, et ces gentz eschauffez et debatans sont les joueurs. La fin est que apres avoir bien travaillé, ilz s'en vont repaistre ; et grand chiere ! »

1. Allusion aux textes qui promettent récompense aux justes : la fin des épisodes apocalyptiques (Matthieu, XXIV), la parabole du

Car ces grand's eaux dont nous avons parlé
Persuaderont chacun de s'en aller ;
Toutefois, avant de se séparer,
Dans l'air pourra clairement s'observer
Une grand' flamme à l'ardeur excessive
Pour mettre à fin les eaux et l'entreprise.

Et puis après, ceux qui furent enchaînés,
Peinés, lassés, torturés, affligés,
Par le vouloir de l'éternel Seigneur
Hors des tourments renaîtront en bonheur.
Là on verra par sûre connaissance
Le bien et le profit de la patience ;
Car celui qui aura le plus souffert
Ici bas, des bienfaits alors offerts
Il recevra le plus. Comme il faut révérer
Celui qui jusqu'au bout pourra persévérer !

Ayant achevé la lecture de ce document, Gargantua poussa un profond soupir et dit aux assistants :

« Ce n'est pas d'aujourd'hui que ceux qui sont revenus à la vraie foi évangélique sont persécutés ; mais bienheureux celui qui ne faillira pas et qui tendra toujours au but que Dieu, par l'entremise de son cher Enfant, nous a fixé pour toujours, sans en être distrait ou détourné par les passions matérielles. »

Le Moine dit : « À votre avis, que croyez-vous que cette énigme veuille dire et signifier ?

— Quoi ? dit Gargantua. Le cours et la permanence de la vérité divine.

— Par saint Goderan, dit le Moine, moi je crois que c'est la description du jeu de paume ; que la *machine ronde* est la pelote, que ces *nerfs et boyaux de bestiaux innocents* sont les cordes des raquettes, et que ces *gens échauffés qui s'affrontent* sont les joueurs. Et qu'à la fin, après s'être bien exercés, ils vont se restaurer ; et bon appétit ! »

semeur recueillant le fruit de patience (Luc, VIII). Ils ont bien le sens qu'indiquera Gargantua.

LES CLÉS DE L'ŒUVRE

I - AU FIL DU TEXTE

II - DOSSIER HISTORIQUE ET LITTÉRAIRE

Pour approfondir votre lecture, LIRE vous propose une sélection commentée :

- de morceaux « classiques » devenus incontournables, signalés par ●◆ (droit au but).
- d'extraits représentatifs de l'œuvre, signalés par ◌◆ (en flânant).

AU FIL DU TEXTE

Par Sophie Ratto,
professeur agrégée, détachée à l'université de Paris III.

AU FIL DU TEXTE

I - DÉCOUVRIR

La phrase clé

« Ils étaient tous si bien éduqués qu'il n'y avait parmi eux homme ni femme qui ne sût lire, écrire, chanter, jouer d'instruments de musique, parler cinq ou six langues et y composer, tant en vers qu'en prose. Jamais on ne vit de chevaliers si vaillants, si hardis, [...] jamais on ne vit de dames si fraîches, si jolies... »

Chapitre LV, p. 427.

- **LA DATE**

Principaux événements en 1534 :

- En politique : règne de François Ier. À Paris, Orléans et Amboise, les « placards » contre la messe catholique et contre le dogme de la présence réelle du Christ lors de l'eucharistie soulèvent l'indignation et une vague de répression contre les protestants. Ignace de Loyola fonde ce qui deviendra la Compagnie de Jésus. Jacques Cartier découvre le golfe du Saint-Laurent au Canada et il en prend possession au nom de François Ier. À l'étranger, le cardinal Farnese succède à Rome au pape Clément VII, sous le nom de Paul III. En Angleterre, Henri VIII, excommunié, rompt avec Rome ; c'est le schisme anglican.
- En littérature : textes de Luther.
- En peinture et autres arts : construction du château de Villers-Cotterêts (1533-1540), décoration du château de Fontainebleau par le Primatice et Benvenuto Cellini, Michel-Ange peint les fresques de la chapelle Sixtine.

Au moment où il écrit Gargantua, deux ans après Pantagruel, Rabelais est un érudit humaniste au parcours pour le moins atypique : il vient de reprendre des études de médecine et de grec ancien après avoir consacré vingt ans de sa vie à une retraite monastique. C'est au même moment qu'il se met au service d'un personnage officiel : le cardinal du Bellay (voir introduction, pp. 11-17).

• LE TITRE

Gargantua : Rabelais n'a pas inventé le nom, qui vient d'une tradition populaire. On trouve attestées à Lyon, en 1532, *Les Grandes et inestimables chroniques du géant Gargantua*, qui, curieusement, rattachent notre géant au cycle des légendes arthuriennes. On retrouve bien évidemment dans le nom la racine « gar » (gorge). Rabelais avait donc décidé d'exploiter une veine préexistante. Le nom même est donné à l'enfant par son père Grandgousier à sa naissance : le bébé réclamait déjà à boire et le père s'exclama « Que grand tu as ! » (sous-entendu le gosier). Le nom resta, inséparable désormais dans la culture occidentale d'un géant gourmand et débonnaire, doué d'une force et d'une morale hors du commun.

Autre interprétation, tirée, celle-là, des *Admirables Chroniques* : après que sa femme a donné naissance à un fils, le père de Gargantua « dit tout haut "Gargantua", lequel est un verbe grec, qui vaut autant à dire comme "tu as un beau fils" » (voir dossier, pp. 446-448).

• COMPOSITION

Le point de vue de l'auteur

Le pacte de lecture

« Méfions-nous des histoires de géants », nous dit Marie-Madeleine Fragonard. En effet, le *Gargantua* est loin d'être un conte. Et le lecteur avisé – et cultivé – peut relever de multiples allusions aux problèmes du temps dans un roman utopiste.

Rabelais en effet affiche des convictions religieuses proches de celles d'Érasme ; le nom n'est pas prononcé, mais la parenté est évidente – en particulier dans les marques de l'anticléricalisme doublé d'une foi sincère.

Les allusions sont multiples aux recherches littéraires et politiques de la Renaissance : *Le Songe de Polyphile*, de Colonna, *L'Utopie*, de Thomas More... sont des références que l'on peut retrouver tout au long de l'œuvre. Le passage de l'abbaye de Thélème (chapitres 50 à 55) étant bien évidemment le plus explicite.

Rabelais n'est pas coupé des préoccupations politiques de son temps ; sa position est fort claire : il s'affirme comme le soutien de la monarchie française ; il y a dans son œuvre une réflexion non pas seulement sur l'éducation des enfants en général, mais aussi sur l'éducation du prince. Il se peut que ce soit un écho à l'ouvrage d'Érasme publié en 1516 : *De l'institution du prince chrétien.* Il n'est pas très difficile de reconnaître dans le bon roi l'image de François Ier, et dans Picrochole, l'image de Charles Quint – qui laisse piller Rome en 1527, humilie le pape, multiplie les heurts avec François Ier, et médite au moment même où Rabelais écrit *Gargantua* son expédition meurtrière sur Tunis.

On retrouve sans difficulté des traces du conflit avec la faculté de théologie, et de l'image négative qu'elle donnait ; elle avait même censuré en 1533 la propre sœur du roi, Marguerite de Navarre, qui avait publié *Miroir de l'âme pécheresse.*

On peut donc introduire une nuance : Rabelais n'est pas le seul à s'insurger ainsi contre l'autorité des théologiens, le traditionalisme et le dogmatisme de leur enseignement. Dire du mal de la Sorbonne à cette époque n'est que modérément osé, c'est assez fréquent et le roi lui-même ne voit pas cela d'un très mauvais œil.

Les objectifs d'écriture

Rabelais place son roman dans la double filiation de l'épopée et du roman d'aventures, mais il est très difficile de borner là la liste des similitudes ; on va y trouver également des éléments purement carnavalesques et d'autres qui s'inscrivent dans le cadre d'une réflexion humaniste sur le monde.

L'épopée est présente à la fois dans le souci de la généalogie (chapitre 1), dans l'enfance du héros (penser à quel point l'épisode du torchecul est décrit sur le mode épique – chapitre 12) et, bien entendu, dans les épisodes de la guerre. Présente aussi dans la complexité de la construction rappelant celle des épopées antiques. Rabelais retrouve l'art des Anciens de rendre les combats vivants.

Le roman de chevalerie (naissance miraculeuse, initiation du jeune chevalier, confrontation au monde et premiers exploits, triomphe et réalisations) peut aussi avoir présidé à la composition de l'œuvre. Cependant, on ne trouve pas de péripéties proprement romanesques et c'est l'opposition positif/négatif qui l'emporte sur l'action proprement dite. Les actions se réduisent la plupart du temps à des anecdotes que l'on peut intégrer à l'aspect purement réflexif du roman, ou qui cautionnent l'aspect carnavalesque.

Une réflexion philosophique sur le monde : l'éducation, la guerre, tous les actes enfin de Gargantua sont autant d'occasions pour l'auteur de développer ses idées sur le schéma suivant : on tourne en dérision ce qui est dépassé, barbare, inutile, et on exalte les aspects positifs. L'opposition bien/mal est particulièrement flagrante appliquée à la guerre.

La notion de carnaval, les allusions à la médiévale « fête des fous » se retrouvent dans la fête rabelaisienne et dans la notion de rire. Le rire condamne, son objectif est toujours sérieux, il est l'arme des combats spirituels de la Renaissance. C'est l'arme dont se sert Rabelais contre l'ancien système éducatif (chapitres 16-22).

Structure de l'œuvre

Il est difficile, sinon impossible, de trouver une structure qui rendrait compte de la complexité de la construction de *Gargantua* ; à première lecture, le plan de l'œuvre est parfaitement clair et renvoie immédiatement à deux genres littéraires bien connus, l'épopée et le roman de chevalerie.

Le roman raconte dans l'ordre chronologique la naissance, l'enfance et l'éducation de Gargantua, puis la guerre picrocholine et la conduite du héros, et développe enfin l'utopie de l'abbaye de Thélème.

Des interprétations multiples qui ont été données, on peut relever l'explication de J. Paris, qui y voit une alternance d'épisodes carnavalesques et d'épisodes humanistes.

Sont carnavalesques les épisodes 1 à 8 (généalogie, naissance, vêtements), 11 à 13 (enfance de Gargantua), 16 à 22 (épisodes parisiens), 25 à 28 (origines de la guerre, où comment le grotesque peut provoquer le tragique), 32 à 45 (épisodes de guerre), 47 à 49 (fin de la guerre). Entre ces épisodes s'intercalent des réflexions humanistes : épisodes 9 à 10 (réflexion sur le symbolisme des couleurs), 14 à 15 (problèmes de l'éducation), 23 à 24 (problèmes de l'éducation et suggestion d'une pédagogie nouvelle), 29 à 31 (critique de la guerre), 46 (apologie de la paix, discours de Toucquedillon), 50 à 58 (apologie de la paix et esquisses pour une vie idéale et pacifique : l'abbaye de Thélème).

On peut également relire *Gargantua* comme un roman à structure « circulaire » – c'est l'hypothèse de la composition en inclusion d'après G. Demerson (on étudiera plus précisément le schéma proposé p. 471) qui met en évidence tout un système de renvois et de résonances qui centre l'ouvrage sur les chapitres 39 à 44, qui ont pour protagonistes des moines (pp. 320-354) et toutes les problématiques liées dans l'œuvre de Rabelais à la vie monastique et au rôle des moines. Le roman s'achève sur l'énigme trouvée dans les fondations de l'abbaye de Thélème (pp. 427-435), qui renvoie implicitement à l'énigme des fanfreluches du chapitre 2, pp. 53-57.

II - LIRE

Pour approfondir votre lecture, LIRE *vous propose une sélection commentée :*
- *de morceaux « classiques » devenus incontournables, signalés par* ➡ *(droit au but).*
- *d'extraits représentatifs de l'œuvre, signalés par* ➡ *(en flânant).*

➡ 1 - ***La naissance de Gargantua*** de « Peu de temps après, elle commença à se lamenter... » à « ... ne me cassez plus la tête ».	chap. 5 pp. 75-79

L'épisode de la naissance de Gargantua annonce pour ainsi dire la tonalité de l'ensemble de l'œuvre : le sérieux et le burlesque s'y trouvent mêlés, et l'auteur intervient pour donner les clefs nécessaires à la lecture pertinente, non seulement de ce paragraphe, mais de toute l'œuvre.

Dès cet épisode, les appétits naturels et bas de l'homme se trouvent exaltés, et mêlés à une réflexion sur le vrai, le possible et le vraisemblable ; la joyeuse gaieté de l'innocence se voit mise à distance par des réflexions dont on se demande dès l'abord si elles sont ironiques : « un homme de bien croit toujours ce qu'on lui dit et ce qu'il trouve écrit ». Les références aux Écritures s'ajoutent aux références à l'antiquité classique et Rabelais impose dès l'abord à son lecteur une lecture érudite, où les références culturelles et leur juxtaposition rajoutent à l'humour du passage.

2 - ***Comment Gargantua passait ses journées*** de « Gargantua se réveillait donc vers quatre heures... » à « ... l'art de l'équitation ».	chap. 21 pp. 191-195

Il s'agit d'un passage extrêmement important dans lequel Rabelais souligne et illustre ce qui est pour lui l'éducation véritablement profitable. Il constitue le versant positif du chapitre 14, dans lequel l'enfant Gargantua avait vu son intelligence et sa créativité menacées par l'enseignement traditionnel et son dogmatisme. Rabelais insiste ici sur le fait que ce n'est plus seulement de l'érudition brute et de la mémoire mécanique qu'il faut demander à l'enfant, mais aussi le sens pratique, la cohérence et l'équilibre. Eudémon (le bienheureux) – les noms ne sont jamais choisis innocemment par Rabelais – et Ponocratès (littéralement : qui résiste victorieusement à l'effort) vont devenir les porte-parole de l'idéal éducatif humaniste.

On notera que le programme infligé à Gargantua aurait de quoi épuiser tout écolier, tant il est accablant et exigeant ; ce surmenage n'est là que pour indiquer la direction générale de ce programme ouvert et complet. Ce sont les principes qui comptent et Rabelais ne demande manifestement pas qu'une telle méthode d'enseignement soit employée de fait. Il s'agit d'un idéal.

3 - *La guerre picrocholine* de « Cette offre, Gargantua ne l'accepta… » à « … ce ne serait pas notre défaite complète ».	chap. 45 pp. 365-367

Dans ce passage, Gargantua, comme son père au chapitre 30, montre quelle doit être l'attitude du bon prince face à une situation de conflit : la fermeté est nécessaire, et lorsque l'on décide d'entreprendre une guerre, il faut la mener de manière organisée, et ne pas lésiner sur les moyens. Il y a une opposition nette entre les préparatifs organisés de Gargantua et le désordre de Picrochole.

Mais le bon prince doit ne pas perdre toute compassion pour ses sujets et se rendre compte de l'ampleur matérielle du fléau qu'est la guerre.

Ce sont dans ce paragraphe deux conceptions de la guerre qui s'opposent, reprenant la distinction grecque Arès/Athéna, le premier représentant la guerre ensauvagée et ennemie du droit, et la seconde pensant, selon la très belle formule de Jacques Gaillard : « Rien n'est plus difficile à faire qu'une guerre intelligente. »

4 - *Comment était réglée la vie des Thélémites* de « Toute leur vie était ordonnée… » à « … leurs jours qu'au premier jour de leurs noces ».	chap. 55 pp. 425-427

C'est l'abbaye du « libre arbitre » (*thelema*, en grec) : tout est laissé à la libre volonté des thélémites : emploi du temp, études, mixité ; les vœux de chasteté, de pauvreté et d'obéissance n'existent plus.

Il s'agit bien évidemment du contraire des abbayes existantes que Rabelais connaissait bien. Le bâtiment est un mélange somptueux d'architecture médiévale et des innovations inspirées par l'urbanisme italien de la Renaissance.

Société parfaite, composée de jeunes gens riches et beaux, bien éduqués et avides de culture, l'abbaye de Thélème relève bien évidemment du mythe humaniste de l'utopie. Ni excès, ni licence, mais un respect mutuel, une grande élévation morale, l'*otium cum dignitate* des Anciens ; il faut y voir là aussi un idéal plus qu'un programme, un symbole plus qu'un projet. Rabelais, en décrivant ce que font les jeunes gens, souligne sournoisement tout ce qu'ils ne font pas : tous les rites de l'Église et toutes les brutalités infligées au corps.

5 - *Prologue de l'auteur* de « À quoi tend, à votre avis, ce prélude… » à « … l'état de la cité et la gestion des affaires ».	prologue pp. 37-39

Dans le prologue, Rabelais invite le lecteur à ne pas se satisfaire du sens premier des mots et des textes ; il doit chercher au-delà, comme le chien ronge l'os pour en trouver la « substantifique moelle ». Il faut lire les textes littéraires comme le vrai chrétien doit apprendre à lire la Bible, en dépassant le sens littéral pour en trouver l'esprit au-delà de la lettre. Ne négligeons pas que c'est à ce moment-là que la lecture devient acte individuel et silencieux – ce qui change le sens du concept de lecture, et implique une autre approche des textes et une autre compréhension. Cette habitude de lire de manière autonome sera généralisée et systématisée par la religion protestante qui se développe aussi à l'époque où écrit Rabelais : les premiers écrits de Luther datent de 1517.

Mais Rabelais refuse l'excès inverse et la pratique d'une glose généralisée qui dénature le plaisir de lire et le sens réel de ses écrits : le commentaire ne doit pas être la paraphrase telle que la pratiquaient certains docteurs scolastiques.

6 - *Les origines de la guerre picrocholine* de « En ce temps-là… » à « … on l'eût dit plus mort que vif ».	chap. 23 pp. 211-215

La guerre peut être la conséquence d'une anicroche sans intérêt, et le grotesque peut déboucher sur le tragique ; tel semble être le message de Rabelais, qui a puisé dans une anecdote familiale la matière de cet épisode – un différend qui opposa son père au seigneur de Lerné, Gaucher de Sainte-Marthe.

Au-delà de la cupidité, de la stupidité, et de l'effroyable engrenage des histoires humaines, il faut voir une réflexion plus large sur le contexte de l'époque, et le personnage de Charles Quint se dessine derrière le tyran tourangeau.

7 - *Pourquoi les moines sont rejetés du monde* de « Comment se fait-il qu'on rejette les moines… » à « … un cheval de promoteur ».	chap. 38 pp. 313-317

Apparaît dans ce paragraphe le personnage de Frère Jean, auquel Rabelais va accorder une importance particulière dans son œuvre : il est un moine courageux, impliqué dans les problèmes de son temps. Ce texte se donne comme une diatribe particulièrement virulente sur l'inutilité des moines, qui se contentent de se laisser nourrir et ne servent pas leurs contemporains. Gargantua nie même l'efficacité de la prière, qui se réduit pour lui à la manifestation physique n'impliquant aucune réelle motivation : le fait de sonner les cloches. Tous les rites apparaissent donc comme autant de manifestations d'une lourde hypocrisie, qui doit être désagréable même à Dieu.

8 - *Discours de Gargantua aux vaincus* de « Ne voulant donc nullement dégénérer… » à « … pour venir ainsi nous inquiéter ».	chap. 48 pp. 385-389

La bienveillance et la fermeté ne sont pas incompatibles ; le bon prince se doit de faire preuve d'humanité et de considérer ses ennemis comme des hommes, mais il ne doit pas montrer de faiblesse. Les grands hommes d'État ont su se montrer rigoureux, aussi bien Moïse, choisi dans le répertoire biblique, que Jules César. Peut-être faut-il voir chez Rabelais l'influence de Machiavel (*Le Prince* date de 1516)… toujours est-il que ce passage souligne plus que les autres la nécessité de frapper l'ennemi à la tête, et de s'en prendre à l'état-major.

Il s'agit donc d'une optique que l'on pourrait qualifier de didactique ou « comment être un bon vainqueur ». Grandgousier profite de l'occasion pour expliquer aux pèlerins mêlés à cette guerre l'inanité de l'enseignement qu'ils ont reçu, et le côté dangereux des superstitions qui leur ont été inculquées. L'humanité et la générosité qui transparaissent dans le discours aux vaincus ont permis à certains critiques de l'interpréter comme un éloge indirect du bon roi François Ier.

• LES THÈMES CLÉS

« Paroles gelées » ou l'instruction livresque chez Rabelais

Le livre est un objet ambivalent ; fabuleux moyen de transmission, il ne livre que des « paroles gelées », des paroles figées, qu'il faut ramener à la vie. D'où l'idée fondamentale de Rabelais du passage nécessaire du livre à la vie, du va-et-vient constant du vécu à l'écrit et de l'écrit au vécu nécessaire à l'équilibre de toute culture. Les grands auteurs antiques, tant latins que grecs, mais aussi les savants de la Renaissance sont nécessaires : la lecture de leurs œuvres permet de se forger le jugement. La lecture ne doit pas relever d'une démarche purement narrative.

La fascination du livre chez Rabelais est imbibée de plusieurs influences profondes. Il emprunte aux épicuriens le principe de plaisir de la lecture, aux sophistes et surtout à Socrate les bienfaits pédagogiques du dialogue, et tire l'idée de rigueur de la lecture des textes de droit et de la fréquentation des juristes de son temps (Guillaume Budé…).

Comique et dérision

et son éclat de rire énorme
est un des gouffres de l'esprit… (V. Hugo)

Il est difficile de réduire le comique de Rabelais à un système – et d'ailleurs peut-être serait-il plus judicieux de parler à son sujet de dérision. Le « plus haut sens » dont parle Rabelais dans son Prologue est justement transmis par cette dérision constante ; le message est implicite mais néanmoins clair : il ne faut pas prendre au sérieux ni au pied de la lettre le texte, mais toujours lire entre les lignes.

Le langage se trouve parfois vidé de son sens, comme c'est le cas par exemple au chapitre 2, pour le poème des fanfreluches, qui ressortit à la forme littéraire de l'énigme (voir le texte de Clément Marot : *Épître du coq à l'âne*, pp. 456-457 du dossier).

Il y a chez Rabelais un passage constant du sérieux au rire, et c'est une nécessité pour le lecteur de se montrer vigilant, de repérer les passages du carnavalesque à l'humanisme et vice versa – de fait, la parodie tient une place importante dans le comique rabelaisien.

L'essence de ce comique semble être une prédominance de l'instinct, plus précisément de ce que M. Bakhtine appelle le « *bas corporel* » – goût de la nourriture, de la boisson et de l'acte sexuel. L'écart qui sépare l'innocence joyeuse de certains passages et le respect des normes sociales et religieuses force le lecteur à concevoir ce que les normes ont d'extérieur et de contraignant ; l'hypocrisie sociale s'y voit dénoncée par la comparaison qu'une telle démarche de caricature systématique impose au lecteur. Rabelais fait le choix du rire comme moyen pédagogique : « Mieux est de ris que de larmes écrire, pour ce que rire est le propre de l'homme. »

Une notion sérieuse : l'éducation

Deux conceptions s'affrontent : l'éducation traditionnelle et l'éducation humaniste. La bonne éducation, rationnelle et formatrice, est celle qui n'est pas dispensée par les clercs et par la Sorbonne. C'est tout le contraire de l'éducation médiévale, avec ses lourdeurs et son archaïsme.

De longues études ingrates, l'absence totale d'hygiène corporelle, le refus du corps au nom de l'esprit, le savoir livresque sans rapport avec la vie, l'appel non pas à la réflexion et à l'intelligence, mais à la mémoire mécanique ne peuvent mener qu'à la perte de l'esprit critique et de l'esprit humain en général.

L'éducation idéale retrouve l'idéal antique d'harmonie entre le corps et l'esprit. Le programme de formation rabelaisien inclut donc la pratique des armes et de tout ce que nous appellerions « éducation physique », mais aussi les langues mortes, et toutes les sciences connues, jusqu'à la médecine. Ces études scientifiques ne doivent pas être coupées du réel, et il ne faut sous aucun prétexte négliger la vie pratique.

III - POURSUIVRE

• LECTURES CROISÉES

Sur le problème de l'éducation, absolument primordial dans l'étude de Rabelais, on tirera profit de la lecture des textes suivants, qui complètent le dossier présenté (pp. 445-466).

« Je veux donc que l'enfant que nous commençons à former et à décrire, enfant d'une bonne famille, possesseur d'une fortune convenable, d'une constitution assez robuste pour endurer la fatigue des études, doué d'un esprit sans rudesse ni grossièreté, mais aussi sans mollesse ni délicatesse excessive, se mette à apprendre par jeux et plaisanteries, les formes, noms et valeurs des lettres latines et grecques ; et, pour qu'il y prenne plaisir, on l'y incitera non par des menaces et des coups, mais par des menues récompenses qui ont beaucoup d'effet à cet âge. Quand il aura employé une année à cela, au point de lire aisément et couramment le grec et le latin, à sept ans, on le familiarisera avec les premières règles, surtout grammaticales de ces deux langues, en lui apprenant à décliner et conjuguer noms et verbes et à les associer et accorder entre eux correctement. »

Marc-Antoine Muret, *Orationes* (1575),
in *Prosateurs latins du XVIe siècle.*

« Le temps compris entre le travail, les repas et le sommeil, chacun est libre de l'employer à sa guise. Loin d'abuser de ces heures de loisir, en s'abandonnant au luxe et à la paresse, ils se reposent en variant leurs occupations et leurs travaux. Ils peuvent le faire avec succès, grâce à cette institution vraiment admirable.

Tous les matins, des cours publics sont ouverts avant le lever du soleil. Les seuls individus spécialement destinés aux lettres sont obligés de suivre ces cours ; mais tout le monde a le droit d'y assister, les femmes comme les hommes, quelles que soient leurs professions. Le peuple y accourt en foule ; et chacun s'attache à la branche d'enseignement qui est le plus en rapport avec son industrie et ses goûts. [...]

Les dîners et les soupers commencent par la lecture d'un livre de morale ; cette lecture est courte, pour qu'elle n'ennuie pas. Quand elle est finie, les plus âgés entament des conversations honnêtes, mais pleines d'enjouement et de gaieté. Loin de parler seuls et toujours, ils écoutent volontiers les jeunes gens ; ils provoquent même leurs saillies, afin d'apprécier la nature de leur caractère et de leur esprit, nature qui se trahit aisément dans la chaleur et la liberté du repas. »

Thomas More, *L'Utopie*, 1516.

« À un enfant de maison, qui recherche les lettres non pour le gain (car une fin si abjecte est indigne de la grâce et faveur des muses, et puis elle regarde et dépend d'autrui), ni tant pour les commodités externes que pour les siennes propres, et pour s'en enrichir et pare au dedans, ayant plutôt envie d'en tirer un habile homme qu'un homme savant, et je voudrais aussi qu'on fût soigneux de lui choisir un conducteur qui eût plutôt la tête bien faite que bien pleine, et qu'on y requît tous les deux, mais plutôt les mœurs et l'entendement que la science ; et qu'il se conduisît en sa charge d'une nouvelle manière. »

Montaigne, *De l'institution des enfants*.

Sur le problème de l'humour et de la dérision, ou « quand la parodie devient une arme » ; c'est la Folie qui parle :

« Il vaudrait mieux, sans doute, passer sous silence les théologiens, éviter de remuer cette Camarine, de toucher à cette herbe infecte. Race étonnante sourcilleuse et irritable, ils prendraient contre moi mille accusations en bloc, et, si je refusais de me rétracter, me dénonceraient sans délai comme hérétique. C'est la foudre dont ils terrifient instantanément qui leur déplaît. Je n'ai jamais rencontré personne qui soit moins reconnaissant qu'eux de mes bienfaits quoique je les en accable. »

Érasme, *Éloge de la Folie*.

• **PISTES DE RECHERCHES**

- L'idéal humaniste et son expression dans l'œuvre de Rabelais.
- L'importance de la Sorbonne à l'époque de Rabelais (à rapprocher de l'affaire des « placards »).
- Éducation et réflexion pédagogique dans *Gargantua*.
- L'abbaye de Thélème.
- Le bon prince chez Rabelais, ou l'antithèse de Picrochole.
- La parodie de l'épopée.
- La satire chez Rabelais.
- « Fay ce que voudras » et l'idéal de la Renaissance.

- Les idées et les idéaux médiévaux ; leurs survivances dans *Gargantua*.
- La Bible et la pensée religieuse dans *Gargantua*.
- Le personnage de frère Jean.

• PARCOURS CRITIQUE

La réception de l'œuvre a posé problème et Rabelais a été, dès le XVIe siècle, mal perçu, même par des auteurs dont l'ouverture d'esprit ne fait aucun doute ; on trouve par exemple dans une lettre de Voltaire au prince de Brunswick-Lunebourg en 1767, l'œuvre de Rabelais décrite comme : « un ramas des plus impertinentes et des plus grossières ordures qu'un moine ivre puisse vomir ».

- L'ouvrage fut censuré en 1543-1544, de même que *Pantagruel*. Notons que la Sorbonne censura également, à la même époque, les œuvres de Calvin et d'Érasme.
- La Bruyère énonce au sujet de Rabelais le jugement suivant : « Où il est mauvais, il passe bien loin au-delà du pire, c'est le charme de la canaille ; où il est bon, il va jusqu'à l'exquis et à l'excellent, il peut être un mets des plus délicats. »
- Les romantiques, en revanche, vont le considérer généralement comme l'équivalent de Dante ou de Shakespeare, mais certains auteurs ne lui ménagent pas leurs critiques ; ainsi trouve-t-on sous la plume de George Sand : « Ces immondices sont la plaisanterie de son temps, et le nôtre, Dieu merci, ne peut plus supporter de telles ordures. » Mêmes critiques chez Lamartine : « génie ordurier du cynisme, scandale de l'oreille, de l'esprit, du cœur et du goût… ».
- L'adjectif « rabelaisien » conserve de nos jours encore une connotation vaguement péjorative, d'ivrognerie, de paillardise, voire de grossièreté.

Une des problématiques actuellement les plus fréquemment abordées au sujet de Rabelais touche à la notion de réalisme ; Leo Spitzer montre que tout n'est qu'ambiguïté dans les rapports de Rabelais avec le réel et le vrai.

« De cette façon, la théorie du réalisme de Rabelais s'ancra dans les mémoires, et Lanson de nous dire dans son *Histoire de la littérature française* […] : "Jamais réalisme plus pur, plus puissant, plus triomphant ne s'est vu !" Jamais au contraire mécompréhension plus effarante d'un génie ne s'est vue ! Rabelais a mélangé dans son alambic littéraire bien des réalités, donc il est – nous dit-on – réaliste. Le savant confond avec sa propre méthode d'observation scientifique l'essence de l'art rabelaisien. »

Leo Spitzer, « Le prétendu réalisme de Rabelais », in *Modern Philology*, tome 37, 1940.

On lira avec beaucoup de profit les travaux du critique marxiste M. Bakhtine, et tout particulièrement le texte suivant, sur l'épisode du torchecul (p. 120, sqq).

« Le geste familier et carnavalesque du petit Gargantua qui transforme tout en torchecul – détrônant, matérialisant et rénovant – semble déblayer, préparer les terrains en vue d'un nouveau sérieux audacieux, lucide et humain.

La conquête familière du monde, dont notre épisode est l'un des exemples, préparait aussi sa nouvelle connaissance scientifique. Le monde ne pouvait devenir un objet de connaissance libre, fondée sur l'expérience et le matérialisme, tant qu'il se trouvait éloigné de l'homme par la peur et par la piété, tant qu'il était imprégné du principe hiérarchique. »

Mikhaïl Bakhtine, *L'Œuvre de François Rabelais et la culture populaire au Moyen Âge et sous la Renaissance*, 1965.

Sur la prédominance du thème de la nourriture chez Rabelais, que Victor Hugo appelait « Eschyle de la mangeaille » :

« Tout génie a son invention ou sa découverte ; Rabelais a fait cette trouvaille, le ventre. Le serpent est dans l'homme, c'est l'intestin. Il tente, trahit et punit. L'homme, être un comme esprit et complexe comme homme, a pour mission terrestre trois centres en lui : le cerveau, le cœur, le ventre. [...] Le ventre est pour l'humanité un poids redoutable ; il rompt à chaque instant l'équilibre entre l'âme et le corps. Il emplit l'histoire, il est responsable de tous les crimes. Il est l'outre des vices. La pensée se dissout en assouvissement ; la consommation charnelle absorbe tout ; rien ne surnage de la grande créature souveraine habitée par l'âme ; qu'on nous passe le mot, le ventre mange l'homme. »

Victor Hugo, *William Shakespeare*.

DOSSIER HISTORIQUE ET LITTÉRAIRE

REPÈRES CHRONOLOGIQUES

1483 ou 1484	Naissance de François Rabelais, fils d'Antoine Rabelais, assesseur du lieutenant du bailli de Touraine, propriétaire de La Devinière, près de Chinon. Rien ne prouve cependant que l'enfant ait eu pour autant une vie rustique. Arrivée à Paris de professeurs italiens, première importation de l'humanisme grâce aux guerres d'Italie qui commencent cette même année.
1490	Lefèvre d'Étaples, *Introduction à la Métaphysique d'Aristote*.
1492	Découverte du Nouveau Monde.
1494	Brant, *Das Narrenschiff (La Nef des fous)*.
1498	Mort de Charles VIII, Louis XII devient roi. Réforme des études universitaires.
1499	Érasme, premier livre des *Adages*.
vers 1500	Rabelais fait probablement des études de droit civil et de droit canon.
1509	Lemaire des Belges, *Illustrations de la Gaule et singularités de Troie* (origines légendaires des Français).
vers 1510	Rabelais est novice au couvent des Cordeliers de La Baumette près d'Angers.
1511	Érasme, *Éloge de la folie*.
1512	Lefèvre d'Étaples, commentaire des Épîtres de saint Paul.
1513	Affaire du savant Reuchlin à Cologne, suspecté de judaïser parce qu'il travaille l'hébreu : les humanistes se mobilisent pour sa défense. Machiavel écrit *Le Prince* (pub. post. 1531).

1514	Budé, *De Asse* (travail philologique et historique sur la civilisation romaine).
1515	Mort de Louis XII, François Ier devient roi et rétablit la situation militaire compromise en Italie.
1517	Publication par Luther de ses 95 thèses.
1519	Charles Quint, roi d'Espagne, devient empereur d'Allemagne. Cortés au Mexique.
vers 1520	Rabelais devient prêtre et franciscain au couvent de Fontenay-le-Comte.
1520	Entrevue du camp du Drap d'Or entre François Ier et Henri VIII d'Angleterre. Condamnation de Luther.
1521	Dans une lettre à Guillaume Budé, P. Lamy et F. Rabelais disent à l'érudit leur désir d'apprendre les langues anciennes et leur admiration pour son œuvre. Début du groupe évangélique de Meaux, patronné par l'évêque Briçonnet et soutenu par Marguerite, sœur du roi. La faculté de Théologie et les supérieurs ecclésiastiques interdisent la langue grecque. Rabelais travaille à traduire les *Histoires* d'Hérodote.
1522	Lefèvre d'Étaples traduit les Évangiles en Français. Érasme, *Colloques*.
1522-1524	Guerre des paysans en Allemagne, au départ soulèvement en faveur de la Réforme, mais Luther s'en désolidarise.
1524	Il faut rendre décidément les livres grecs. Lamy quitte le couvent et part à Bâle. Rabelais change de couvent et rentre chez les Bénédictins à Maillezais.
1524-1526	Il est secrétaire de Geoffroy d'Estissac, évêque de Maillezais.
1525	François Ier, fait prisonnier à Pavie, reste en Espagne jusqu'à la paix de 1526. Rupture d'Érasme et Luther.
1526	Ignace de Loyola écrit les *Exercices spirituels*.
vers 1527	Rabelais quitte le couvent et effectue des études de médecine, sous l'habit laïque. Il a deux enfants.

1527	Le pape, le roi, Henri VIII et Venise s'allient contre Charles Quint : prise de Rome par les armées de Charles Quint.
1529	Grande « Rebeine » (révolte populaire) de Lyon. Les Turcs devant Vienne. Le pirate Barberousse prend Alger pour le compte du sultan Soliman. Paix de Cambrai entre France et Espagne.
1530	Inscrit à l'université de Montpellier, il y devient bachelier en médecine. Marguerite de Navarre, *Comédies*. Fondation du Collège des lecteurs royaux. Lefèvre d'Étaples traduit la Bible en français.
1531	Pour son cours de stage, il commente Hippocrate et Galien sur les textes d'origine. Édite les *Lettres médicinales* de Manardi, le *Testament* de Cuspidius, et divers textes d'Hippocrate. Ligue de Smalkalde : les princes protestants contre leur empereur. Marguerite de Navarre, *Le Miroir de l'âme pécheresse*.
1532- fév. 1535	Médecin à l'Hôtel-Dieu de Lyon et correcteur chez l'éditeur Gryphe.
1532	Début du schisme d'Angleterre. Marot, *Adolescence clémentine*. Octobre : *Pantagruel*. Novembre : lettre à Érasme : « Je vous salue encore et encore, père très aimant, père et parure de la patrie, protecteur des lettres, invincible champion du vrai. »
1532-1533	*Pantagrueline Prognostication* (fin 1532 ou début 1533).
1533	Entrevue de François Ier et du pape : mariage d'Henri et de Catherine de Médicis, nièce du pape. Conquête du Pérou. Octobre : *Pantagruel* est censuré par la Sorbonne pour obscénité.
1533-1534	(Hiver) Rabelais à Rome comme secrétaire du cardinal Du Bellay.
1534	Traité d'Augsbourg entre François Ier et les princes protestants.

	Contacts entre Barberousse et la France. Barberousse prend Tunis. Ambassade turque en France. Alciat, *Emblèmes*. Octobre : Affaire des Placards. Rabelais édite la *Topographie de Rome* de Marliani et un *Almanach* pour 1535.
1535	Début (?) : *Gargantua*. Janvier : procession expiatoire pour l'affaire des Placards. Écrasement des anabaptistes à Munster. Juin : reprise de Tunis par Charles Quint. Juillet : édit de Coucy qui pardonne les infractions religieuses. Du Bellay emmène Rabelais à Ferrare. Olivetan, neveu de Calvin, traduit la Bible en français. Budé, *De transitu* (sur la nécessité d'inclure les études païennes dans le christianisme). Calvin, *Institution de la religion chrestienne*, première version en latin.
1535-1536	Août à mai : À Rome pour le compte de Geoffroy d'Estissac. Il obtient par ailleurs du pape la régularisation de sa situation : il est autorisé à reprendre l'habit de bénédictin à l'abbaye de Saint-Maur-des-Fossés.
1537	Marot, Budé, Macrin, Rabelais, à un dîner en l'honneur d'Étienne Dolet à Paris. Mai : licence et doctorat en médecine à Montpellier. Cours sur Hippocrate. Été : dissection publique à Lyon.
1538	Rencontre de François Ier et Charles Quint. Juillet : Rabelais appartient à la Maison du roi François Ier lors de la rencontre avec le pape à Aigues-Mortes. Son troisième enfant naît à Lyon.
1540-1543	Médecin de Guillaume de Langey, frère du cardinal Du Bellay, et avec lui, séjours en Savoie et au Piémont. Ses enfants sont légitimés par le pape.
1541	*Les Psaumes*, traduits par Marot.
1542	Édition remaniée de ses deux premiers ouvrages.
1543	Mort de Guillaume de Langey. Copernic, *De revolutionibus*.

1543-1544	*Pantagruel* et *Gargantua* figurent sur la liste des livres censurés par la Sorbonne, en bonne compagnie d'ailleurs avec Calvin, Érasme, et les traductions de livres saints en français.
1544	Scève, *Délie*. Calvin, *Contre les libertins spirituels*. Traité de Crépy : le roi et l'empereur unissent leurs efforts contre l'hérésie, dorénavant durement pourchassée.
1545	Bénéficiaire de la cure de Saint-Christophe-du-Jambet.
1546	Parution avec privilège et nom d'auteur du *Tiers Livre*, aussitôt condamné, mais qui a trois éditions immédiates. Rabelais est nommé conseiller à Metz où il est en contact avec les princes protestants allemands. Ouverture du Concile de Trente, le roi se laisse entraîner vers la réaction religieuse. Condamnation et exécution d'Étienne Dolet pour hérésie.
1547	Mars : mort de François Ier, Henri II devient roi. Avril : Charles Quint écrase les princes protestants à Muhlberg. Du Fail, *Propos rustiques*.
sept. 1547-sept. 1549	Rabelais à Rome avec le cardinal Du Bellay.
1548	Henri II crée la Chambre ardente pour chasser l'hérésie protestante. En l'absence de Rabelais, 2 chapitres du *Quart Livre* sont publiés à Lyon.
1549	Du Bellay, *Défense et illustration de la langue française*. Rabelais décrit la *Sciomachie*, fête donnée à Rome pour la naissance du second fils d'Henri II.
1550	Les attaques se multiplient contre lui et son « libertinage » ou son épicurisme : Calvin, dans le *De Scandalis*, le met au nombre des athées hypocrites ; d'autres voient en lui un de ces imposteurs de Genève qui ont commencé par la Réforme et terminent par l'athéisme. Mais il

	obtient un privilège pour publier le *Quart Livre*, grâce à l'aide du cardinal de Châtillon. Ronsard, *Odes*.
1551	Bénéficiaire de deux cures dont Meudon.
1552	Janvier : publication intégrale du *Quart Livre*, qui est d'ailleurs une pièce importante dans la campagne d'opinion que lance la monarchie sur ses affaires italiennes et contre la papauté. Ronsard, *Les Amours*.
1553	Un document d'avril 1553 dit qu'il vient de mourir, âgé de 70 ans : il meurt vraisemblablement à Paris la première semaine de mars. Exécution de Servet à Genève.
1555	Paix d'Augsbourg qui consacre le partage religieux de l'Allemagne.
1556	Charles Quint abdique.
1557-1558	Banqueroutes successives de l'Espagne et de la France : la crise financière correspond au renversement des tendances économiques : la seconde moitié du siècle est difficile.
1559	Mort d'Henri II. Premier synode protestant en France. Marguerite de Navarre, *L'Heptaméron* (posthume).
1561	Colloque de Poissy : Catherine de Médicis, reine régente, essaie de faire s'accorder les deux religions. Après l'échec du Colloque, les guerres s'ensuivent de 1562 à 1598.
1562	*L'Isle sonante*, suite du *Quart Livre*, est publiée sous son nom, 16 chapitres très anticléricaux. Ronsard, *Discours des misères de ce temps*.
1563	Fin du Concile de Trente qui organise une Contre-Réforme qui est aussi une Réforme catholique.
1564	Le *Cinquiesme Livre*, qui reprend et augmente *L'Isle sonante*, paraît toujours sous son nom et sans lieu d'édition. On a beaucoup débattu de son authenticité : il semble qu'il soit composé de brouillons de Rabelais réutilisés. Le livre termine la quête entreprise par les héros depuis le *Tiers Livre*.

AUX ORIGINES DU *GARGANTUA*

1. LA TRADITION POPULAIRE : RABELAIS ET LES CHRONIQUES

Plusieurs livrets populaires accompagnent les publications de Rabelais. Leur diffusion, comme celle de nos romans, se faisait lors des grandes foires.

On recense :

1532 (1) A Billon(?), *Les Grandes et inestimables chroniques du géant Gargantua*, Lyon.
anonyme : Rabelais : *Pantagruel*.

1533 (2) *Les Chroniques du grand roy Gargantua*, Lyon.
(3) *La Grande et merveilleuse vie du puissant et redoubté roy Gargantua*.
(4) *Le Disciple de Pantagruel* (invente un voyage, sans doute pour profiter de la mode de la littérature géographique).

1534 Rabelais : *Gargantua*.
(5) *Les Chroniques admirables du puissant roi Gargantua, ensemble comment il eut femme la fille du Roi d'Utopie nommée Badebec, de laquelle il eut un fils nommé Pantagruel* (amplifie les *Grandes et inestimables chroniques* avec trois chapitres du *Pantagruel*).
(6) *Le Vray Gargantua*, slnd.

1542 (7) François Habert, *Le Songe de Pantagruel* (propagande évangéliste contre les abus de l'Église, en faveur du mariage des prêtres ; rien à voir dans le détail, mais...).

1544 (8) *La Vie admirable du puissant Gargantua ensemble la nativité de son fils Pantagruel dominateur des*

Alterés avec les faits merveilleux du disciple dudit Pantagruel, Paris.

1546 Rabelais : *Tiers Livre* (utilise des thèmes du *Songe de Pantagruel* : mariage, dettes, consultations).

1552 Rabelais : *Quart Livre* (utilise le thème du voyage, emprunté au *Disciple de Pantagruel*).

1564 Rabelais : *Cinquiesme Livre.*

1565 (9) *Les Songes drolatiques de Pantagruel où sont contenues plusieurs figures de l'invention de François Rabelais : et derniere œuvre d'iceluy, pour la récréation des bons esprits*, Paris, R. Breton, 1565 *(120 gravures).*

Le XVIe siècle finit, mais pas *Gargantua*, dont la vie se prolonge encore très tard :

1675 *Chroniques du roi Gargantua cousin du tres redouté Gallimassue.*

1715 *Vie du fameux Gargantua, fils de Briarée et de Brigantine.*

L'amusant de cet entrelacement est bien sûr :

— le mélange dans les *Chroniques* de faits folkloriques et des récits arthuriens rattachant, *via* Merlin, la vie de Gargantua au service d'Artus (qui d'ailleurs ne joue pas un rôle brillant) ;
— la fécondation réciproque des deux séries, celle qui a un nom d'auteur et celle qui vit encore de l'anonymat des livrets narratifs ;
— la fécondation réciproque des textes rabelaisiens et des autres : on le recopie, mais il emprunte l'idée de navigation par exemple. La séparation des textes « savants » et des textes « populaires » n'est pas absolue : les médiations culturelles jouent encore dans les deux sens, et pas seulement, avec condescendance, de la science vers les incultes.

Que lire ?

Les titres 1, 3, 5, 6 sont réunis dans la publication des *Chroniques Gargantuines*, par C. LAUVERGNAT et *alii*, STFM, Nizet, 1988.

Le recueil de dessins n° 9 a été édité par M. JEANNERET aux éditions [VWA], 1989.

Quelques exemples de la version populaire :

LES GRANDES ET INESTIMABLES CHRONIQUES

Table des chapitres (p. 142, éd. Lauvergnat) [1]

S'ensuit la table de cette présente histoire et chronique de Gargantua.

1 - Comment Merlin fut appelé prince des nécromanciens à cause des grandes merveilles qu'il faisait.
2 - Comment Merlin demanda congé d'aller en Orient pour faire GrandGosier et Galemelle qui étaient le père et la mère de Gargantua.
3 - Comment Merlin fit la grande jument pour porter le père et la mère de Gargantua.
4 - Comment GrandGosier et Galemelle et Gargantua furent chercher Merlin : et comment la grande jument abattit les forêts de Champagne et de Beauce en s'émouchant de sa queue.
5 - Comment Gargantua et son père arrivèrent au bord de la mer près du Mont-Saint-Michel et le mauvais procédé que leur firent les Bretons.
6 - Comment les Bretons baillèrent à Gargantua et à son père et à sa mère grand nombre de vaches et de veaux pour le larcin qu'ils leur avaient fait.
7 - Comment le père et la mère de Gargantua portèrent le Mont-Saint-Michel et Tombelaine où ils sont à présent.
8 - Comment le père et la mère de Gargantua moururent, et du deuil que fit le pauvre Gargantua.
9 - Comment Gargantua s'en alla à Paris pour passer son deuil. Comment il prit les deux cloches de Notre-Dame de Paris pour les pendre au cou de sa grande jument.
10 - Comment les Parisiens le prièrent qu'il les remît en leurs places où elles sont à présent, ce que fit Gargantua, moyennant le déjeuner qu'ils lui offrirent.
11 - Comment Gargantua s'en retourna au Mont-Saint-Michel et comment Merlin lui apparut et l'emmena à la Cour du Roi Artus pour servir ledit roi.

1. L'orthographe des textes du dossier et modernisée.

12 - Comment Gargantua défit les Gogs et Magogs de sa massue. Et comment ledit Gargantua fit son premier repas à la Cour du Roi Artus et fut servi de plusieurs mets, et de ses habillements de livrée.
13 - Comment Gargantua fit guerre aux Hollandais et Irlandais et comment ils lui donnèrent deux navires pleins de harengs frais et trois barriques de maquereaux salés pour son déjeuner pour avoir une trêve. Et comment il s'endormit la bouche ouverte et il tomba trois cents des citoyens en sa gueule.
14 - Comment il gagna la bataille et mit le roi en sa gibeciere et un grand nombre de seigneurs qu'il mit en prison dans sa dent creuse.
15 - Comment Gargantua retourna à la Cour du Roi Artus et lui fit présent des prisonniers et du Roi de Hollande et d'Irlande.
16 - Comment Gargantua alla combattre contre un géant. Et comment ledit Gargantua lui plia les reins et le mit dans sa gibeciere.

ADMIRABLES CHRONIQUES

Naissance (p. 179, éd. Lauvergnat)

Or nous dit le conte que tandis que Grand Gosier était ainsi échauffé à chasser après ces bêtes, Galemelle sentit le mal d'enfantement et si ne savait à qui se plaindre. Or était-elle près de la montagne des fées, laquelle montagne a plus de sept grands lieues de tour. Et quand son grand mal la pressa tellement qu'elle ne se savait contenir, elle s'écria si très haut que toute ladite montagne se prit à crouler comme si la terre eut tremblé. Lors issirent de la montagne les dieux Faunus et Silvanus, tout chenus et couverts de mousse, et sortit aussi environ cent satyres et Sagittaires pensant que le dieu Jupiter les eut invoqués, d'autre part sortirent une légion de Lutins regardant par les crevasses des arbres lesquels n'eussent osé remuer l'œil craignant la fureur des Dieux : mais à chef de temps (*au bout de quelque temps*) au dernier cri de Galemelle, sortirent Morgain Cibelle, Proserpine Abellonne, Ysangrine Florentine, et Philocatrix qui était aïeule de Melusine, lesquelles garnies de linge et de tous les autres accoutrements servant à ladite délivrance de l'enfant se trouvèrent prêtes à le recevoir. De laquelle vision et apparition fut moult émerveillée ladite Galemelle, car elle pensait que ce fut la Vierge Marie et les Onze mille Vierges qui fussent venues à son cri. Lors la belle Ysengrine, la gente Cibelle, et la douce Morgain la coucherent tout doucement dans une belle prée, tapissée de beau velours vert, en laquelle prée étaient certains rehaussements si bien faits et si bien appropriés qu'ils ressemblaient être beaux lits, et à l'heure que Galemelle ressentit son plus grand mal, la noble Proserpine commença à déployer sa gorge (*chanter*) si très doucement et les autres avec elles, que le noble Titan au signe de Scorpion s'arrêta trois heures. La Lune *in Libra* (*au signe de la Balance*) six heures. Les vents sans haleiner trois jours. Et les arbres sans oser remuer une seule feuille trois mois. Tous dieux, demi-dieux, nymphes, paranymphes, déesses et autres se montrèrent fort serviables audit enfantement. Car la mélodie endormit Galemelle tellement que l'enfant sortit tout à son aise sans qu'elle sentit aucun mal et était aussi grand qu'un homme de 27 ans de ceux de maintenant, et le reçurent bien joyeusement, Ysangrine et Cornaline, Isabelle et Philocatrix le nettoyèrent et le baignèrent en un bassin de féerie tout d'or massif lequel tenoit au moins sept pipes et demi d'eau, Madame Cibelle l'avoit rempli d'eau rose sentant plus fort que baume. Il y avait tout joignant ladite montagne une église où résidait un ermite auquel, après avoir donné la destinée à l'enfant, le portèrent, et le baptisa ledit ermite sur la chaussée d'un grand étang qui était joignant d'icelle église, le clerc dudit ermite fut son parrain, Morgain et Philocatrix furent ses marraines, l'ermite était nommé Guibert et son clerc avait nom Pacollet, mais l'ordre de féerie voulut qu'il fut nommé Gargantua, car il avait été ainsi prédestiné des Dieux. Puis après le mystère de baptême fait et accompli, les fées s'évanouirent et laissèrent l'enfant pendant aux mamelles de sa mère, laquelle s'éveilla quand Grant Gosier retournait de chasse, lequel était chargé de 27 grands cerfs comme il est dit. Quand il fut bien près d'elle, il avisa qu'elle était accouchée et aperçut que c'était d'un enfant mâle. Adonc il dit tout haut « Gargantua » lequel est un verbe grec, qui vaut autant à dire comme « tu as un beau fils ». Adonc la mère dit qu'elle voulait qu'il eût ainsi nom, dont le père fut bien d'accord, ne sachant qu'il eut été ainsi predestiné par les fées.

2. LA TRADITION POPULAIRE ORALE : RABELAIS ET LE FOLKLORE DU GÉANT GARGANTUA

Depuis les travaux de Paul Sébillot, et surtout d'Henri Dontenville, le recensement des lieux qui doivent un petit quelque chose à notre géant, dont il ne fait ainsi nul doute qu'il soit un lointain dieu national, est presque complet. Dieu des montagnes (qu'il déplace, qu'il crée en secouant la boue de ses chaussures, ou modèle de son postérieur) et des pierres (qu'il jette comme palets, qu'il utilise comme ustensiles courants), dieu des rivières qu'il avale (la Durance) ou qu'il pisse (le Rhône, pas moins !), Gargantua mêle sa vie aussi à diverses légendes de saints dont les sanctuaires pourraient bien avoir été établis sur d'anciens lieux qui lui étaient consacrés : Blaise (dont la parenté est grande avec le dieu celte Bélénos), guérisseur des maux de gorge ; Michel, comme lui protecteur des montagnes et des abbayes (tant au mont Cassin en Italie qu'au Mont-Saint-Michel) ; saint Gorgon, saint Maurice, saint Christophe (géant lui aussi), saint Martin, dans divers aspects de cultes locaux, semblent avoir « christianisé » de vieux exploits de l'ancêtre…

Rabelais, évoquant les facéties destructrices (la Beauce rasée) et constructrices (menhirs et dolmens) de Gargantua et Pantagruel, ne fait que suivre là une tradition que la géographie et l'onomastique lui livrent toute crue.

À côté de cette version purement folklorique et locale, il exploite une caractéristique que les mythographes ont retrouvée avec certitude : la parenté du géant avec Hercule, notre mythologique ancêtre (nos rois ne descendent-ils pas de lui, via *une belle fille de roi gaulois ?), destructeur de méchants géants, grand buveur (et plus prolifique encore), et grand conquérant.*

Enfin le nom même et ses corrélats dans l'action font du géant la gorge qui avale tout, un représentant des mondes à l'intérieur de la terre, que l'on explore comme Inferi *pleins de nauséabonds Enfers.*

Que lire ?

BEAUNE C., *Les Origines de la nation française*, Gallimard, 1987.

CEARD J., « La querelle des Géants », *Journal of Medieval and Renaissance Studies*, 1978.
DONTENVILLE H., *La Mythologie française*, Payot, 1948.
PILLARD Guy-Édouard, *Le Vrai Gargantua*, éditions Imago, 1987.

3. DU CÔTÉ DES CLERCS : TRADITION PARODIQUE SAVANTE

La présence constante d'une tradition parodique parallèle aux textes religieux et dans le plus grand respect de la religion a été mise en valeur par les historiens. L'on n'attend pas la libre pensée pour se livrer à des travestissements dont le caractère rituel garantit la valeur cathartique : quelques jours l'an, on se laisse aller à l'irrespect pour le plus grand bien de tous. Dans un ordre d'idée assez proche, Umberto Eco, dans son Nom de la Rose, *a raconté la fantaisie libératrice de la* Cena Cypriani (Festin de Cyprien), *joie des moinillons poétisant les récits édifiants. Il semble que l'ordre des Franciscains, auquel Rabelais appartint vingt ans, parce qu'il était soucieux de demeurer proche du peuple de ses dévots, a plus qu'un autre véhiculé en toute piété les plaisanteries et un caractère joyeux (qui n'est pas pour rien dans la légende tenace des moines débauchés). À côté des fêtes de l'Âne (revêtu des habits de l'évêque !), la tradition a conservé divers chefs-d'œuvre de parodies bilingues.*

Après le XIIIe siècle, et l'influence des goliards, les textes sont souvent plus incisifs, et font apparaître des velléités plus subversives, vantant, et pas seulement en Carnaval, la joyeuse vie des buveurs. Credo au ribaut, Patenostre du vin *rejoignent alors les textes tendancieux qui s'en prennent au clergé.*

Les causes juridiques, la grammaire, font l'objet du même traitement : le chef-d'œuvre le plus connu est le Testament *de Villon.*

Que lire ?

Burlesque et obscénité chez les troubadours, le contre-texte au Moyen Âge, présenté par Pierre BEC, Stock +, 1984.
Théâtre comique du Moyen Âge, présenté par Claude-Alain CHEVALIER, 10/18, 1973.

GAIGNEBET C. et LAJOUX D., *Art profane et religion populaire*, PUF, 1985 (textes et iconographie).
GILSON É., *Rabelais Franciscain*, Vrin, 1931.
ILVONEN E., *Parodies de thèmes pieux dans la poésie française du Moyen Âge*, Paris, Champion, 1914.
LEROUX DE LINCY, *Recueil de sermons et farces*, Paris, Techener, 1837.
VIOLLET LE DUC, *Ancien Théâtre français*, Bibliothèque Elzevirienne, 1854.

Quelques exemples :

• *La messe des buveurs*, dont nous traduisons ici le *Pater* :

Père Bacchus qui es dans nos verres, que soit bien bu le bon vin, que ton règne arrive, que ta tempete soit faite dans Decius (celui qui prit ici) comme dans la taverne. Donne-nous aujourd'hui notre vin quotidien, et renvoie-nous nos coupes, comme nous les renvoyons à ceux qui boivent avec nous, et ne nous induits pas en dépenses, mais écarte les ploucs du bon (vin). Stramen.

Ilvonen, *op. cit.*, p. 4.

• *Sermon de bien boire à deux personnages, c'est assavoir le prêcheur et le cuisinier :*

Bibite et comedite. Matthei undecima secunda (*buvez et mangez*. Matthieu 11, 2 = institution de la Cène).
Messeigneurs faites paix. Hola !
Les paroles cy proposées
Si furent jadis composées
Dedans le fonds d'un beau cellier
Comme récite (raconte) Saint Vallier,
Écrites d'or en lettres jaunes
Sur un tonneau de vin de Beaune
Au quart livre *ad Epheseos* (*Épître de saint Paul aux Éphésiens*)
Et furent racontées et dites
Du tout et de nouveau écrites
Undecimo ad hebraeos (*chap. 11 de l'Épître de saint Paul aux Hébreux*),
Là où dit Monseigneur Saint Paul
qu'il faut toujours boire jusqu'au clou
Tandis qu'on a denier et maille (*menue monnaie*)

Et puis après, vaille que vaille,
Dominus, providebis nos (Seigneur, tu veilleras sur nous)
[...] et aussi Dieu nous avisa
De bien boire, et nous parla,
Et nous dit ce mot : *Sitio* (*J'ai soif* = parole du Christ à l'agonie sur la croix).

Ancien Théâtre français, *op. cit.*, tome II.

4. DU CÔTÉ DES CLERCS : LA SATIRE DES MŒURS D'ÉGLISE

L'anticléricalisme est chose courante à ces époques croyantes, on dirait même d'autant plus que les chrétiens sont offusqués par des pratiques qui leur semblent plus scandaleuses au fur et à mesure qu'ils réfléchissent. Dénoncer les abus réclame une parole incisive, que le comique fournit. La critique des mœurs des prêtres, des superstitions, des abus de la papauté ou des dévotes maquerelles, emprunte les voix de la satire et hérite, mais cette fois avec des ennemis bien précis, des méthodes et des véhémences carnavalesques.

Que lire ?

Le Chansonnier huguenot du XVIe siècle, tome I : chansons satiriques ; recueilli par Henri BORDIER, Paris, 1870.
ÉRASME, *Éloge de la folie*, trad. par P. de NOLHAC, G.F., 1964.
MAROT, *Œuvres*, Garnier-Flammarion, 1973.
MERAY A., *Les libres prêcheurs devanciers de Luther et Rabelais*, Paris, 1860.

Quelques exemples :

• *La parodie devenue arme : l'*Éloge de la folie *:*

(La Folie fait son propre éloge et énumère les catégories de gens qui lui doivent tout.)

Il vaudrait mieux, sans doute, passer sous silence les théologiens, éviter de remuer cette Camarine, de toucher à cette herbe infecte. Race étonnante sourcilleuse et irritable, ils prendraient contre moi mille conclusions en bloc et, si je refusais de me retracter, me dénonceraient sans délai comme hérétique. C'est la foudre dont ils terrifient instantanément qui leur déplaît. Je n'ai jamais rencontré personne qui soit moins reconnaissant qu'eux de mes bienfaits quoique je les en accable. L'amour-propre par exemple les juche au troisième ciel. Du haut de ce séjour enchanté, ils regardent le reste des mortels, troupeau rampant sur terre, et le prennent en pitié. Je les entoure d'une armée de définitions magistrales, conclusions, corollaires, propositions implicites et explicites ; ils sont munis de tant de faux-fuyants qu'ils sauraient échapper aux filets de Vulcain par des distinctions dont ils disposent et qui trancheraient tous les nœuds plus aisément que la hache de Tenedos. Leur style regorge de néologismes et de termes extraordinaires. Ils expliquent à leur manière les arcanes des mystères : comment le monde a été créé et distribué ; par quels canaux la tache du péché s'est épandue sur la postérité d'Adam ; par quel moyen, dans quelle mesure, et à quel instant le Christ a été achevé dans le sein de la Vierge ; de quelle façon dans le sacrement les accidents subsistent sans la matière. [...] Leur érudition à tous est si compliquée que les Apôtres eux-mêmes auraient besoin de recevoir un autre Saint-Esprit pour disputer de tels sujets avec ces théologiens-là.

Saint Paul, reconnaissent-ils, a eu la foi, mais il la définit bien peu magistralement en disant : « La foi est la substance de l'espérance et la conviction des choses invisibles. » Il pratiquait parfaitement la charité, mais il ne l'a ni divisée, ni définie selon la dialectique, dans la première Épître aux Corinthiens, chapitre XIII. Les Apôtres assurément consacraient avec piété l'Eucharistie ; mais qu'auraient-ils répondu sur le terme *a quo* et sur le terme *ad quem*, sur la transsubstantiation, sur la présence du même corps en divers lieux, sur les différences du corps du Christ au Ciel, sur la croix, et dans le sacrement, sur l'instant où se produit la transsubstantiation et celles des paroles opérantes qui y suffisent. N'en doutons pas, les réponses des Apôtres eussent été beaucoup moins subtiles que les dissertations et définitions des Scotistes. [...] Ils adoraient certes, mais en esprit, se bornant à suivre cette parole évangélique : « Dieu est esprit et doit être adoré en esprit et en vérité. » Il ne semble pas qu'on leur ait révélé qu'une adoration pareille soit due à une médiocre image tracée au charbon sur un mur et qui montre le Christ lui-même, pourvu qu'elle présente les deux doigts levés, de longs cheveux et trois rayons adhérents sur l'occiput. Pour connaître ces choses, ne faut-il pas avoir étudié au moins trente-six ans la physique et la métaphysique d'Aristote et de Scot ? [...]

Ces docteurs cependant se montrent assez modestes pour ne pas condamner ce que les Apôtres ont écrit d'imparfait et de peu magistral ; on consent à honorer à la fois l'antiquité et le nom apostolique ; et en vérité, il ne serait pas juste d'attendre des Apôtres le grand enseignement dont leur Maître ne leur a jamais dit mot. Mais quand la même insuffisance se révèle chez Chrysostome, Basile ou Jérôme, il faut bien noter au passage : « ceci n'est pas reçu. » C'est seulement par leur vie et leurs miracles que ces Pères ont réfuté les Philosophes ethniques, fort obstinés de nature, ceux-ci étant incapables de comprendre le moindre *quodlibetum* de Scot. Mais aujourd'hui quel païen, quel hérétique ne rendrait aussitôt les armes devant tant de cheveux coupés en quatre ? Il en est, il est vrai, d'assez obtus pour ne pas entendre nos docteurs, d'assez impertinents pour les siffler, ou même d'assez bons dialecticiens pour soutenir le combat. Ce sont alors magiciens contre magiciens, luttant chacun avec un glaive enchanté et n'arrivant à rien qu'à remettre sans fin au métier l'ouvrage de Pénélope. [...]

Vous jugez de leur félicité ! Ils pétrissent et repétrissent à leur gré, comme de la cire, les Lettres sacrées ; ils présentent leurs conclusions, approuvées déjà par quelques scolastiques, comme supérieures aux lois de Solon et même préférables aux décrets pontificaux ; ils se font les censeurs du monde et exigent qu'on rétracte tout ce qui ne s'adapte pas exactement à leurs propres conclusions explicites et implicites ; enfin ils prononcent leurs oracles : « Cette proposition est scandaleuse ; cette autre est irrévérencieuse ; celle-ci sent l'hérésie ; celle-là sonne mal. » Aussi, ni le baptême ni l'Évangile, ni saint Paul ou saint Pierre, ni saint Jérôme ou saint Augustin, ni même saint Thomas, l'Aristotélicien suprême, ne sauraient faire un chrétien, s'ils n'ajoutent à leur enseignement l'autorité de ces bacheliers grands juges en subtilités. Croirait-on pas qu'il n'est pas chrétien de dire équivalentes ces deux formules : « pot de chambre tu pues » et « le pot de chambre pue » ? De même, « bouillir à la marmite » ou « bouillir dans la marmite », ce ne sera la même chose que si ces savants l'ont enseigné. De tant d'erreurs, à la vérité inaperçues jusqu'à eux, qui donc eût purgé l'Église s'ils ne les avaient signalées sous les grands sceaux des Universités ! Combien ils sont heureux, quand ils exercent cette activité et lorsqu'ils décrivent minutieusement toutes les choses de l'Enfer, comme s'ils avaient passé des années au sein de cette république ; et lorsqu'ils fabriquent à leur fantaisie des sphères nouvelles, en ajoutant la plus étendue et la plus belle, afin que l'espace ne manque pas aux âmes bienheureuses pour se promener, banqueter ou jouer à la paume ! De telles sottises et mille autres semblables leur bourrent et farcissent le cerveau au point que celui de Jupiter était moins surchargé, lorsqu'il implora la hache de Vulcain pour lui accoucher Pallas. Ne vous étonnez donc pas de les voir, aux jours de controverses publiques, la tête si serrée dans leur bonnet, puisque sans cela elle sauterait en éclats.

Je ris souvent, à part moi, en constatant de quelle façon ils établissent leur supériorité théologique. C'est à qui emploiera le langage le plus barbare et le plus grossier ; c'est à qui balbutiera au point de n'être entendu que par un bègue. Ils se disent profonds quand le public ne peut les suivre ; ils jugent même indigne des Lettres sacrées de plier aux lois des grammairiens. Ce serait l'étrange prérogative des théologiens d'être seuls à parler incorrectement, s'ils ne la partageaient avec une foule de gens du peuple. Enfin, ils se croient voisins des Dieux, chaque fois qu'on les salue avec dévotion du titre de *magister noster*.

Érasme, *Éloge de la folie*,
LIII, éd. Garnier-Flammarion, pp. 66-68.

• *La fatrasie, ou comment mêler les phrases importantes aux anodines :*

Épître du Coq à l'Âne

[...] Toutesfois, Lyon, si les ames
Ne s'en vont plus au Purgatoire,
On ne me saurait faire croire
Que le Pape y gagne beaucoup.
A la campagne, acoup ! acoup !
Hau, capitaine Pincemaille !
Le Roy n'entend point que merdaille
Tienne le rang des vieux routiers.
Et puis dites que les moustiers

Ne servent point aux amoureux !
Bonne maquerelle pour eux
Est ombre de dévotion !
[...] Sire, ce disent les cafards,
Si vous ne brulez ces mâtins,
Vous serez un de ces matins
Sans tribut, taille, ni truage.
Qui diable fit le Cocuage
Des parisiens, l'autre été ?
Pour le moins si j'y eusse été,
On eut dit que c'eût été moi.
Touche là, je suis en émoi
Des froids amis que j'ai en France ;
Mais je trouve que c'est outrance
Que l'un a trop et l'autre rien.
Est-il vrai que ce vieil marrien
Marche encore dessus épines
Et que les jeunes tant poupines
Vendent leur chair cher comme crême ?
S'il est vrai adieu le carême
Au Concile qui se fera :
Mais Rome tandis bouffera
Des chevreaux à la chardonnette.
Attache moi une sonnette
Sur le front d'un moine crotté
Une oreille à chaque coté
Du capuchon de sa caboche ;
Voila un sot de la Basoche
Aussi bien peint qu'il est possible
De sorte qu'on ferait un crible
De tous les trous qui s'abandonnent
A ceux qui les richesses donnent. [...]
Lyon, veux-tu que je te dise ?
Je me trouve dispos des lèvres ;
Et d'autres bêtes que les chèvres
Portent barbe grise au menton. [...]

Marot, in *Œuvres*,
éd. Garnier-Flammarion, p. 114.

• *L'invective :*

À Lynote

Lynote,
Bigote,
Marmote,
Qui couds
Ta note
Tant sotte
Gringote
De nous.
Les poux,
Les loups,
Les clous,
Te puissent ronger sous ta cotte
Trestous
Tes trous
Ordous,
Les cuisses, le ventre et la motte.

Marot, *Ibid.*, p. 401.

5. UN COMBAT POUR FAIRE MIEUX : LE SAVOIR ET LA VÉRITÉ CONTRE LES ABUS

Le mouvement de rénovation des études suivant un modèle fondé sur l'apprentissage des littératures grecque et romaine rencontre l'hostilité des théologiens : non parce qu'elle risque de tendre à renouveler la pensée matérialiste païenne, mais dans un premier temps, parce qu'elle amène à se pencher avec suspicion sur les versions latines des textes religieux (la Bible est à l'origine en hébreu, puis en grec dans la version des Septante, l'Évangile en grec : or on se sert usuellement de traductions qui ont quelques imperfections). Les théologiens craignent donc que le libre examen des textes religieux ne fasse se multiplier les hérésies, d'autant que les variantes religieuses n'ont que trop tendance à leurs yeux à se multiplier, sous ce qu'ils appellent encore globalement « opinions luthériennes ».

Les efforts de François Ier pour fonder dans sa capitale un Collège trilingue, où l'on apprendrait les langues anciennes, comme on le fait en Espagne et surtout à Louvain, se heurtent donc à des résistances. Les écrivains et lettrés qu'il soutient le soutiennent à leur tour, et ne ratent pas une occasion de montrer la Sorbonne comme un repaire de vieux rancis, dont « le meilleur » est de l'aune de Janotus de Bragmardo.

Que lire ?

ÉRASME, *De l'institution des enfants*, in *Œuvres*, le Livre de poche, trad. par J. Chomarat, 1990.

FEBVRE L. et MARTIN H.-J., *L'apparition du livre*, Albin Michel, 1968.

GARANDERIE M.-M. DE LA, *Christianisme et Lettres profanes : essai sur la pensée de Guillaume Budé*, Champion, 1975.

Quelques exemples :

• *Les jugements de l'Université de Théologie :*

Détermination (= opinion définitive) de la faculté de Théologie de Paris faite le dernier jour d'avril de l'an du Seigneur 1530, sur deux propositions.

Première proposition : *la sainte Écriture ne se peut bonnement comprendre sans la langue grecque, hébraïque et autres semblables.* Censure : cette proposition est téméraire et scandaleuse.

Seconde proposition : *il ne se peut faire qu'un prédicateur explique selon la vérité l'épître ou l'évangile sans lesdites langues.* Censure : cette proposition fausse est impie et détourne de façon pernicieuse le peuple chrétien de l'audition de la Parole de Dieu. L'une et l'autre de ces deux propositions rend leurs auteurs extrêmement suspects de luthéranisme.

Censure de la Sorbonne contre l'enseignement des Lecteurs royaux, citée par A. Lefranc, *Histoire du Collège de France*, p. 122.

• *Contre la Sorbonne : le roi et les poètes :*

Autant comme eux, sans cause qui soit bonne,
Me veut du mal l'ignorante Sorbonne ;
Bien ignorante elle est d'être ennemie
De la trilingue et noble Académie
Qu'as érigée. Il est tout manifeste
Que là-dedans, contre ton vueil (*volonté*) céleste,
Est défendu qu'on voise (*aille*) allégant
Hebreu ni grec, ni latin élégant,

Disant que c'est langage d'hérétiques.
Ô pauvres gens de savoir tout étiques !
Bien faites vrai ce proverbe courant :
Science n'a haineux que l'ignorant.
Certes, ô Roi, si le profond des cœurs
On veut sonder de ces Sorboniqueurs,
Trouvé sera que de toi ils se deulent (*souffrent*).
Comment, douloir ? mais que grand mal te veulent
Dont tu as fait les lettres et les arts
Plus reluisants que du temps des Cesars ;
Car leurs abus voit-on en façon telle :
C'est toi qui as allumé la chandelle
Par qui maint œil voit mainte vérité
Qui sous épaisse et noire obscurité
A fait tant d'ans ici bas demeurance,
Et qu'il n'est rien plus obscur qu'ignorance.

Marot, *Épître au Roi, du temps de son exil*,
1534, in *Œuvres*, *op. cit.*, p. 105.

• *Contre le sérieux, la chanson :*

Sur l'air de *Je tiens la femme bien sotte...*

La Sorbonne, la bigotte,
La Sorbonne se taira !

Son grand hôte, l'Aristote,
De la bande s'ôtera
Et son écot, quoi qu'il coûte,
Jamais ne la saoulera !
La Sorbonne, la bigotte,
La Sorbonne se taira !

Qui a des ailes si hautes,
Car plus il ne volera !
Et de Lyra qui radote,
Désormais ne se lira !
La Sorbonne...

Bonaventure cagotte
Plus ne s'aventurera !
Thomas qui tourne et tricotte,
Plus rien ne taquinera.
La Sorbonne...

Ockam portera la hotte
Et ailleurs hoquinera !
Durand et telle cohorte
Longtemps plus ne durera.
La Sorbonne...

Là où la clarté se boute,
L'obscurité sortira !
L'Évangile qu'on rapporte
Le papisme chassera !
La Sorbonne...

La sainte Écriture toute
Purement se prêchera,
Et toute doctrine sotte
Des hommes on oubliera !
La Sorbonne...

Jésus-Christ qui nous conforte
Es cœurs des siens règnera,
Quoi que Sorbonne fagote,
La Foi plus éclairera !
La Sorbonne...

Chanson satirique, 1530 probablement, après l'exécution de Louis de Berquin. *Bulletin de la Société d'histoire du protestantisme*, 1862.

C'est pourquoi entre Pantagruel *et* Gargantua *la question des modèles de formation devient stratégique et ne peut plus prêter autant au scepticisme : le combat le plus urgent est d'assumer une rénovation, tant pis si, antérieurement, Rabelais avait laissé planer le doute sur le sérieux et la productivité de l'entreprise. Si, dans* Pantagruel, *la célèbre lettre de Gargantua est coincée entre les sources farcesques de documentation de la bibliothèque de l'abbaye de Saint-Victor et le résultat admirable qu'est le jugement du procès Baisecul-Humevesne ; dans* Gargantua, *le vieux monde enterré ne resurgit plus. On a beaucoup discuté sur l'ampleur de ladite formation et considéré comme suspects de dérision certains éléments : étudier même à table ou sur sa chaise percée ? apprendre tout par boulimie mentale ? est-ce bien raisonnable ? Les témoignages concrets sur les programmes et les pratiques des milieux les plus nobles et les plus savants répondent qu'on peut faire plus zélé encore. Les traités d'éducation se sont multipliés, tant pour vanter le savoir-vivre et le savoir parler en société* (*Castiglione,* Le courtisan), *que pour évaluer les programmes de formation, depuis les traités d'Érasme* (De l'éducation des enfants, *et* La civilité puérile et honnête) *jusqu'à ceux de Mélanchthon, le disciple de Luther, qui vont faire école largement en dehors de l'Allemagne.*

Nous prendrons pour témoin ce programme d'étude formulé par l'ami de Ronsard, le professeur de latin et grec Marc-Antoine Muret :

• *Projet d'éducation :*

J'exposerai aussi brièvement que clairement, depuis la ligne de départ, comme on dit, jusqu'à la ligne d'arrivée, à l'usage de ceux qui ont pris à cœur d'exceller dans la pratique et la connaissance des Belles Lettres, la méthode et le programme que je crois recommandables. Partie d'entre vous reconnaîtra chemin faisant le cursus qu'eux-mêmes ont déjà parcouru et accompli jusqu'au bout ; d'autres découvriront, sous ma conduite, le chemin qui mène à la gloire véritable. Je ne crois pas avoir besoin pour cela de requérir votre attention. Je la solliciterais vainement si le sujet même que j'aborde ne me la conciliait d'avance. Qu'on me permette donc de poser d'entrée de jeu que la maîtrise de la langue latine est, à l'heure actuelle, l'outil indispensable à l'acquisition des richesses du savoir. Ceux qui le nient ou bien sont aveugles, ou, poussés par la passion de la dispute, n'ont d'autre souci que de faire parade de subtilité en contestant la vérité.

Je veux donc que l'enfant, que nous commençons à former et à décrire, enfant de bonne famille, possesseur d'une fortune convenable, d'une constitution assez robuste pour endurer la fatigue des études, doué d'un esprit sans rudesse ni grossièreté, mais aussi sans mollesse ni délicatesse excessive, mais plutôt distingué et enclin à la vertu, dès qu'il entrera dans sa sixième année, se mette à apprendre par jeu et plaisanteries, les formes, noms et valeurs des lettres grecques et latines ; et pour qu'il y prenne plaisir, on l'y incitera non par des menaces et des coups, mais par des menues récompenses qui ont beaucoup d'effet à cet âge. Quand il aura employé une année à cela, au point de lire aisément et couramment le grec et le latin, à sept ans on le familiarisera avec les premières règles, surtout grammaticales, de ces deux langues, lui apprenant à décliner et conjuguer noms et verbes et à les associer et accorder entre eux correctement. Je voudrais qu'on y consacrât la septième année tout entière.

Qu'à huit ans on commence à lui faire entendre et lire quelques textes, choisis de façon à façonner déjà son caractère et à lui donner du plaisir, plutôt qu'à exiger de lui une attention soutenue. Rempliront admirablement cet office, en grec, les fables d'Ésope et les poèmes de Phocylide. Les Latins manquent d'auteurs de cette sorte, à moins qu'on ne veuille offrir à cet âge les mêmes fables dans l'élégante traduction en vers latins qu'en a donnée Gabriel Faerne, un homme aussi bon que savant ; on peut y ajouter tout poème court proposant des maximes de vie dans un langage châtié. Les deux années qui suivent, savoir les neuvième et dixième, je les emploierais ainsi : le matin, l'enfant lirait les ouvrages de Xénophon sur l'éducation de Cyrus, c'est la lecture la plus pure et la plus agréable du monde, et l'après-midi, de préférence les *Commentaires* de César, qui, de tous les Latins, est à mon avis celui qui se rapproche le plus de cette simplicité lumineuse de Xénophon. La onzième année serait donnée aux comédies, avec cette réserve que tout ce qui, dans Térence et dans Plaute, ou plus encore chez Aristophane, risquerait de souiller l'âme enfantine en soit retranché ou laissé de côté. Je voudrais que cette recommandation une fois faite restât valable pour tous les genres d'écrits.

À douze ans on jumellera les *Idylles* de Théocrite, Moschos, Bion, avec les *Bucoliques* de Virgile, Hésiode avec les *Géorgiques*, et avec l'*Énéide* les deux poèmes d'Homère. Je ne pense pas que le maître doive expliquer tous ces ouvrages intégralement : quand l'élève en saura assez sur chacun pour pouvoir, comme on dit, nager sans bouée, il achèvera la lecture de son propre mouvement. À cela il me semble que deux années devraient suffire. Pendant ce temps, le maître mettra tout son zèle et soin à ce que l'enfant s'exerce à parler latin chaque jour, à écrire au moins tous les deux jours.

Au seuil de la puberté, je l'exercerai d'abord à ce que les Grecs appellent les *progymnasmata*, c'est-à-dire des sortes de préludes ou préliminaires à l'art du discours ; c'est le sujet d'un merveilleux petit livre de Théon le Sophiste, que je mettrais tous les ans, si j'en avais le pouvoir, au programme des écoles, afin que les jeunes gens ne cessent de pratiquer les conseils qui y sont donnés. Hélas ! ce genre d'exercice, comme d'ailleurs presque tout l'excellent système d'éducation d'autrefois, n'est pas seulement abandonné depuis longtemps, mais recouvert et enseveli par l'oubli. Il suffirait de le remettre en usage pour voir en peu d'années surgir une multitude d'orateurs vraiment diserts et éloquents ; quant à nos bavards, à qui leur gesticulation clownesque, leurs contorsions de langue et leur impudence ont valu une réputation d'éloquence, ils tomberaient dans un tel décri que personne ne voudrait les écouter.

Je veux qu'ainsi préparé l'adolescent se donne tout entier à Cicéron et s'immerge dans cette richissime et abondantissime source d'éloquence, en gardant toujours cette habitude que nous avons établie dès le début, de comparer les Grecs aux Latins, le semblable avec le semblable. Quand il lira les lettres de Cicéron, qu'il parcoure avec le même zèle celles de Platon, d'Isocrate, de Démosthène et des autres Grecs (on les trouve aujourd'hui réunies en deux volumes). Qu'à ces livres sur la rhétorique il joigne les ouvrages d'Aristote sur le même sujet, et les écrits que Denys d'Halicarnasse, Démétrius d'Alexandrie, Hermogène, Longin, ont consacrés à la même question. Les discours de Cicéron seront comparés avec ceux de Démosthène, d'Eschine, de Lysias, et des autres orateurs grecs anciens ; les dialogues philosophiques avec les dialogues de Xénophon et de Platon. Qu'en même temps il trouve du plaisir à la lecture d'autres genres de poètes, comparant Pindare à Horace, Euripide, Sophocle, Eschyle, à Sénèque, Apollonius à Valerius Flaccus, les épigrammes grecques à Catulle et à Martial. Qu'il fasse de même avec les historiens et confronte Hérodote, Thucydide, Xénophon, Polybe, avec Tite Live, Salluste, Tacite. Et puisqu'on ne peut comprendre l'histoire sans la connaissance de la géographie, ni celle-ci sans une teinture des sciences mathématiques, il lui faudra consacrer à ces deux disciplines aussi une partie de son temps.

Lorsqu'enfin il sera parvenu à sa majorité, pour parler comme les juristes, c'est-à-dire à ses dix-huit ans, il pourra embrasser des matières plus hautes : d'abord les règles des analytiques et de la dialectique, non à travers les fondrières des Barbares, mais directement dans Aristote et chez les commentateurs grecs d'Aristote, et qu'il s'y exerce vraiment sérieusement pendant deux ans. Si ainsi éduqué et préparé notre adolescent décide de consacrer sa vie entière à l'*otium litterarium*, il aura de quoi s'occuper, il ne manquera jamais d'aliment spirituel, quand bien même il lui serait accordé de vivre de nombreux siècles. Mais s'il envisage d'appliquer son esprit à la médecine, au droit, ou à la théologie, il faut que le futur médecin se donne d'abord des notions de physique, le futur juriste des notions de morale et de politique, et le théologien des deux en y ajoutant l'étude de la langue hébraïque : alors chacun pourra aborder les études que j'ai dites. Ainsi quel que soit le métier où le portera sa nature, nul doute que bien longtemps avant qu'il n'ait le nombre d'années qui avait, dit-on, la préférence de Lycurgue, le seul parfait, entre soixante et cent, il ne devienne en sa partie ce que Roscius, à en croire Cicéron, était dans la sienne, ce qu'aux Enfers était Tirésias, selon Homère, qui le donne comme le seul sage, alors que les autres n'étaient que des ombres vagabondes.

Muret, Extrait des *Orationes*, Venise, 1575,
in *Prosateurs latins du* XVI*e siècle*,
Presses de la Sorbonne, 1987, pp. 516-521.

6. LE RÊVE DES LETTRÉS : TEXTES D'UTOPIE

On a remarqué que le roman juxtapose plus qu'il ne montre la continuité de trois types d'éducation : rupture pour passer de l'éducation scolastique à l'éducation humaniste, mais aussi rupture pour passer de l'éducation humaniste à cette fiction entre couvent, cour et collège, qu'est l'abbaye de Thélème, lieu édifié pour Frère Jean, mais qui convient aussi mal que possible à ce moine dont le bréviaire épuise apparemment le savoir. Thélème vient d'ailleurs : elle témoigne, au sein d'un récit folklorique, de l'irruption adaptée d'un symbolisme venu d'Italie ou d'Angleterre, des désirs de l'humanisme de se construire un monde à la mesure de leur pureté. D'une part L'Utopie *de Thomas More, chancelier d'Angleterre, qui décrit dans une île au loin un modèle de société juste. D'autre part,* Le songe de Polyphile, *de Colonna, écrit en 1499, récit allégorique qui décrit l'éducation / l'initiation d'un jeune homme progressant dans le Jardin du Monde, entre autres sous la conduite de la nymphe Thelemie, la Volonté, vers le palais d'Éleuthérie, la Liberté. L'ouvrage est orné de gravures que toute l'Europe va recopier et adapter ; la cour de François Ier en fait grand cas, et les devises et ornements royaux en sont directement inspirés, ainsi que l'a montré A.-M. Lecoq. Rabelais à son tour semble bien s'en être inspiré, en esquissant au bout du chemin des institutions royales ce lieu d'éducation à la royauté intérieure, celle de gens « liberes et bien nz » qui ne renoncent pas au monde, mais entendent en faire un usage meilleur. Parvenus au terme du chemin d'éducation, il n'est plus, dans la volonté, que l'achèvement libre quoique unanime de la bonne nature. Plus rien à voir en effet avec l'instinct de beuverie, ni avec le tâcheronnage livresque si riche soit-il :*

mais une élite sans tristesse ni grossièreté, un corps sans souffrance ni peine, un esprit en joie.

Cependant, ce qui se construit là est bien l'équivalent rêvé d'une Cour, et non plus la rude et simple République égalitaire qui fonde sur l'agriculture et la sobriété ce que More appelle bien un monde des plaisirs de la nature, mais qui n'est voluptueux qu'après une ascèse effective.

Que lire ?

ALCIAT, *Emblèmes*, Aux amateurs de livres, 1989.
CASTIGLIONE, *Le courtisan*, Garnier-Flammarion, 1990.
LECOQ A.-M., *François Ier imaginaire*, Macula, 1988.
MARIN L., « Corps utopiques rabelaisiens », *Littérature*, 1976.

• *La Nature, le plaisir et la vertu :*

En philosophie morale, ils agitent les mêmes questions que nos docteurs. Ils cherchent dans l'âme de l'homme, dans son corps et dans les objets extérieurs, ce qui peut contribuer à sa félicité. Ils se demandent si le nom de *Bien* convient indifféremment à tous les éléments du bonheur matériel et intellectuel, ou seulement au développement des facultés de l'esprit. Ils dissertent sur la vertu et le plaisir : mais la première et principale de leurs controverses a pour objet de déterminer la condition unique, ou les conditions diverses du bonheur de l'homme.

Peut-être les accuserez-vous d'incliner à l'épicurisme : car si la volupté n'est pas, suivant eux, l'unique élément du bonheur, elle en est un des plus essentiels. Et, chose singulière, ils invoquent à l'appui de cette voluptueuse morale, la religion si grave et si sévère, si triste et rigide. [...] Ils définissent la vertu : vivre selon la nature. Dieu, en créant l'homme, ne lui donna pas d'autre destinée.

L'homme qui suit l'impulsion de la nature est celui qui obéit à la voix de la raison, dans ses haines et dans ses appétits. Or la raison enseigne d'abord à tous les mortels l'amour et l'adoration de la majesté divine, à laquelle nous devons et l'être et le bien-être. En second lieu, elle nous enseigne et nous excite à vivre gaiement et sans chagrin, et à procurer les mêmes avantages à nos semblables qui sont nos frères.

Thoma More, *L'Utopie*,
Éditions sociales, 1966, p. 146.

ÉCRITURE : UNE STRATÉGIE ESTHÉTIQUE ET MORALE

UN MODÈLE VENU D'ÉRASME : LE SILÈNE D'ALCIBIADE

On dit en effet que les Silènes étaient des figurines fendues d'une manière telle qu'on pouvait séparer les deux parties et ouvrir la figurine ; fermées elles ne présentaient qu'une apparence risible et déformée de joueur de flûte, mais ouvertes elles montraient soudain une divinité, de telle sorte que la plaisante tromperie rendait plus agréable l'art du sculpteur. Puis le sujet des statuettes fut tiré du grotesque Silène, pédagogue de Bacchus, et bouffon des divinités poétiques. Car celles-ci ont elles aussi, à l'imitation des princes de chez nous, leurs fous de Cour. [...] Et Alcibiade dans le *Banquet* de Platon, pour faire l'éloge de Socrate, le compare à des Silènes de ce genre, parce qu'il était très différent quand on le regardait de près de ce qu'il semblait d'après son allure et son apparence superficielles. Si on l'avait évalué d'après la peau, comme on dit, on n'en aurait pas donné un as. Il avait un visage rustique, un regard taurin, un nez camus et plein de morve. On aurait dit un polichinelle lourd et stupide. Vêtement négligé, langage simple, populaire et bas car il avait toujours à la bouche cochers, boutiquiers, foulons et ouvriers. En effet c'est de là qu'il tirait en général ses « inductions » avec lesquelles il chargeait dans la discussion. Condition modeste, épouse telle que même le plus bas des charbonniers ne pourrait la supporter. Il paraissait admirer la beauté des jeunes gens, il paraissait les aimer et être atteint de jalousie, alors qu'il était du tout au tout éloigné de ces passions comme Alcibiade lui-même l'avait reconnu. Enfin son perpétuel ton de plaisanterie avait un air bouffon. Comme à son époque l'ambition de professer la sagesse bouillonnait jusqu'à la démence parmi les fous, et que Gorgias n'était pas le seul à se vanter de tout savoir, lui seul ne cessait de répéter qu'il savait une seule chose, c'est qu'il ne savait rien. Il paraissait inapte à toutes les fonctions de la république, à tel point qu'un jour, ayant entrepris de traiter je ne sais quel sujet devant le peuple, il fut expulsé sous les rires. Et pourtant si on avait ouvert ce Silène tellement ridicule, on aurait trouvé une divinité plutôt qu'un homme, un cœur grand, sublime, et vraiment philosophique à qui toutes les choses pour lesquelles les autres mortels courent, transpirent, naviguent, plaident, font la guerre, n'inspiraient que dédain, sur lequel la fortune n'avait aucun pouvoir, et si étranger à la peur qu'il méprisa même la mort que tous redoutent [...] Donc il n'est pas injuste qu'à cette époque où tout regorgeait de sophistes, seul ce bouffon ait été proclamé sage par l'Oracle, et qu'il ait été jugé plus savant, lui qui ne savait rien, que ceux qui prétendaient tout savoir, et même jugé le plus savant de tous parce qu'il était le seul à ne rien savoir. Antisthène, Diogène, Épictète sont semblables. Telle est à coup sûr la nature des choses vraiment honnêtes : ce qu'elles ont de précieux, elles le renferment et le cachent à l'intérieur, ce qu'elles ont de plus méprisable elles l'exposent au premier plan et dissimulent leur trésor comme sous une vile écorce pour ne pas le montrer aux yeux profanes. Tout opposée est la manière des choses vulgaires et inconsistantes : leur aspect extérieur est séduisant, et ce qu'elles ont de plus beau elles le montrent du premier coup aux passants ; mais si on jette un regard à l'intérieur elles ne sont rien moins que ce qu'elles proposaient par leur titre et leur aspect.

Est-ce que ce ne fut pas un merveilleux Silène que le Christ ? s'il est permis de parler de la sorte de celui que doivent imiter selon leurs moyens, pourquoi pas, chacun de ceux qui se glorifient du nom de chrétien. Si l'on considère l'apparence extérieure du Silène, quoi de plus bas ou de plus méprisable selon l'estimation commune ? Des parents effacés et obscurs, une pauvre demeure ; lui-même pauvre, il eut très peu de disciples et fort pauvres, venus non des palais des Grands, non des chaires de Pharisiens, non des écoles des philosophes, mais d'une perception et de leurs filets de pêche. Ensuite sa vie : comme elle fut étrangère à tout plaisir ! par la faim, par la fatigue, par les outrages, par les humiliations il parvint pour finir à la croix. C'est à ce point de vue que le contemplait le saint prophète en disant : « Il n'avait point d'apparence ni de beauté. Nous l'avons vu et il n'avait point de figure ; nous l'avons perdu, il était méprisé comme le dernier des hommes » et une foule d'autres choses qui suivent cette phrase. Mais si l'on avait la chance, ce Silène une fois ouvert, de le regarder de plus près, c'est-à-dire s'il daignait se montrer lui-même aux yeux purifiés de l'âme, Dieu immortel ! quel trésor ineffable on trouverait : dans tant d'insignifiance, quel joyau ; dans tant d'humilité, quelles richesses ; dans tant de faiblesse, quelle force incroyable ; dans tant d'humiliation, quelle gloire ; dans tant d'épreuves, quel absolu repos ; enfin dans une mort aussi cruelle, une source intarissable d'immortalité.

Érasme, *Adages* (3e éd. 1515) in *Œuvres,*
trad. J. Chomarat, le Livre de poche, 1991, pp. 402-406.

(L'ensemble du commentaire de l'expression *Silène d'Alcibiade* porte ensuite sur la conduite des princes et des ecclésiastiques, pp. 407-435.)

• *Une construction complexe :*

GARGANTUA
Composition en alternance, d'après J. Paris

Dominante carnavalesque	*Dominante humaniste*
1 à 8 : Naissance de Gargantua (généalogie, Fanfreluches, grossesse, propos des bien-ivres, accouchement par l'oreille, imposition du nom, vêtements).	
	9 et 10 : Problème du symbolisme des couleurs blanc et bleu.
11 à 13 : Enfance de Gargantua (occupations, chevaux, torchecul).	
	14 et 15 : Problème de l'éducation.
16 à 22 : À Paris (voyage, cloches, Janotus, ancien mode éducatif).	
	23 et 24 : Pédagogie nouvelle.
25 à 28 : Origines de la guerre (fouaciers, Seuillé, La Roche-Clermault).	
	29 à 31 : Critique de la guerre (lettre et harangue).
32 à 45 : Guerre (conseil, retour, exploits, festin).	
	46 : Apologie de la paix, discours de Toucquedillon.
47 à 49 : Fin de la guerre, bataille terminale.	
	50 à 58 : Apologie de la paix, rénovation (discours aux vaincus, récompenses, Thélème, énigme).

GARGANTUA
Composition en inclusions, d'après G. Demerson

A chap. 2 - Énigme des Fanfreluches /naissance/
- B chap. 8 à 15 - Vêtements, première formation /voyage/
  - C chap. 17 à 20 - Vol des cloches /éducation, début de la guerre/
    - D chap. 27 - Le moine sauve l'abbaye
      - E chap. 28 à 31 - La Roche-Clermault, ambassade
        - F chap. 32 - Générosité de Grandgousier
          - G chap. 33 et 34 - Mauvais conseillers /exploits/
            - H chap. 38 - G. mange les pèlerins
              - J chap. 39 et 40 - Propos sur la vie des moines
                - K chap. 41 - Le moine fait dormir Gargantua
                - chap. 42 - Le moine donne courage à ses compagnons
              - chap. 43 et 44 - Le moine prisonnier se libère
            - chap. 45 - Grandgousier sermonne les pèlerins
          - chap. 47 - Renfort, railleries des conseillers
        - chap. 46 - Générosité de Grandgousier
      - chap. 48 à 51 - Assaut contre La Roche-Clermauet
    - chap. 52 - Construction pour le moine de l'abbaye de Thélème
  - chap. 53 - C'est rêverie de soi gouverner au son d'une cloche
- chap. 56 et 57 - Vêtements et éducation des Thélémites

chap. 58 - Énigme en prophétie

• *Un texte en expansion : la réécriture de 1542*

Exemple du chapitre 11.

Gargantua, depuis les trois jusques à cinq ans, fut nourri et institué en toute discipline convenante par le commandement de son père, et ce temps, il le passa comme les petits enfants du pays : c'est à savoir à boire, manger et dormir ; à manger, dormir et boire ; à dormir, boire et manger.

Toujours se vautrait par les fanges, se mâchurait le nez, se chaufourait le visage, éculait ses souliers, bayait souvent aux mouches et courait volontiers après les papillons dont son père tenait l'empire. Il pissait sur ses souliers, il chiait en sa chemise, il se mouchait à ses manches, il morvait dans sa soupe, et patouillait par tous lieux et buvait en sa pantoufle, et se frottait ordinairement le ventre d'un panier. Il aiguisait ses dents d'un sabot, lavait ses mains de potage, se peignait d'un gobelet, s'asseyait entre deux selles le cul par terre, se couvrait d'un sac mouillé, buvait en mangeant sa soupe, mangeait sa fouace sans pain, mordait en riant, riait en mordant, souvent crachait au bassin, petait de graisse, pissait contre le soleil, se cachait en l'eau pour la pluie, battait à froid, songeait creux, faisait le sucré, écorchait le renard, disait la patenôtre du singe, retournait à ses moutons, tournait les truies au foin, battait le chien devant le lion, mettait la charrette devant les bœufs, se grattait où il ne lui démangeait point, tirait les vers du nez, trop embrassait et peu étreignait, mangeait son pain blanc le premier, ferrait les cigales, se chatouillait pour se faire rire, ruait très bien en cuisine, faisait gerbe de foin aux dieux, faisait chanter Magnificat à matines et le trouvait bien à propos, mangeait choux et chiait purée, connaissait mouches en lait, faisait perdre les pieds aux mouches, ratissait le papier, chaffourrait le parchemin, gagnait au pied, tirait au chevrotin, comptait sans son hôte, battait les buissons sans prendre les oisillons, croyait que les nues fussent pailles d'airain et que vessies fussent lanternes, tirait d'un sac deux moutures, faisait l'ane pour avoir du bren, de son poing faisait un maillet, prenait les grues du premier saut, voulait que maille à maille on fit les haubergeons, de cheval donné toujours regardait en la gueule, sautait du coq à l'ane, mettait entre deux vertes une mûre, faisait de la terre le fossé, gardait la lune des loups, si les nues tombaient espérait prendre les alouettes, faisait de nécessité vertu, faisait de tel pain soupe, se souciait aussi peu des ras que des tondus, tous les matins écorchait le renard. Les petits chiens de son père mangeaient en son écuelle ; lui de même mangeait avec eux. Il leur mordait les oreilles, ils lui graffignaient le nez ; il leur soufflait au cul, ils lui léchaient les badigoinces.

• *Un autre texte de Rabelais en 1533 :*

PANTAGRUELINE PROGNOSTICATION
CERTAINE, VÉRITABLE ET INFAILLIBLE
POUR L'AN PERPÉTUEL

Nouvellement composée au profit et advisement de gens étourdis et musards de nature

PAR MAÎTRE ALCOFRIBAS
ARCHITRICLIN DUDIT PANTAGRUEL

AU LISEUR BÉNÉVOLE

Salut et paix en Jésus le Christ

Considérant qu'un nombre infini d'abus sont perpétrés à cause d'un tas de prognostications de Louvain, faites à l'ombre d'un verre de vin, je vous en ai présentement calculé une la plus sûre et véritable qui fut jamais vue, comme l'expérience vous le démontrera. Car sans doute, d'après ce que dit le Prophète Royal, Ps. 5, à Dieu : « Tu détruiras tous ceux qui disent mensonges », ce n'est léger péché de mentir volontairement et d'abuser le pauvre monde curieux de savoir choses nouvelles, comme de tous temps ont été particulièrement les Français, ainsi que l'écrit César en ses Commentaires et Jean de Gravot aux Mythologies Galliques. Ce que nous voyons encore de jour en jour en France, où les premiers propos qu'on tient aux gens fraîchement arrivés sont : « Quelles nouvelles ? Savez-vous rien de nouveau ? Qui dit ? Qui bruit par le monde ? » Et ils y sont tant attentifs que souvent ils se courroucent contre ceux qui viennent des pays étrangers sans rapporter de pleins sacs de nouvelles, les appelant veaux et idiots.

Si donc, comme ils sont prompts à demander des nouvelles, autant ou plus disposés à croire ce qu'on leur annonce, devrait-on pas mettre des gens dignes de foi à gages à l'entrée du royaume, qui ne serviraient à rien d'autre qu'à examiner les nouvelles qu'on apporte et à savoir si elles sont véritables ? Oui certes. Et ainsi a fait mon bon maître Pantagruel par tout le pays d'Utopie et Dipsodie. Aussi cela lui a-t-il si bien réussi et son territoire en est si prospère qu'ils ne peuvent maintenant suffire à boire, et il leur faudra répandre le vin par terre s'il ne leur vient d'ailleurs un renfort de buveurs et bons braillards.

Voulant donc satisfaire à la curiosité de tous bons compagnons, j'ai retourné tous les pantarches des cieux, calculé les carrés de la lune, crocheté tout ce que jamais pensèrent tous les Astrophiles, Habitants de Nuées, Gardiens des Vents, Pèlerins du Ciel et Porteurs d'ombre et conféré de l'ensemble avec Empedocle, lequel se recommande à votre bonne grâce.

Et tout le *Tu autem* ai-je ici en peu de chapitres rédigé, vous assurant que je n'en dis sinon ce que j'en pense, et je n'en pense sinon ce qui est, et n'est autre chose pour toute vérité que ce que vous en lirez à cette heure. Ce qui sera dit en supplément sera passé au gros tamis à tort et à travers, et peut-être bien que ça arrivera, peut-être bien que ça n'arrivera pas.

Je vous avertis d'une chose : si vous ne croyez le tout, vous me faites un mauvais tour, pour lequel ici ou ailleurs vous serez très lourdement punis. Les petites anguillades à la sauce de nerfs de bœuf ne seront épargnées sur vos épaules, et humez de l'air comme les huîtres tant que vous voudrez, car il y en aura de bien rôtis si le fournier ne s'endort.

Or mouchez vos nez, petits enfants, et vous autres, vieux rêveurs, affutez vos besicles, et pesez ces mots aux poids du Sanctuaire.

DU GOUVERNEMENT ET SEIGNEUR DE CETTE ANNÉE

Quelque chose que vous disent les fols astrologues de Louvain, de Nuremberg, de Tubingen et de Lyon, ne croyez pas qu'il y ait cette année un autre gouverneur de l'univers que Dieu le créateur, lequel par sa divine parole régit et équilibre, parole par laquelle toutes choses sont en leur nature, propriété et condition, Dieu sans la conservation et gouvernement duquel toutes choses seraient en un moment réduites à néant, comme de néant elles ont été par lui produites en leur être. Car de lui vient, en lui est et par lui se parfait tout être et tout lien, toute vie et mouvement, comme dit la trompette évangélique, Monseigneur Saint Paul (Épître aux Romains XI). Donc le gouverneur de cette année et toutes autres selon notre véridique résolution, sera Dieu tout puissant. Et Saturne, ni Mars, ni Jupiter, ni autre planète, même pas les Anges ni les Saints, ni les hommes ni les diables, n'auront de vertus et efficacité ni d'influence aucune sinon que Dieu leur en donne par son bon plaisir ; comme dit Avicenne : les causes secondes n'ont pas d'influence ni d'action si la cause première n'y influe. Dit-il pas vrai, le petit bonhommet ?

DES ÉCLIPSES DE CETTE ANNÉE

Cette année il y aura tant d'éclipses du soleil et de la lune que j'ai peur (et non à tort) que nos bourses en pâtiront d'inanition et nos sens de perturbation. Saturne sera rétrograde, Vénus directe, Mercure inconstant. Et un tas d'autres planètes n'iront pas à votre commandement.

Dont pour cette année les crabes iront de côté et les cordiers à reculons, les escabelles monteront sur les bancs, les broches sur les landiers et les bonnets sur les chapeaux ; les couilles pendront à plusieurs faute de gibecières ; les puces seront noires pour la plus grande part ; le lard fuira les pois en Carême ; le ventre ira devant ; le cul s'assiera le premier ; l'on ne pourra trouver la fève au gâteau des Rois ; l'on ne rencontrera pas d'as au flux ; le dé ne viendra pas à souhait quoiqu'on le flatte, et ne viendra pas souvent la chance qu'on demande ; les bêtes parleront en divers lieux. Quaresmeprenant gagnera son procès : une partie du monde se déguisera pour tromper l'autre et ils courront parmi les rues comme fous et hors de sens ; on ne vit jamais tel désordre dans la Nature. Et se feront cette année plus de XXVII verbes irréguliers, si Priscien ne les tient de court. Si Dieu ne nous aide, nous aurons beaucoup d'affaires ; mais à l'inverse, s'il est pour nous, rien ne nous pourra nuire, comme dit le céleste astrologue qui fut ravi jusqu'au Ciel (Romains VII chapitre *Si Dieu est pour nous, qui prévaudra contre nous ?*). Ma foi, personne, Seigneur, car il est trop bon et trop puissant. Ici bénissez son saint nom, pour recevoir la pareille.

LES MALADIES DE CETTE ANNÉE

Cette année les aveugles ne verront que bien peu, les sourds orront assez mal, les muets ne parleront guère, les riches se porteront un peu mieux que les pauvres, les sains mieux que les malades. Plusieurs moutons, pourceaux, oisons, poulets et canards mourront, et il n'y aura si cruelle mortalité chez les singes et dromadaires. Vieillesse sera incurable cette année à cause des années passées. Ceux qui seront pleurétiques auront mal au côté. Ceux qui auront un flux de ventre iront souvent à la selle percée. Les catharres descendront cette année du cerveau vers les membres inférieurs. Le mal des yeux sera fort contraire à la vue. Les oreilles seront courtes et rares en Gascogne plus que de coutume. Et il règnera quasi universellement une maladie bien horrible et redoutable, maligne, perverse, épouvantable, et malplaisante, qui rendra le monde bien terrifié et à cause de laquelle plusieurs ne sauront de quel bois faire flèche et bien souvent composeront en rêvasserie, syllogisant en la pierre philosophale et aux oreilles de Midas. Je tremble de peur quand j'y pense : car je vous dit qu'elle sera épidémiale, et Averroès l'appelle (au VII du *Colliget*) : *Faute d'argent*.

Et attendu la comète de l'an passé et la rétrogradation de Saturne, mourra à l'hôpital un grand maraud tout catharré et croutelevé, à la mort duquel il y aura une sédition horrible entre les chats et les rats, entre les chiens et les lièvres, entre les faucons et canards, entre les moines et les œufs.

[...]

Que lire ?

CAVE T., *The Cornucopian Text : Problems of Writing in the French Renaissance,* Oxford, Clarendon, 1979.

Facétie et littérature facétieuse à l'époque de la Renaissance, *Renaissance, Humanisme, Réforme*, N° 7, 1978.

Le comique verbal en France, Université de Varsovie, 1981.

Le rire au Moyen Âge, P.U. de Bordeaux, 1990.

BIBLIOGRAPHIE

La bibliographie consacrée à Rabelais est monstrueuse. J'opte donc pour une sélection commentée, à destination de non-spécialistes. Les articles et ouvrages « pointus » ont été indiqués dans les notes ; les contextes de l'œuvre rebelaisienne ont fait l'objet de mini-bibliographies au fil des questions abordées par le Dossier.

On aura une idée de la diversité des recherches en parcourant la série des *Études rabelaisiennes*, publiée chez Droz depuis 1956, in 4°, et spécialement le numéro 21 (1988), *Rabelais en son demi-millénaire,* qui est constitué des Actes du dernier Colloque Rabelais (Tours, 1984), bilan extrêmement riche.

Éditions de référence

Le *Gargantua* de 1534 : par R. CALDER et M.A. SCREECH, Droz, 1970.

Le *Gargantua* révisé de 1542 : in *Œuvres complètes*, édition La Pléiade, par J. BOULENGER, Gallimard, 1965.

La grande édition annotée par A. LEFRANC reste toujours la plus complète en informations érudites, mais elle date et n'a pas été terminée : effectuée de 1912 à 1955, elle s'arrête au milieu du *Quart Livre*.

Les *Œuvres* de Rabelais sont présentées avec une traduction intégrale, sous la direction de Guy DEMERSON, coll. l'Intégrale, Le Seuil, 1973.

Pour une initiation

DEMERSON G., *Rabelais,* collection Phares, Balland, 1987, largement repris dans *Rabelais,* Fayard, 1991, sert de transition initiatique vers l'ensemble de la bibliographie actuelle, expliquant excellement les questions en cours de débat, et la transmission de l'interprétation des ouvrages à travers le temps, les adaptations et déformations.

FRAGONARD Marie-Madeleine, *Les dialogues du Prince et du poète,* coll. Découvertes, Gallimard, 1990.

LARMAT Jean, *Rabelais,* coll. Connaissance des Lettres, Hatier, 1973.

LAZARD Madeleine, *Rabelais et la Renaissance,* Que sais-je ?, 1980.

Rabelais, in *L'École des Lettres,* Second Cycle, n° 78, déc. 1986.

MENAGER Daniel, *Pantagruel, Gargantua,* coll. Profil d'une œuvre, Hatier, 1978.

La vie littéraire au XVIe siècle, Paris Bordas, coll. Études, 1968.

Études générales

ANTONIOLI Roland, *Rabelais et la médecine,* Droz, 1976.

ARONSON Nicole, *Les Idées politiques de Rabelais,* Paris, Nizet, 1973.

LARMAT Jean, *Le Moyen Âge dans l'œuvre de Rabelais,* Publications de l'Université de Nice, 1973.

LOTE Georges, *La Vie et l'œuvre de François Rabelais,* Paris, 1938.

Rabelais, Revue *Europe*, numéros spéciaux novembre 1953 et novembre 1978.

Rabelais : le quatrième centenaire de sa mort, Droz, THR, 1953.

MOREAU François, *Les Images dans l'œuvre de Rabelais,* Paris, SEDES, 1982.

Rabelais Incomparable book, Essays on His Art, Lexington, French Forum, 1986.

Rabelais en son demi-millénaire, Études rabelaisiennes, t. 21, Droz, 1988.

SCREECH Michael, *Rabelais*, Duckworth, 1979, en attente de traduction chez Gallimard pour 1992.

Le grand débat sur le sens de l'œuvre

BAKHTINE Mikhaïl, *L'Œuvre de François Rabelais et la culture populaire au Moyen Âge et sous la Renaissance*, Gallimard, 1970 (problématique fondamentale et novatrice : relier Rabelais aux parodies médiévales, institutionnalisées dans les fêtes du Carnaval, moment d'inversion dans lequel l'auteur veut voir une libre expression populaire qui promeut l'éloge du « bas-corporel » contre la culture oppressive officielle. Point faible : la dissociation peuple/officiel : tous les auteurs connus de parodies sont des lettrés de la culture savante. Actuellement contesté, contestable, mais non réfuté, et sans doute irréfutable pour longtemps).

BUTOR M., *Rabelais, ou c'était pour rire,* Paris, 1973.

FEBVRE Lucien, *Le problème de l'incroyance au XVIe siècle : la religion de Rabelais*, Paris, 1942 (rééd. coll. L'Évolution de l'Humanité, Albin Michel, 1968).

GAIGNEBET Claude, *À plus hault sens : l'ésoterisme de Rabelais,* Maisonneuve et Larose, 1988, 2 vol. in 4°, illustrations. (De la religion populaire comme mode de conservation altéré de traditions qui furent savantes et mêmes ésoteriques, de géants comme héritiers des Dieux païens et de l'astrologie spirituelle, réécrits par le christianisme. Très savant, difficile, fascinant).

MUCHEMBLED R., *Culture populaire, culture des élites,* Flammarion, 1978 (rééd. coll. Champs, 1990).

SCREECH Michael, *L'évangélisme de Rabelais, aspects de la satire religieuse au XVIe siècle*, *Études rabelaisiennes*, t. 2, Droz, 1959.

L'écriture et le rire

GRAY Floyd, *Rabelais et l'écriture,* Nizet, 1974.

HUCHON Mireille, *La Langue française de la Renaissance,* Que sais-je ?, 1987.

Rabelais grammairien. De l'histoire du texte aux problèmes d'authenticité, Droz, 1981.

PARIS Jean, *Rabelais au futur,*Paris, Le Seuil, 1970 (voit en Rabelais un ennemi du symbolisme du langage, attaché au contraire à montrer les capacités ludiques des mots).

RIGOLOT François, *Les Langages de Rabelais*, Genève, Droz, 1972 (une revue complète des formes rhétoriques et stylistiques).

SAINEAN Lazare, *La Langue de Rabelais,* Paris, de Boccard, 1922-1923 (irremplacé : Rabelais a le lexique le plus important du XVIe siècle, de toute provenance, y compris les langues inventées).

TETEL Marcel, *Étude sur le comique de Rabelais,* Florence, Olschki, 1964.
« Le comique verbal en France au XVIe siècle », *Cahiers de Varsovie*, 8, Varsovie, 1981.

Le devenir de l'œuvre

La réception de l'œuvre est décrite dans l'ouvrage cité de DEMERSON G., *Rabelais*, Fayard, 1991.

DE GREVE M., *L'interprétation de Rabelais au XVIe siècle*, Genève, Droz, 1961.

Les rééditions

RAWLES S. et SCREECH M., *A New Bibliography, Éditions before 1626*, *Études rabelaisiennes*, t. 20, Droz, 1987.
SAINEAN L., *L'influence et la réputation de Rabelais. Interprètes, lecteurs, imitateurs*, Paris, 1930.

TABLE DES MATIÈRES

Impression réalisée sur Presse Offset par

BRODARD & TAUPIN

GROUPE CPI

19930 – La Flèche (Sarthe), le 10-01-2003
Dépôt légal : avril 1998

POCKET – 12, avenue d'Italie - 75627 Paris cedex 13
Tél. : 01.44.16.05.00

Imprimé en France